CENTURY

Dit boek is voor mijn oma,
die de sterren van heel dichtbij ziet

Het citaat van Dante Alighieri is afkomstig uit *De goddelijke komedie* vertaald door Ike Cialona en Peter Verstegen, Athenaeum-Polak & Van Gennep, derde druk, Amsterdam 2001.

Oorspronkelijke titel: Century. La prima sorgente.
Alle namen, karakters en andere items in dit boek zijn het copyright, het handelsmerk en de exclusieve licentie van Atlantyca S.p.A.
Alle rechten voorbehouden.
Tekst: Pierdomenico Baccalario
Uitgeefproject: Marcella Drago en Calre Stringer
Tekeningen omslag: Iacopo Bruno
Lay-out: Gioia Giunchi
Vertaling: Pieter van der Drift en Manon Smits
De vertalers ontvingen voor de vertaling van deze reeks een werkbeurs van de Stichting Fonds voor de Letteren.
Eindredactie: Anneliet Bannier
Begeleiding en productie: Ventuno Consulting & Management bvba

Uitgegeven in 2009 door Fantoom, Amsterdam
ISBN 978 90 78345 16 9
NUR 282/283

Pierdomenico Baccalario

DE EERSTE BRON

Illustraties van
Iacopo Bruno

Vertaald door
Pieter van der Drift en Manon Smits

FANTOOM

En een zwarte zon, in de ruimte
zal de zon opslokken, de maan
en alle planeten die ronddraaien
om de zon.
Denk eraan dat
wanneer het einde nabij zal zijn
de mens door de kosmos zal reizen
en van de kosmos zal vernemen
op welke dag het einde zal zijn.
Giordano Bruno, *De l'infinito universo et mondi*, 1584

U deed als iemand die, van zelfzucht vrij,
Des nachts zijn lamp niet voor zichzelf laat stralen,
Maar zijn gezellen bijlicht, toen u zei:
'De eerste Gouden Eeuw zal zich herhalen;
Gerechtigheid keert naar de aarde weer;
Een nieuw geslacht zal uit de hemel dalen.'
Dante Alighieri, *De goddelijke komedie*, Canto 22,
Louteringsberg, vv. 67-72

DE FUNDERING

In de lift, op die middag van zes jaar geleden, ziet Zoë alleen haar eigen weerspiegeling. Alles is zo verwarrend dat ze niet eens precies weet hoe laat het is. Sinds ze de werkkamer van die man is binnengekomen, op de een-na-hoogste verdieping van zijn wolkenkrabber, is ze alle gevoel voor tijd kwijtgeraakt. Het is alsof de wereld vanaf dat moment is opgelost en vervangen door een parallelle wereld gemaakt van glanzende, weerkaatsende oppervlakken. Van metaal en glas.

Hoelang heeft hun gesprek geduurd? Een paar minuten? Uren? Ze weet het niet. De enige aanwijzing is het brandende gevoel in haar keel, dat erop duidt dat ze te lang gepraat heeft. Of dat ze te belangrijke dingen heeft onthuld.

Eerlijk gezegd heeft ze te veel onthuld. Zo is het gewoon.

Ik heb er verkeerd aan gedaan, denkt ze, starend naar haar weerspiegeling op het ijskoude oppervlak van de lift. Maar ik moest met hem praten. Ik was als een slang die in zijn eigen staart bijt.

Zeg dat wel: een slang die in zijn eigen staart bijt.

Zoë weet het nog niet, maar een slang zal haar dood worden, zes jaar later. Dat zal gebeuren in Parijs. Haar eigen stad.

Het is toeval, als er tenminste nog iemand in toeval gelooft.

De lift zakt omlaag. En Zoë ook, in het gezelschap van een zwijgende man. Zoë rilt. Het is net alsof ze in een ijslaag wegzakken.

'Het is koud,' zegt ze als ze het idee heeft dat zelfs haar adem condenseert.

De zwijgende man trekt een wenkbrauw op. Hij heet Mahler, Jacob Mahler. Hij is een virtuoos violist en een meedogenloze huurmoordenaar. Die twee dingen zijn niet tegenstrijdig, zoals je misschien zou denken. 'Daar zou je toch aan gewend moeten zijn,' antwoordt hij.

De man doelt op een wetenschappelijke expeditie langs de Siberische kust waaraan Zoë onlangs heeft deelgenomen. Of op de plek waar ze elkaar voor het eerst ontmoet hebben: een IJslandse warmwaterbron, midden in de sneeuw. Waar hij het ook over heeft, Zoë haalt haar schouders op en slaat haar armen om zichzelf heen, zoals een kind zou doen.

Ze kijkt omhoog, naar de neonlichtjes op het liftpaneel die de verdiepingen aangeven en die niet langer aan en uit gaan. Sinds een paar tellen geven ze alleen nog maar de begane grond aan, ook al blijft de lift zakken.

'Waar gaan we naartoe?' vraagt Zoë argwanend.

'Onder de grond,' antwoordt Jacob Mahler.

En voordat ze nog iets kan vragen, mindert de cabine met een metalige zucht vaart, glijden de twee deuren van glanzend aluminium open en gaat Mahler haar voor door een nauwe gang. 'Deze kant op,' zegt hij.

Zoë volgt hem, nog altijd met haar armen stevig om zich heen geslagen.

'Waar is hij?'

'Hij komt ook omlaag.'

'Kon hij dan niet tegelijk met ons gaan?'

'Te gevaarlijk.'

'Gevaarlijk, in welk opzicht?'

Jacob Mahler houdt zijn pas in, raakt haar schouder aan en blijft staan. 'In dit opzicht. Dan zou er te veel risico zijn geweest op... contact.'

Zoë haalt haar schouders op en antwoordt: 'Ik begrijp het.'

'O nee. Ik denk niet dat jij dat kunt begrijpen.'

Een lichtstraal doorboort de duisternis in de gang voor hen. De streep licht wordt breder als de deuren van een tweede lift opengaan, en daaruit stapt een lange, tot in de puntjes geklede man met glanzend zwart haar, keurig gekamd. Het lijkt of zijn wenkbrauwen op zijn schedel getekend zijn, en een zwarte hoornen bril omlijst zijn ijzige ogen. Hij laat zich Heremit Devil noemen. De Heremiet-Duivel.

'Neem me niet kwalijk dat ik u heb laten wachten,' zegt hij.

Hij wijst de gang in die voor hen ligt. Ze lopen er gedrieën doorheen tot ze bij een balustrade komen. Hij doet het licht aan en wijst op de open ruimte en de ruïnes die hij onlangs heeft laten opgraven toen de fundering van zijn wolkenkrabber moest worden hersteld.

Zoë grijpt de balustrade vast. Ze knijpt er hard in. Het is koud. Steenkoud.

O ja, de fundering van zijn wolkenkrabber moest worden hersteld, denkt Zoë. En toen vond hij dit. Toeval. Gewoon toeval, als toeval tenminste werkelijk zou bestaan.

'En nu… wat… wilt u nu doen?' vraagt Zoë terwijl haar archeo-
logenhart als een razende tekeergaat.

Heremit Devil kijkt haar onverstoorbaar aan. 'Dat moet u mij
vertellen.'

1
HET JONGETJE

De wolken vormen een grijze sluier boven Shanghai, maar ze zijn zo dun dat het lijkt alsof het minste zuchtje wind ze elk moment kan wegvagen.

Sheng rent buiten adem tot aan het Renmin Park, zonder om te kijken. Hij rent als een dolle, doodsbang; hij laat het grote ronde gebouw van het Museum van Antieke Kunst achter zich en zoekt zijn toevlucht tussen de eeuwenoude bomen van het park. Hijgend verstopt hij zich achter de witte stam van een plataan. Dan gluurt hij tussen de bomen door naar de laan met de bankjes ernaast, het museum, het plein waarop liefhebbers van tai chi en wushu staan te oefenen.

Het jongetje is er niet meer. Verdwenen.

Opgelost tussen de twintig miljoen inwoners van de stad.

Mooi zo, denkt Sheng en hij probeert weer tot bedaren te komen.

Dat jongetje achtervolgt hem de laatste tijd. Sinds een paar dagen ziet hij hem telkens weer, op een paar meter afstand. In een winkel. Aan de overkant van de straat. Voor het raam op de tweede verdieping van een gebouw. Het is een bleek jongetje, ziekelijk, dat een basketbalshirt draagt met nummer 89 erop. Hij heeft zwarte ogen, dikke brillenglazen en een spleetje tussen zijn voortanden.

Maar vandaag, toen Sheng op de trap voor het museum in een stripboek zat te bladeren, kwam dat jongetje ineens naar hem toe. 'Ben jij Sheng?' vroeg hij, en zijn stemmetje klonk zo zacht dat het Sheng de stuipen op het lijf joeg. Meteen toen Sheng hem zag, was hij ten prooi gevallen aan een oncontroleerbare angst, zo een die zelfs je gedachten lamlegt.

Wie het ook was, hij is nu weg, zegt Sheng tegen zichzelf, een beetje gerustgesteld. Zijn ogen branden en hij drukt zijn handen er beschermend tegenaan.

Wie was dat? vraagt hij zich voor de zoveelste keer af. En waar kent hij mij van?

Misschien een schoolgenootje. Iemand die Sheng zich niet meer herinnert. Zo'n schoolgenoot waarvan je niet eens meer weet hoe hij heet. Of die al na een paar weken naar een andere school is gegaan.

Zou kunnen.

Ware het niet dat dat jongetje geen schoolgenootje van hem kan zijn. Hij is minstens vijf, zes jaar jonger dan Sheng.

Een neefje dan? Het zoontje van vrienden van zijn ouders?

Zou kunnen, denkt hij weer en hij leunt tegen de plataan aan. Misschien is het iemand die bij zijn vader op kantoor langs is geweest om een studiereis naar het buitenland te regelen.

Iets heel normaals. Alleen is Sheng hem vergeten. Maar waarom voelde hij dan ineens die angst? En sterker nog, waarom voelt hij die nu nog steeds? Hij houdt zijn hoofd tussen zijn handen en voelt het bonzen. Hij heeft weinig geslapen de laatste tijd. Komt door de dromen. Akelige dromen, of terugkerende dromen, waardoor hij 's ochtends uitgeput wakker wordt, alsof hij niet eens naar bed is gegaan.

'Mijn ogen doen pijn...' jammert hij hardop.

'Jij kunt mij zien, hè?' fluistert iemand naast hem.

Sheng schiet overeind.

Het jongetje met het shirt met nummer 89 is hem gevolgd. En hij staat daar, tien passen van hem af, naar hem te kijken.

Dit is een droom, denkt Sheng. Dit is een droom.

Maar het is helemaal geen droom. Hij is echt in Renmin Park. Het is half september. Over een paar dagen zal hij de anderen weer treffen. En hij is de afgelopen twee maanden door niemand gevolgd.

'Wat wil je?' vraagt hij met zijn rug tegen de boom. 'Ik ben Sheng niet!'

Het jongetje staart hem aan met zijn donkere spleetogen. 'Ben jij niet Sheng?'

'Nee,' antwoordt Sheng. 'En nu moet ik weg.'

Zonder hem de kans te geven om nog iets te zeggen, rent Sheng ervandoor, het park uit. Zijn rugzak dreunt tegen zijn rug.

Bomen, bankjes, mensen die oosterse vechtsporten oefenen. Betonnen gebouwen. Vliegtuigen die tussen de wolken verdwijnen. Een woud aan tv-antennes. Neonreclames. Auto's en een heleboel achtergrondlawaai. De sirenes van de schuiten die over de rivier de Huangpu varen.

Sheng rent zonder om te kijken door tot de metrohalte op het Renminplein.

Hij neemt de trap met twee treden tegelijk, laat zijn metropasje door de gleuf glijden en duwt al tegen het metalen draaihek voordat de groene pijl verschijnt. Dan pas draait hij zich om, bang dat het jochie weer achter hem zal staan. Maar hij is er niet. Hij is er niet meer.

Hij bereikt het perron en blijft verbijsterd staan wachten. Hij voelt zich als een vis in een zee van mensen, hij kan het geroezemoes in de ondergrondse niet verdragen. Hij wacht met zijn ogen dicht tot hij de metro uit de tunnel hoort komen. Als hij de deuren hoort opengaan doet hij zijn ogen weer open, stapt in en zoekt een afgezonderd plekje om te gaan zitten, ook als is het maar een paar haltes naar huis.

'Ik word gek...' mompelt hij bezorgd.

Ook omdat zijn ogen helemaal geel zijn geworden.

Mistral doet de deur dicht, zet een paar stappen door de gang van het Conservatorium voor Muziek en Dans van Parijs en leunt met een zucht tegen de muur: haar benen trillen en haar hoofd tolt. Er gonzen talloze gedachten door haar hoofd, als dolgedraaide bijen. Ze doet de vilten bloem op haar rookgrijze katoenen jurk goed en probeert alles op een rijtje te zetten.

Op de deur waardoor ze naar buiten is gekomen zit een koperen plaatje: PROFESSOR FRANÇOIS GANGLOF. Een van de beroemdste en meest ontzagwekkende stafleden van het conservatorium.

Voor haar klinkt het geritsel van een krant die wordt neergelegd. Dan klinken er hoge hakken die over de vloer trippelen. Ten slotte verschijnt Madame Cocot, haar muzieklerares.

'En? Hoe ging het?' Madame Cocot heeft levendige, felle ogen. Zij is degene geweest die haar heeft overgehaald om deze auditie bij het conservatorium te doen. Dat was voordat Mistral, Elettra, Sheng en Harvey hun toevlucht namen in de muziekschool van Madame Cocot om aan de mannen van Cybel te ontkomen. Waar Sheng van het balkon op de bovenste verdieping omlaag was gevallen. En Mistral hem had gered door de bijen te roepen, die hem hadden ondersteund. Herinneringen die zo dichtbij voelen dat ze bijna onwerkelijk lijken, alsof haar zomer in Parijs alleen maar een akelige droom is geweest.

'Het ging goed,' glimlacht ze.

Haar lerares vouwt haar handen ineen, en haar ringen flonkeren. 'Wat wil dat zeggen, juffrouw Blanchard? Kun je wat preciezer zijn? Ben je aangenomen?'

'Tja...' Mistral voelt in de zakken van haar grijze jurk. 'Ik geloof het wel.'

Ze overhandigt Madame Cocot een blaadje met het briefhoofd van het conservatorium, waarop professor François Ganglof in een sierlijk handschrift heeft geschreven: *Muzikale vorming, piano, voordracht Italiaanse lyriek, koorzang type 'A', koorzang type 'B', podiumtraining, zangtraining. Niveau twee.*

'Niveau twee?' roept Madame Cocot verrast. 'Dus je slaat het eerste cursusjaar over? Dat is geweldig! Kom hier, je moet me alles vertellen. Wat moest je allemaal doen?'

Mistral laat zich meevoeren naar een kleine wachtkamer en gaat zitten op een designstoel die nogal oncomfortabel is. 'Hij

vroeg gewoon wat ik wilde zingen', zegt ze. 'Hij zat achter de piano. En ik zei dat ik... Barbra Streisand wilde zingen.'

'O nee! Niet te geloven...' lacht Madame Cocot. 'Heb je Ganglof een nummer van Barbra Streisand laten spelen?'

'*Woman in Love*, ja hoor. Hij speelde... en ik zong. Dat was het.'

De muzieklerares verkreukelt het briefpapier. 'Maar heeft hij je dan helemaal geen vragen gesteld: hoelang zing je al, wie heeft je... zover gebracht en... wat zou je het liefst willen?'

Mistral schudt haar hoofd. 'Nee. Het leek wel alsof... ik weet niet... alsof hij het al wist.'

'En hij maakte ook niet een van die cynische opmerkingen van hem, bijvoorbeeld over je jurk, of over je haar, of waarom je juist bij hem toelatingsexamen wilde doen?'

'Nee. Hij liet me zingen en toen schreef hij die uitslag. En hij zei dat ik aanstaande maandag moet beginnen.'

Madame Cocot laat zich abrupt tegen de uiterst oncomfortabele rugleuning aan zakken, genietend alsof het een heerlijk matras is. 'Ongelooflijk. Echt ongelooflijk.'

'Is er iets niet goed, Madame Cocot? Bent u niet blij?'

De lerares bekijkt haar van top tot teen. 'Wat zeg je? Ik ben ontzettend blij! Ik heb je altijd gezegd dat je mijn beste leerling bent. Maar begrijp me goed: Ganglof is een soort heilig monster. Hij heeft gewoon... nog nooit zomaar in één keer een van mijn meisjes laten slagen... Daarom had ik altijd het idee dat hij op de een of andere manier iets tegen mij had. Maar misschien heb ik me vergist.'

Madame Cocot klapt ineens in haar handen. 'Je moet je moeder bellen! Wat zal ze blij zijn!'

Mistral is daar nog niet zo zeker van; ze wil helemaal niet dat haar leven zo'n grote wending krijgt. En ze denkt dat haar moeder het eigenlijk ook niet wil. Niet nu tenminste.

'Wat is er nu, juffrouw Blanchard? Kom op, bel haar dan!'

Madame Cocot heeft iets zenuwachtigs. Haar blijdschap is overdreven, het lijkt wel of ze iets te verbergen heeft. Glinstert daar misschien een traan?

'Ik vind het toch wel jammer,' zegt Mistral terwijl ze opstaat om naar buiten te gaan.

'Jammer? Hoezo?'

Terwijl ze weer langs de deur van Ganglof lopen, horen ze de klanken van de piano en een vrouwenstem die de melodie probeert te volgen.

Als ze bij de trap aankomen, zegt Mistral: 'Ik kom u zeker opzoeken. Ik heb het immers aan u te danken dat ik ben aangenomen op het conservatorium.'

'Onzin, juffrouw Blanchard. Ik wil het niet eens horen. Jij bent steengoed, veel te goed om nog steeds je donderdagen door te brengen...'

'Woensdagen.'

'O ja, je woensdagen door te brengen bij een oude pianojuf als ik. Een juf die het niet gelukt is om toegelaten te worden tot het Conservatorium van Parijs.'

Die laatste zin gaat vergezeld van een nonchalant gebaar, een vluchtige, geamuseerde blik. 'Hoe dan ook, de wereld stikt van de leerlingen die hun leermeesters voorbijstreven, denk je niet? En nu moet je je gaan voorbereiden. De lessen aan het conservatorium zijn veel moeilijker dan de mijne. Ik wens je heel veel succes, juffrouw Blanchard!'

De lerares geeft haar een hand en overhandigt Mistral een klein pakje. 'Ik hoop dat je het leuk vindt. Hij is natuurlijk niet nieuw, maar...'

In het pakje zit een piepkleine zilverkleurige iPod.

'Ze hebben me verteld dat je er alle liedjes die je maar wilt op kunt zetten. Er staan er misschien nog een paar op van de vorige eigenaar, maar... die kreeg ik er met geen mogelijkheid af.'

'Ach, dat had u niet hoeven doen!'

'Nu heeft hij tenminste een eigenares die weet hoe ze hem moet gebruiken,' dringt Madame Cocot aan.

En zonder een antwoord of een afscheid af te wachten, maakt de muzieklerares een pirouette en loopt weg tussen de buxusperkjes.

Mistral is op z'n zachtst gezegd verbluft. Ze zet haar mobieltje aan, maar ze krijgt niet eens de kans om een nummer te kiezen of hij gaat al over. Haar moeder.

'Mistral, eindelijk heb ik je te pakken! Kom alsjeblieft meteen naar huis.'

'Wat is er?'

'Misschien hebben we iets ontdekt.' En Cécile Blanchard beëindigt het gesprek zonder haar dochter ook maar iets te vragen.

Zoals Mistral al had verwacht is de auditie voor het conservatorium ook voor haar moeder wel het laatste waar ze zich druk om maakt.

2

DE REIZIGER

De oude kaart van de Chaldeeën werkt niet meer.

Dat is het enige wat Elettra kan denken, terwijl ze op de grond tussen de twee stapelbedden op haar kamer zit. Het licht in de badkamer is aan en de deur staat op een kier. Door het raam klinkt het voortdurende geraas van verkeer langs de Tiber: claxons, brommers.

Elettra zucht.

Voor de zoveelste keer grijpt ze de tol met het hartje, zet hem midden op de kaart van Italië en probeert zich te concentreren. Ze weet dat de tollen nooit antwoord geven op specifieke vragen: ze wijzen alleen plaatsen aan en geven aanwijzingen. Maar ze weet ook dat ze geen andere keus heeft.

'Waar is mijn tante?' fluistert ze.

Ze klemt de tol in haar hand en werpt hem op de kaart. Hij begint te draaien en de spitse punt volgt de groeven in het hout van de kaart van de Chaldeeën. Hij wervelt stilletjes van de ene naar de andere stad, van het ene naar het andere dorp, om zijn antwoord te geven. Zijn orakel.

Waar is Linda Melodia gebleven, die nu al vanaf het begin van de zomer is verdwenen?

Op de tafel in haar slaapkamer liggen nog steeds de aanplakbiljetten die Elettra door de halve stad heeft opgehangen. De foto van haar tante, het telefoonnummer van het hotel: *Hebt u deze vrouw gezien?*

Ze is best vaak gesignaleerd. Er hebben heel wat mensen gebeld. En evenzoveel grapjassen. Maar ondanks de schijnbare kalmte van haar zus Irene is het gewoon een feit: tante Linda heeft al haar sporen uitgewist. En gezien haar bijzondere neiging tot schoonmaken, is het nu volkomen onmogelijk om erachter te komen waar ze terecht is gekomen. En vooral ook om erachter te komen waarom ze ervandoor is gegaan zonder ook maar iets te zeggen of uit te leggen.

'Ze is altijd al zo'n impulsief type geweest,' zei tante Irene, alsof het de normaalste zaak van de wereld was. 'Ze wilde vast gewoon alleen zijn.'

Op Elettra's kamer draait de tol met het hartje steeds langzamer rond, tot hij blijft stilstaan. Op de stad Verona, in de provincie Veneto. Alwéér een ander antwoord...

Elettra staat woedend op.

Alweer een zinloze aanwijzing. Maar waarom? Je zou bijna denken dat het orakel niet meer werkt, dat het onherstelbaar beschadigd is bij de val op het trottoir in de Avenue de l'Opéra, waarbij er een hoek is afgebroken.

Elettra is steeds nerveuzer geworden naarmate de tijd verstreek en de datum dichterbij kwam van haar vertrek naar Shanghai, voor de ontmoeting met haar vrienden. Ze draagt al dagenlang dezelfde joggingbroek en oude floddershirts, en haar haren heeft ze al een hele week niet geborsteld, zo zeer is ze ermee bezig om iets van tante Linda te vernemen voordat ze naar China vertrekt.

Ze pakt de tol weer op en houdt hem tegen het licht: de lichte inkerving van het bloedende hartje waar een doorn in lijkt te zitten had haar en haar vrienden op het idee gebracht dat dit voorwerp stond voor het leven. Een leven dat doorgaat, ondanks de pijn.

'Misschien kan ik hem gewoon niet in mijn eentje gebruiken...' mompelt Elettra.

Misschien. Misschien. Misschien.

In de grote badkamerspiegel ziet ze de beeltenis van een meisje dat veranderd is. Het zwarte haar is weliswaar gegroeid na haar drastische nieuwe kapsel in Parijs, maar het is nog wel kort en legt de nadruk op haar lange hals. Onder haar felle ogen zitten donkere kringen.

Elettra legt haar hand tegen de spiegel en geniet van het gladde, koele oppervlak. Als ze haar hand weer weghaalt, zitten haar vingerafdrukken nog op het glas. Het geheime labyrint dat elk van ons op zijn vingertoppen meedraagt.

'Wat moet ik doen?' vraagt het meisje zich met een huivering af. 'En wie ben ik?'

Als ze haar ogen sluit, is het antwoord dat in haar opkomt een werveling van beelden: de driedubbele reservering met oudejaarsavond, de sneeuwbui, de stroomuitval, hoe ze over

de Ponte Quattro Capi renden, professor Van der Berger, het koffertje, de kaart van de Chaldeeën, de eerste vier tollen...

Elettra is een van de vier kinderen die op 29 februari zijn geboren.

'Waarom?' vraagt ze zich weer af, al weet ze best dat ze het antwoord niet weet.

Woest loopt ze de badkamer uit en vervolgens haar kamer. Ze loopt door de gang die naar de eetzaal voert, gaat de trap op, langs de kamer van tante Irene en die van de gasten, tot ze bij de kamer van tante Linda komt, op de bovenste verdieping.

Ze doet het licht niet aan. Ze kent die kamer inmiddels op haar duimpje. Haar vader en zij hebben hem helemaal uitgeplozen, laatje na laatje, jurk na jurk, zonder ook maar één aanwijzing, een suggestie, een verklaring voor haar vertrek te vinden.

Er ontbraken acht blouses, vier dikke truien, vijf wollen broeken, sokken, twee paar schoenen en ondergoed voor een week.

Elettra kijkt naar het bed, de ladekast, de toilettafel, de verzameling Venetiaans glas op de planken. Het is de honderdste keer dat ze hier boven komt kijken.

En het is ook de honderdste keer dat ze denkt dat er iets mis is. Iets wat haar niet verteld wordt. Iets wat zij moet weten.

Dus loopt ze op haar tenen naar het raam van waaruit de kerktoren van de Santa Cecilia te zien is en de vier beelden die uitkijken op de binnenplaats van Hotel Domus Quintilia. Het zijn donkere schimmen in de nacht. Stenen bewakers, stil en roerloos, waar de eerste septemberregen natte strepen over trekt.

Vier beelden, denkt ze. Dan schudt ze haar hoofd.

Ze beseft dat ze geobsedeerd is door het getal vier.

September, denkt ze dan weer.

Over een paar dagen moet ze naar Shanghai vertrekken. Ze gaat hoe dan ook. Tante Linda of geen tante Linda. Want in die stad, daar is ze van overtuigd, zal alles ten einde komen.

'Heb je je afgemeld bij de boksschool?' vraagt mevrouw Miller aan haar zoon terwijl ze samen de voordeur uit lopen. 'Het is onzin om door te betalen als je toch niet gaat.'

'Ik blijf geen hele maand weg. Ik ben zo weer terug, maak je maar geen zorgen,' antwoordt Harvey. Hij geeft haar een kus op haar voorhoofd en loopt naar de taxi. Zijn moeder glimlacht. 'Misschien kan ik haar bellen.'

'Als je wilt. Het nummer ligt op mijn kamer, op bed. Vraag maar naar Olympia.'

Harvey doet het portier van de taxi open en gooit zijn rugzak op de achterbank. 'Ik moet nu gaan. Het vliegtuig wacht niet.'

'Doe de groeten aan papa.'

'Dat zal ik doen. O... verdorie,' aarzelt Harvey met een blik op het dak van hun gebouw.

'Wat is er?'

De jongen gebaart naar de taxichauffeur dat hij even moet wachten en loopt de voortuin weer in. 'Er is nog iets wat je moet weten. Ik heb je toch nog niet alles verteld, mama.'

'Wat moet ik dan nog meer weten, behalve dat je ineens een manie voor boksen hebt?'

Harvey lacht flauwtjes. Hij denkt: Er is nog wel iets, mama. In Rome heb ik de instorting van een flatgebouw overleefd; in

New York heeft een indiaanse postbode in het park van Inwood met zijn broeders gedanst om mijn leven te beschermen; in Parijs ben ik ontvoerd door een krankzinnig mens dat vlees-etende vissen onder de vloer van haar woning hield en ben ik gevlucht aan boord van een luchtballon die tegen een torenspits van de Notre Dame is gebotst. En ik ben alles kwijtgeraakt wat ik bij me had voordat ik zelfs nog maar had ontdekt wat het was.

'Wat je nog meer moet weten, mama?' zegt hij met een raar lachje. 'Eén ding maar. Ik houd een postduif op de vliering. Wil je hem eten geven terwijl ik weg ben?'

'Een duif? Een postduif?'

'Bedankt!' roept Harvey voor hij haar protesten moet aanhoren. Hij drukt nog een kus op haar voorhoofd en rent terug naar de taxi.

Als de auto zich eenmaal in het verkeer heeft gevoegd, con-troleert hij of hij alles bij zich heeft voor de vliegreis. Ticket naar Shanghai, paspoort, visum voor China. Als hij eenmaal daar is, in de grootste haven van China, zal hij zijn vader ont-moeten op het oceanografische schip van Columbia University dat sinds een paar maanden diens tweede thuis is. In elk geval vanaf het moment dat hij de uitslagen van de laatste metingen onder ogen kreeg en geobsedeerd raakte door het idee dat er iets abnormaals aan de hand was met de zee.

Harvey gaat na of hij alles heeft meegenomen waar zijn vader om gevraagd heeft: warme kleren omdat de herfst is begonnen, de papieren en tabellen die in zijn werkkamer lagen, enkele pakjes bestemd voor de heer Miller, afkomstig van de universi-teit en enkele onbekende afzenders.

'Je moet niets openmaken. En niets aan me doorsturen,' had

zijn vader hem op het hart gedrukt over die pakjes. 'Neem alles maar gewoon mee.' Hij had bijna angstig geklonken, aan de telefoon.

3
DE AFDRUK

'Sheng!' roept zijn moeder zodra hij onder de boog van hun huis door komt lopen. 'Waar zat je nu? Sheng!' Ze rent op hem af met haar rechterhand tegen haar voorhoofd gedrukt, als een filmdiva. 'Sheng! Dat ding ging ineens weer aan!'

De jongen zet zijn onafscheidelijke rugzak op de grond. 'Welk ding?' vraagt hij.

'Dat ding' kan namelijk zo veel zijn: de fax, de computer, de dvd-speler, de stereo, of elk ander apparaat met lampjes en geluidjes.

'Weet ik veel! Er gingen lampjes aan en toen begon het een vreselijk kabaal te maken!' roept Shengs moeder uit.

De jongen loopt met haar mee naar binnen. Zijn huis ligt in het hart van de oude stad, de oorspronkelijke nederzetting van Shanghai, die meerdere keren is verwoest en herbouwd, maar waar toch altijd de typische architectuur van de Chinese *shikumen* behouden is gebleven. Huizen van twee verdiepingen met de karakteristieke stenen toegangspoort aan de smalle hoofdweg en een binnenplaatsje om de was op te hangen, te lezen en te ontspannen. Die laatste twee bezigheden zijn vrijwel niet te doen voor Sheng, in elk geval niet sinds hij terug is uit Rome. Daarom gaat hij liever de deur uit om in het park te lezen; als hij dat thuis zou willen doen zou hij een extra muurtje om zich heen moeten bouwen tegen de opdringerigheid van zijn vader, die steeds meer allround reisorganisator is, en de bezorgdheid van zijn moeder, die steeds meer 'ik-snap-niet-waar-jullie-mee-bezig-zijn-maar-ik-ben-bang-dat-jullie-me-alleen-thuis-achterlaten' is. Alsof Sheng ook zonder hen niet al genoeg aan zijn hoofd heeft.

'Kijk nu toch wat een ramp!' kreunt zijn moeder in de duisternis van het huis, dat ze hardnekkig donker wil laten omdat ze ervan overtuigd is dat elektriciteit een kapitalistische duivel is. Ze blijft staan op een paar meter van een grijs kunststof apparaat dat bijna walgend de ene na de andere pagina vol Chinese tekens uitspuwt.

'Dat is gewoon de fax, mama...' zegt Sheng terwijl hij langs haar heen loopt.

'Een fax van wat?'

De jongen bekijkt de bedrukte pagina's: het betreft een reservering voor een studiereis georganiseerd door zijn vaders bureau voor culturele uitwisselingen.

Terwijl hij de blaadjes opraapt, legt Sheng zijn moeder uit dat iemand van het bureau blijkbaar per ongeluk het nummer van thuis heeft doorgegeven, in plaats van dat van kantoor.

Ze lijkt echter geen genoegen te nemen met die verklaring.

'Waarom gaat hij dan zomaar uit zichzelf iets doen?'

'Omdat het de bedoeling is dat hij zo werkt, mama...' legt Sheng uit. 'Als iemand ons een fax stuurt, krijgen wij die binnen.'

'Dus andere mensen beslissen wanneer dit ding aan moet gaan?'

'In zekere zin wel, ja.'

'En dat kunnen wij niet tegenhouden?'

'Tja, nee... Als we hem aan laten staan niet, nee.'

'Dat is vreselijk. Typisch westers. Geen enkel respect voor onze privacy...'

'Mama, het is een fax!'

'En vind jij het normaal dat hij zomaar ons huis binnenkomt zonder onze toestemming? Ik kan jullie echt niet begrijpen, jou en je vader. Noemen jullie dat vooruitgang? Het is gewoon een invasie!'

Sheng zucht. Het heeft geen zin om te discussiëren met zo'n ouderwets iemand. Hij pakt de blaadjes die voor zijn vader bestemd zijn en leest ze vluchtig door: de afzender wil een culturele uitwisseling doen met Parijs, om Frans te leren.

Op slag laat Sheng de blaadjes zakken, getroffen door een golf van herinneringen aan die laatste turbulente zomer in Parijs. De drukkende hitte, de gangen van het Louvre, de speurtocht door de stad op aanwijzing van het horloge van Napoleon, de gammele brommer waarop Elettra en hij bij het huis van Mistral aankwamen...

Hij glijdt met zijn vinger onder de hals van zijn shirt en merkt dat hij helemaal bezweet is.

De fax spuwt het laatste blaadje uit.

27

Sheng kijkt naar de datum, die bovenaan staat. 18 september.

'O nee!' roept hij uit.

Het is al 18 september.

En hij is de afspraak vergeten.

'Mama!' roept hij buiten adem. 'Ik moet weg!'

'Maar je bent net thuis...'

'Ik moet vandaag een vriend van het station halen!'

'Welke vriend? Toch hopelijk niet zo een van...'

'Alsjeblieft, mama! En trouwens, jawel, het is er zo een van coca cola, spijkerbroeken, stripverhalen en computers!'

Zijn moeder valt bijna flauw van afschuw. 'Je laat hem toch niet hier logeren, hè?'

'Nee. Hij slaapt in een hotel.'

'Natuurlijk. Ik wed dat hij in zo'n hotel voor rijke stinkerds zit.'

'Mama, er zijn meer rijke stinkerds in China dan waar zij wonen, hoor!'

Zijn moeder kijkt hem argwanend aan. 'Ik ken je niet meer terug, jongen. Ik ken je niet meer terug.'

Sheng loopt naar de hal, zwaait de rugzak op zijn rug en wil weer weggaan.

Voordat hij de deur opendoet, werpt hij echter een blik op de straat. Die is twee meter breed, grijs, en vol mensen.

'Neem dit dan mee,' zegt zijn moeder terwijl ze hem een zakje met rijstballetjes aanreikt. 'Dan heb je tenminste iets te eten.'

Sheng glimlacht om haar zorgzame gebaar. 'Dankjewel, mama.'

Ze smaken natuurlijk vreselijk, zoals de meeste dingen die zijn moeder bereidt, maar het gaat om het idee.

'Je bent toch niet verliefd?' vraagt ze nog, terwijl ze door zijn sluike, pikzwarte haar strijkt.

Sheng wordt op slag rood en draait zich om.

Is dat zo duidelijk? vraagt hij zich af en hij rent naar buiten om op tijd op het Centraal Station te zijn.

'Ben jij dat, Mistral?' roept Cécile Blanchard wanneer Mistral binnenkomt.

Ze staat in de eetkamer gebogen over de tafel die ze hebben veranderd in onderzoekscentrum.

'Ik zocht je al...' Ze zwijgt, getroffen door de mooie jurk van haar dochter. Meteen slaat ze met haar hand tegen haar voorhoofd. 'Je examen!'

'Auditie.'

Cécile rent haar tegemoet om haar te omhelzen. 'Hoe kon ik dat nu vergeten? En, hoe is het gegaan?'

Mistral glimlacht. 'Ik ben aangenomen.'

'Maar dat is geweldig! Dat moeten we vieren!'

'Ja,' knikt Mistral en ze zet haar tasje, dat is gemaakt van talloze aluminium lipjes van colablikjes, op de grond.

Bedaard vertelt ze hoe de auditie ging. Er klinkt geen enkel enthousiasme door in haar stem, geen enkele emotie. Maar ook geen verwijt omdat haar moeder er niet aan gedacht heeft. Onder het praten loopt ze naar de eettafel.

'Je zei dat er nieuws was,' zegt ze ten slotte. 'Is de tante van Elettra gevonden?'

'Op dat gebied is er geen nieuws,' antwoordt haar moeder. 'Ik

heb Fernando net nog aan de telefoon gehad.'

'Wat is er dan?'

Cécile wijst naar enkele foto's die op de tafel liggen, gerangschikt in de vorm van een grote zonnebloem. 'Weet je nog wie
Sophie is?'

'Niet echt,' antwoordt Mistral.

'Die collega van me... Blond, lang, slank, altijd in het zwart
gekleed... Hoe dan ook, ze houdt zich met stoffen bezig. Ze reist
de wereld over op zoek naar de beste wol en het fijnste katoen.
Maar dat is niet het enige. Ze heeft zoveel geleerd over de
samenstelling van verschillende stoffen dat ze intussen een
halve scheikundige is. En in haar laboratorium werkt ze met
apparaten waar je je niet eens een voorstelling van kunt maken.'

Cécile pakt een paar foto's en gaat naast haar dochter zitten.
'Daarom heb ik haar gevraagd om je-weet-wel-wat te analy-
seren.'

Mistral weet waar haar moeder op doelt: de Sluier van Isis.
De mysterieuze doek die ze opgevouwen hebben aangetroffen in
een nis van de Saint Germain des Pres, samen met het zwarte
beeldje van een vrouw met een gezicht dat is verweerd van
ouderdom.

'Sophie heeft een diepgaande analyse uitgevoerd,' glimlacht
Cécile.

'En...?'

Eerste foto.

'Ze zegt dat de stof wel oud is, maar ook weer niet oeroud.
Een mengsel van katoen en zijde van minstens zeven, acht
eeuwen geleden. Laten we zeggen, uit het begin van de der-
tiende eeuw, Marco Polo.'

'Oké,' antwoordt Mistral terwijl ze op adem komt. 'Ga door.'

Tweede foto.

'Ze zegt dat hij voor een lap stof uitzonderlijk goed bewaard is gebleven. De slijtagestrepen hier en hier komen overeen met de vouwen, en als je ziet hoezeer ze zijn ingesleten is het waarschijnlijk dat de stof heel lang opgevouwen is geweest. Aan deze kant, aan de rand, is er een stuk gescheurd, alsof er twee ringen in hebben gezeten, of twee touwtjes waarmee hij omhoog werd gehouden... of waarmee hij ergens aan vastzat.'

'Zoals een zeil?'

'Zou kunnen. Maar bij zeilen zit er meestal een hele rij ringen doorheen, boven- en onderaan, waar de lijnen doorheen zitten waarmee ze kunnen worden geopend. Dit lijkt eerder een vlag. Een hele grote, maar toch een vlag.'

Cécile geeft Mistral een soort gekleurde grafiek.

'Sophie heeft in het weefsel van de stof een hoog gehalte natriumchloride aangetroffen. Zout dus.'

'Alsof hij heel lang blootgesteld is geweest aan zeewater.'

'Precies.'

Mistral en haar moeder kijken elkaar veelbetekenend aan.

Dan vervolgt Cécile: 'Hoe dan ook, dat is niet het meest interessante wat Sophie heeft ontdekt. Het meest interessante, wat wij niet hadden opgemerkt, is dat de stof net boven die scheuren versierd is met een bijna onzichtbare gouden inslag.'

'Een gouden inslag?'

Derde foto.

'Kijk hier en hier. En hier ook. Aan deze kant van de stof zitten een paar gouden draadjes door het katoen en de zijde heen geweven. Van boven naar beneden aan deze kant, als een

lange lijn. En aan de andere kant meer op een hoopje. Ze vormen allerlei cirkels, hele en halve.'

Mistral kan ze nu duidelijk zien, op de uitvergrote foto's. De piepkleine gouden draadjes vormen een soort silhouet aan de linkerkant en de onderkant van de sluier, en aan de andere kant een reeks kleine tekeningetjes, of...

'Zijn het letters?' vraagt ze, terwijl ze met haar vinger over de foto glijdt.

Cécile knikt. 'Volgens mij wel. Maar wel volkomen onleesbare letters.'

Ze pakt een groot geïllustreerd boek en bladert erdoorheen, terwijl ze Mistral enkele platen met Chinese tekens toont. 'Hier lijken ze niet op...' Dan bladert ze snel terug naar het spijkerschrift van de Assyriërs. 'En hier lijkt het ook niet op. Het lijkt eerder iets... ertussenin.'

'Dit moeten we absoluut aan de anderen vertellen,' mompelt Mistral.

'Wacht, dat is nog niet alles,' antwoordt Cécile terwijl ze het boek dichtklapt. 'Sophie heeft nog een laatste onderzoek gedaan, ook al is ze daarbij misschien wel wat te ver gegaan. Gelukkig heeft niemand het gemerkt: ze heeft de sluier onderworpen aan een spectroscopie met weerkaatst licht en aan een röntgenonderzoek, en bovendien heeft ze een snelle thermografie gemaakt. Dat zijn onderzoeken die normaal gesproken worden gedaan om de doorlaatbaarheid van nieuwe stoffen te bepalen, omdat hiermee sporen van zweet, water, bloedvlekken, pigmenten en dat soort dingen zichtbaar worden gemaakt. Kortom, Sophie had absoluut niet verwacht... dat ze dit resultaat zou krijgen.'

'Welk resultaat?'

Laatste foto, bezaaid met gele plakkertjes ter verklaring: in het midden van de doek zit een afdruk die waarschijnlijk is ontstaan door de vochtafdrijvende oxidatie van de cellulose van de katoenvezel aan de oppervlakte van de stof. Mistral slaakt een kreet van afschuw. In het midden van de sluier zit een afdruk van een soort reuzenslang van minstens drie meter lang, met een vierkante kop en vier poten.

'Wat denk je daarvan?'

'Hoe kan dat... daarop afgedrukt zitten?' antwoordt Mistral.

'Dat vraagt Sophie zich ook af: het kan geen beeld zijn, want beelden zweten niet. Maar als het geen beeld is...'

Dan is het een draak, denkt Mistral.

Maar dat durft ze niet hardop te zeggen.

4
DE LIFT

Elettra wordt midden in de nacht wakker, met bonzend hart.

Haar slaapkamer is stil en donker.

Ze draait zich om onder de dekens en duwt haar gezicht in haar kussen. Wat was ze aan het dromen? Ze weet het niet meer. Iets verwarrends. Mistral was erbij. En Harvey was er ook. Ze werden op de achterbank van een auto met zwarte ramen geduwd. Om hen heen bewoog zich een stad die alleen maar uit lichtjes leek te bestaan. Een onbegrijpelijke stad, waar de gebouwen en de wolkenkrabbers vloeibaar leken. Alsof ze van water waren.

Elettra rekt zich uit in haar bed en voelt een doffe pijn in haar onderrug. Spanning. Ze blijft maar spanning opbouwen die ze op geen enkele manier kan ontladen.

Ze draait zich nog een keer om, en nog een keer. Ze heeft haar ogen nog steeds wijdopen.

Ze probeert aan iets rustgevends te denken. Het gezicht van Harvey, bijvoorbeeld. Maar hoe ze zich ook concentreert, ze kan zich de gelaatstrekken van haar vriendje maar nauwelijks voor de geest halen.

De lift, denkt ze terwijl ze haar oren spitst. Wie gebruikt er nu midden in de nacht de lift?

Elettra wrijft haar ogen uit en probeert alles op een rijtje te zetten: ze is naar de kamer van haar tante gegaan en is vervolgens meteen gaan slapen, zonder tv te kijken en zonder het boek open te slaan dat ze tijdens de vakantie zou moeten lezen voor school. Ze zoekt de wekker.

Drie uur 's nachts. Onmogelijk. Het kan niet dat er om deze tijd nog iemand wakker is. Nu is inderdaad weer alles stil. Ze heeft het vast gedroomd.

Maar dan hoort ze het opnieuw: een gezoem in de verte, het tegengewicht dat in beweging komt om de daling van de cabine op te vangen. Elettra luistert aandachtig. Degene die daar om drie uur 's nachts in de lift staat, gaat omlaag naar de eetzaal. Een gast die het laat heeft gemaakt? Een hongeraanval van haar vader? Of zou tante Irene zich niet goed voelen?

Elettra glipt haar bed uit, zoekt de paars/lila gestreepte sokken die ze als sloffen gebruikt, doet zachtjes haar kamerdeur open en als ze een zwak lichtje voorbij ziet glijden aan het eind van de gang, rent ze ernaartoe. Haar nachthemd vliegt als een schim langs de tralievensters die uitkijken op de binnenplaats.

Trrr...

Trrr...

Het barst in het hotel van de zoem- en kraakgeluiden die oude huizen eigen zijn. Houtwormen in de meubels die aan de

woeste ontsmettingsacties van tante Linda zijn ontsnapt, houten balken die zich zetten, vloeren die kraken zonder aanwijsbare reden. Oude dingen laten graag weten dat ze er nog zijn.

Als ze bij de eetzaal aankomt, verstopt Elettra zich achter het grote buffet waar tante Linda altijd witte sierkleedjes op legde en dat ze vervolgens volstouwde met taarten en andere lekkernijen voor het ontbijt, maar dat nu enkel een zwart, dreigend meubel is. Ze is net op tijd om een waaier wit licht in de ruimte te zien verschijnen door de smeedijzeren liftdeurtjes, en dan verdwijnt de kleine cabine weer. En aangezien de eetzaal zich op de begane grond bevindt, kan hij alleen maar naar boven zijn gegaan, naar de kamers.

Dus loopt Elettra door de eetzaal heen naar de trap en kijkt omhoog. Naast haar is de balie van de receptie en de kelderdeur, verscholen achter enkele verwaarloosd uitziende planten. Aangezien ze geen voetstappen hoort in de gang, loopt Elettra een paar treden omhoog om beter te kunnen luisteren. Maar hoe ver ze ook omhoog gaat en zich dwingt om te luisteren, ze hoort niet het gebruikelijke piepen van de smeedijzeren deurtjes die opengaan, noch het geluid van een sleutel die in een kamerslot wordt gestoken.

En dan ontdekt ze dat de cabine helemaal niet op de eerste verdieping is gestopt. En ook niet op de tweede.

Dit kan niet, denkt Elettra in het duister. Hij kan niet zomaar verdwenen zijn.

Toch heerst er in de gang op de tweede verdieping een volkomen duisternis, waarin ze een Duitse gast rustig hoort snurken.

Elettra haast zich terug naar de eetzaal. Maar ook daar is geen spoor van de liftcabine.

En het Domus Quintilia heeft geen andere verdiepingen.
Niet boven en niet onder.

'Ik ben gewoon overstuur door de duisternis en de spanning,'
mompelt Elettra bij zichzelf. 'De lift is er gewoon, alleen zie ik
hem niet.'

Maar toch...

Ze overweegt nog een keer alle verdiepingen van het hotel te
controleren, maar ze houdt zich in. Ze loopt langs het ontbijt-
buffet om terug te gaan naar haar kamer en te proberen nog wat
te slapen. Maar halverwege de gang blijft ze staan.

Vol ongeloof.

Ze blijft recht voor zich uit kijken, naar haar slaapkamerdeur
die op een kier staat, maar vanuit haar ooghoek merkt ze iets
vreemds op door het raam dat op de binnenplaats uitkijkt. Iets
héél vreemds.

In de oude put midden op de binnenplaats brandt ineens
licht.

Eenmaal in de vertrekhal voor intercontinentale vluchten van
de luchthaven van New York, zoekt Harvey zijn incheckbalie.
Nummer veertien. Hij gaat in de rij staan, laat zijn papieren
controleren en stuurt zijn koffer rechtstreeks naar Shanghai. Als
handbagage houdt hij alleen zijn rugzak bij zich, met een boek
en de nog gesloten documenten waarvan zijn vader hem op het
hart heeft gedrukt dat hij ze bij zich moet houden. De rugzak
gaat door de röntgencontrole die naar de wachtruimtes leidt,
terwijl Harvey zelf, in spijkerbroek, twee T-shirts en wollen trui,

twee keer wordt gefouilleerd. Hij moet ook nog zijn schoenen uittrekken en ze door het röntgenapparaat laten gaan voordat hij mag doorlopen.

Hij zucht en controleert of zijn tandenborstel nog in zijn toilettas zit.

Tot nu toe gaat alles goed, denkt hij terwijl hij zijn veters strikt.

Terwijl hij wacht tot de passagiers van zijn vlucht kunnen instappen, gaat hij voor de ramen staan kijken naar de landingsbanen waar vliegtuigen van over de hele wereld staan. Hij probeert te raden waar ze vandaan komen en daarna zoekt hij een paar makkelijke stoelen, stuurt een sms-je aan Sheng om hem te laten weten dat hij over acht uur op de luchthaven van Shanghai zal landen, stuurt een tweede sms-je aan Elettra, en na een korte aarzeling ook eentje aan Mistral.

Hij schrijft zijn vrienden niet wat hij werkelijk van plan is. Hij laat enkel doorschemeren dat hij, als hij eenmaal in Shanghai is, meteen zijn vader gaat opzoeken en dat hij zich vervolgens bij hen zal voegen om... iets te proberen.

Harvey is er niet van overtuigd dat hij de beste oplossing heeft gekozen. Maar hij is blij dat hij in elk geval de knoop heeft doorgehakt. Het was een moeilijke, lastige beslissing, maar hij heeft inmiddels geleerd om te gaan met de verantwoordelijkheid om moeilijke, lastige dingen te moeten doen. Hij heeft zijn uitzonderlijke eigenschappen leren aanvaarden, waardoor hij anders is dan zijn leeftijdgenoten. Er is geen andere jongen op de wereld die kan horen wat de Aarde tegen hem zegt. Of die een struikje in zijn hand kan houden en het zienderogen kan laten opbloeien en groeien.

Er klinkt een stem door de luidspreker en de mensen gaan in een lange rij staan; het teken dat het instappen is begonnen. Harvey sluit keurig aan in de rij, laat zijn instapkaart en paspoort zien, volgt de aanwijzingen van de stewardess, pakt een exemplaar van *The New York Times* van de stapel gratis kranten, zoekt stoel 14E in het vliegtuig en neemt plaats. Hij zet zijn rugzak onder de stoel zodat hij zijn boek snel kan pakken tijdens de vlucht, schakelt zijn mobieltje uit nadat hij heeft gecheckt of een van zijn vrienden nog heeft geantwoord, doet zijn veiligheidsriem om en slaat de krant open, waarbij hij alle artikelen over politiek overslaat. Hij neemt de pagina's door met de achteloze snelheid waarmee je in een stripboek bladert dat je al kent, of een damesblad bij een herenkapper.

'Neem me niet kwalijk...'

Harvey laat de krant zakken. Een mevrouw die rechtstreeks uit een tekenfilm lijkt te komen, in de rol van 'chagrijnige schooljuf', vraagt of ze er even langs mag. Harvey maakt zijn riem los, staat op, laat haar er met een glimlach langs en slaat opnieuw de krant open. De dame begint te prutsen om haar riem vast te krijgen.

'Shit,' zegt Harvey, zodat de vrouw hem ontstemd aankijkt.

Het is een kort berichtje, slechts een paar regels. BRONX. BOKSSCHOOL AFGEBRAND.

Harvey leest het stukje in één adem uit.

'Shit,' mompelt hij opnieuw als hij ontdekt dat het om de boksschool van Olympia gaat. Zíjn boksschool.

De dame naast hem werpt hem een strenge blik toe, maar Harvey heeft geen tijd voor formaliteiten. Hij pakt zijn mobieltje

uit zijn zak en zet het aan. Hij zoekt in de telefoonlijst naar het nummer van Olympia en belt haar op.

'Je mag geen mobiele telefoon aan hebben tijdens het vertrek...' maakt de dame van stoel 14F hem duidelijk.

Harvey draait zich van haar weg. 'Neem op...' zegt hij, luisterend naar de trage piepjes van de overgaande telefoon. 'Toe, Olympia, neem op.'

De bokstrainster neemt bij de vijfde keer op, zodat Harvey eindelijk weer adem kan halen.

'Met Harvey. Ik las het in de krant. Wat is er gebeurd?'

'Harvey! Ik heb je thuis proberen te bereiken! Waar ben je?'

'Ik zit in het vliegtuig naar Shanghai. Ik ben net ingestapt en... Shit, mevrouw, kunt u eindelijk eens stil blijven zitten?' moppert hij tegen zijn buurvrouw die nu overeind probeert te komen.

'Je moet oppassen! Het waren die verdomde meiden,' vertelt Olympia intussen aan de telefoon.

'Welke meiden?' vraagt Harvey. En dan roept hij uit: 'De meiden van de Lucifer? Die van Nose?'

Zijn buurvrouw zwaait met haar armen om de aandacht van de stewardess te trekken.

'Precies. Ze hebben benzine in de sportschool gegoten en hem vervolgens in brand gestoken. Toen er niemand aan het trainen was, goddank...' vertelt Olympia.

'Hoe weet je zo zeker dat zij het waren?'

'Ze belden me thuis op om me te waarschuwen.'

Harvey voelt zijn hoofd duizelen: de meiden van Egon Nose, de man die in New York achter hen aan was gestuurd. De meester van de New Yorkse nachten.

'Nose is vrijgelaten uit de gevangenis, Harvey,' vervolgt Olympia. 'Drie dagen geleden. En hij heeft er geen gras over laten groeien. Dit is alleen maar een waarschuwing. Voor ons en... voor jou. Is er iemand bij jou thuis?'

'Alleen... mijn moeder...' fluistert Harvey.

'Je moet haar waarschuwen. Je moet haar meteen waarschuwen! Misschien loopt ze gevaar!'

Harvey hangt overdonderd op. Hij belt naar huis.

'Meneer, het spijt me...' klinkt een vriendelijke stem boven hem. 'U moet uw mobiele telefoon uitzetten.'

Harvey kijkt op naar de stewardess, maar hij is zo diep in gedachten dat hij haar niet eens ziet.

De telefoon gaat over. Eén keer. Twee keer. Drie keer.

'Meneer,' herhaalt de stewardess. 'Ik moet u verzoeken het gesprek te beëindigen.'

Harvey steekt zijn hand afwerend op, en steekt één vinger omhoog om duidelijk te maken dat ze één seconde geduld moet hebben, dat dit belangrijk is.

Vierde keer. Vijfde keer.

Bij de zesde keer springt het antwoordapparaat aan: 'Huize Miller. We zijn er niet. Spreek een bericht in na de...'

Harvey verliest de controle over zijn mobieltje. Met een snelle beweging vanaf de stoel naast hem grijpt de dame van 14F het letterlijk uit zijn hand: 'Zo is het wel genoeg, snotneus!'

'Geef me meteen die telefoon terug! Het is heel belangrijk!' protesteert Harvey.

Maar het chagrijnige mens zet het mobieltje uit en geeft het aan de stewardess. 'Houdt u die maar bij zich. En maakt u zich

geen zorgen, juffrouw. Ik ben wiskundelerares. Ik weet wel hoe ik dit soort ettertjes moet aanpakken.'

Harvey is met stomheid geslagen. Hij zou haar het liefst lik op stuk geven, maar hij heeft er de energie niet voor. Hij blijft stil, roerloos zitten, als verlamd, en kijkt naar de vleugels van het vliegtuig die beginnen te trillen terwijl ze over de startbaan razen.

Egon Nose is vrijgelaten uit de gevangenis. En hij is woedend.

5

DE TWIJFEL

Een intercontinentaal telefoontje schiet door de atmosfeer van
de aarde en wordt opgevangen en doorgegeven door een privé-
satelliet die in de hemel boven China hangt.

'Devil,' antwoordt een stem.

'Uhhuhhuh, oude vriend!' roept Doctor Nose. 'Onkruid ver-
gaat niet, hè!'

'Egon.'

'Nog altijd even opgewekt?' herneemt de oude eigenaar van
de Lucifer met gespannen stem. 'Zal ik je eens vertellen hoe ik
me de afgelopen maanden gevoeld heb?'

'Nee.'

'Vind je het niet leuk om een oude vriend weer eens te spreken?'

'Niet echt.'

'Uhhuhhuh! Heremit! Je verbaast me. Dacht je dat ik je alleen maar belde om hallo te zeggen? Dat zou niet mijn stijl zijn, denk je wel? Mijn stijl is veel eleganter. Soberder. Meer klasse. Uh, het spijt me dat je me niet kunt zien op je monitoren, maar... zoals je weet zijn er hier wat dingetjes veranderd, en ik heb mijn nieuwe kantoor nog niet uitgerust met alle elektronische snufjes waar jij zo gek op bent. Je zult het dus alleen met mijn stem moeten doen.'

'Wat moet je?'

'Ik heb goed nieuws voor je. Uhhuhhuh!'

Stilte.

'Eerste nieuwtje: ik heb de boksschool van Olympia laten platbranden. Maar dat zal je wel niet interesseren. Laten we zeggen dat ik dat vooral heb gedaan om de prioriteiten scherp te krijgen. Tweede nieuwtje: ik sta op het punt om hetzelfde te doen met het huis van dat ventje van jou.'

'Stop.'

'Stop?' protesteert Egon Nose, en zijn grote neus trilt. 'Ik kan niet stoppen! Niet na alles wat ze me hebben aangedaan. En jij kunt me al helemaal niet tegenhouden.'

'Ik heb ervoor gezorgd dat je vrijkwam, Egon.'

'Uhhuhhuh! Natuurlijk, Heremit. Je hebt ervoor gezorgd dat ik vrijkwam uit de gevangenis, en daar ben ik je dankbaar voor. Maar vergeet niet dat je er ook voor gezorgd had dat ik in de gevangenis belandde, dankzij die opdracht van je. Ik moest een tol te pakken zien te krijgen en... dat joch van Grove Court achtervolgen. Trouwens, die is vertrokken.'

'Wanneer?'

'Een halfuur geleden.'

Stilte.

'Ben je daar nog, Heremit?'

'Zie maar wat je doet, Nose. New York is niet langer mijn probleem.'

Het gesprek wordt meteen daarna beëindigd. Heremit Devil heeft iets anders aan zijn hoofd. Dingen die in beweging komen. En dingen die niet kloppen.

Harvey is vertrokken. Vast en zeker om de anderen te ontmoeten, in Shanghai. Maar waar? Er is slechts één ding waar Heremit nog niet achter is gekomen: de identiteit van de Chinese jongen.

De man loopt door zijn werkkamer op de een-na-hoogste verdieping van zijn wolkenkrabber en kijkt naar de stad die zich voor de ramen uitstrekte, weifelend wat hij moet doen. Dan pakt hij de telefoon weer op.

'Mademoiselle Cybel,' fluistert hij, waarna hij meteen weer ophangt.

Op zijn bureau liggen enkele voorwerpen gerangschikt.

'De Ring van Vuur,' somt hij op, aaiend over het voorwerp dat ook wel 'de spiegel van Prometheus' wordt genoemd. Het is een antiek stuk spiegel, gevat in een lijst die niet meer dan honderd jaar oud kan zijn. Zou kunnen, denkt Heremit. Misschien was de oorspronkelijke lijst kapotgegaan. En de nieuwere is vervolgens zo gemaakt dat hij precies paste in het beeld van Prometheus bij het Rockefeller Center in New York.

'De Ster van Steen,' vervolgt Heremit. Een eeuwenoude oerkei. Een steen die hol is van binnen, als een vaas.

'En daarna Parijs...' mompelt Heremit. Het voorwerp van Parijs is een oud houten scheepje.

47

Waarom een houten scheepje? vraagt hij zich nu al wekenlang af. En wat is het verband tussen die drie voorwerpen?

Naast het bootje liggen zes oude houten tollen. Heremit laat
zijn vingertop over de subtiele inkervingen glijden: de hond, de
toren, de draaikolk en het oog waren in het bezit van professor
Van der Berger; de regenboog was in het bezit van de antiquair
Vladimir Askenazy; en de schedel, die was in het bezit van zijn
familie.

'Honderd jaar,' zegt Heremit Devil hardop. 'Deze voorwerpen
kunnen maar eens in de honderd jaar gebruikt worden. De spiegel, de steen, het schip, en ten slotte...'

... de grond onder zijn wolkenkrabber.

Zoë heeft Heremit verteld dat de vorige keer, rond 1900, niet
alle voorwerpen gevonden waren. Daarmee was het spel afgelopen. Het universum draaide verder, de sterren verplaatsten zich.
En er moest weer honderd jaar gewacht worden.

'Maar nu...' mompelt Heremit Devil. 'Als het goed is zijn de
voorwerpen nu allemaal hier.'

De deur van de lift zoeft open.

'Is er iets niet goed, mijn beste? Is er iets niet goed?' vraagt de
dikhuidige Mademoiselle Cybel terwijl ze komt aanstormen in
haar opzichtige jurk met witte en blauwe bloemetjes en met haar
vlinderbril op. Zonder een antwoord af te wachten loopt ze naar
een van de twee stoelen in de werkkamer van Heremit en gaat er
onverwacht voorzichtig op zitten. 'Had je me laten roepen?'

De man draait zich niet naar haar toe. Hij houdt zijn aandacht zoveel mogelijk gericht op de voorwerpen op zijn bureau.
Op een gegeven moment verbreekt hij de stilte: 'Ik snap het
niet.'

'Wat snap je niet, beste Heremit? Wat niet?'

De man gaat op zijn stoel zitten. 'Ik heb de kinderen nodig.'

'Aha,' zegt Mademoiselle Cybel, terwijl ze haar bril goed schuift. Dan schiet haar iets te binnen; ze neemt haar bril af, haalt een spiegeltje uit haar tas en bekijkt haar gezicht. 'Maar je hebt gezegd dat...'

'Ik weet wat ik heb gezegd.'

Cybel klapt het spiegeltje tevreden dicht. Geen lippenstiftvegen op haar wangen. 'Zoals je wilt, mijn beste, zoals je wilt. Dan gaan we ze halen. Heb je nog iemand in New York?'

'Miller is al onderweg naar Shanghai.'

'Dan kunnen we Mistral Blanchard pakken,' kakelt de vrouw. 'Voor zover ik weet is ze thuis. Of anders naar zangles. Ik kan meteen iemand sturen, als je wilt.'

Heremit Devil geeft geen antwoord.

'En ik denk dat er ook iemand nodig is in Rome. Voor die elektrisch geladen juffrouw.'

Heremit Devils haar is keurig gekamd. De zwarte hoornen bril omkadert zijn ogen. Hij draagt een donker Koreaans jasje dat helemaal tot bovenaan is dichtgeknoopt.

'Ja,' antwoordt hij.

Maar in die ene lettergreep schuilt een valse klank.

6

DE STEM

'Niet slecht, juffrouw Blanchard, helemaal niet slecht! U bent mijn beste leerling!' imiteert Mistral lachend, terwijl ze languit op bed ligt.

Ze heeft zich omgekleed en draagt nu een joggingpak met blauwe bloemetjes. Ze heeft een van haar schetsblokken gepakt waarin ze alles opschrijft wat ze meemaakt, en ze tekent het gezicht van professor François Ganglof. Als ze haar ogen dichtdoet en terugdenkt aan die auditie, voelt ze haar benen nog steeds trillen. Ze wist zeker dat ze er bij een paar tonen naast had gezeten. En dat haar stem schel klonk, schril, bijna onaangenaam. Ze was natuurlijk emotioneel, maar de professor had gezegd: 'Emotie, gevoel is het belangrijkste, juffrouw Blanchard. Dat is wat er tijdens het zingen moet worden overgebracht. Het wemelt in de wereld van de goede zangeressen. Uitstekende

zangeressen. Zuivere, krachtige stemmen. Maar niet van de...
emotionerende stemmen.'

Mistral bladert door haar schetsblok, terug in de tijd. Dan
rekt ze zich uit en loopt naar het raam. Het bijennest dat onder
de dakrand zit, is inmiddels dicht en verzegeld met was. Zonder
acht te slaan op de klimaatsveranderingen hebben de bijen
besloten dat de zomer al voorbij is.

'Jullie worden bedankt...' moppert het meisje, want ze heeft
een hekel aan de herfst en de winter.

Haar moeder is boodschappen gaan doen. Mistral heeft haar
tas in de woonkamer laten staan. De Sluier van Isis hangt opengevouwen over de rugleuningen van twee stoelen, als een oude
plaid die gelucht moet worden. De foto's van Sophie liggen
verspreid over de tafel, bij de boeken over kalligrafie en hand-
schriften, en het boek over de taal der dieren dat Agata, een
vriendin van professor Van der Berger, haar vanuit New York
heeft toegestuurd. Mistral maakt haar tas open en pakt de iPod
die ze van Madame Cocot heeft gekregen.

Ze zet hem aan, doet de koptelefoon op en loopt fluitend
terug naar haar slaapkamer. Ze doorzoekt de lijst met nummers
die erop staan: titels en vertolkers die haar niet bekend voorkomen. Klassieke muziek, waarschijnlijk. Ze drukt op de knop *ran-
dom play* en gaat op haar bed liggen.

Een geroezemoes, een applaus en dan klinken de eerste pia-
notonen van een nocturne van Chopin. Mistral luistert er in
vervoering naar. Daarna komt er een heftige symfonie, maar die
slaat ze over, door naar het volgende nummer. Weer een piano-
stuk. Smartelijk, uiterst traag.

Op de achtergrond klinkt het gekuch van publiek. Vierde stuk: meeslepend en romantisch. Mistral leest de naam van de vertolker op het display. Prelude en fuga van Sjostakovitsj, gespeeld door Vladimir Ashkenazy.

Mistral kijkt nog eens goed. Ze kent die naam, maar...

De pianist speelt, dan kucht hij en het publiek barst los in een luid applaus. De iPod gaat door naar het volgende stuk.

'Hallo Mistral...' klinkt er ineens een stem. 'Als je dit hoort, betekent het dat ik moest vertrekken.'

Mistral kan een kreet nauwelijks onderdrukken. Ze komt overeind en zet haar voeten op de grond.

'Ik kan alleen maar hopen dat je nog in Parijs bent,' vervolgt de stem. 'Luister goed naar me: je moet iets heel belangrijks doen. Er is een pleintje aan de Boulevard de Magenta. Het heet Jacques Bonsergent. Ga daar zo snel mogelijk naartoe. Maar pas op, want waarschijnlijk... word je nu al gevolgd door hén.'

Mistral staat inmiddels overeind en kijkt roerloos in de spiegel. Haar ogen staan wijdopen van angst.

'Op dat pleintje vind je een kiosk...' vervolgt de stem op de iPod intussen. *Vladimir Ashkenazy*, zegt het display. *Pianist*.

Maar wat Mistral hoort is een stem die ze maar al te goed kent.

Het is de stem van de antiquair uit New York. Vladimir Askenazy.

7
DE PUT

De put op de binnenplaats van Hotel Domus Quintilia is eeuwenoud. Een stenen cilinder van anderhalve meter hoog waar rondom twee treetjes naartoe leiden, met drie smeedijzeren stangen erboven waaraan een katrol hangt.

Elettra kijkt naar het licht dat uit de put komt. Een paar tellen lang, want dan verdwijnt het licht en worden de put, de binnenplaats, het houten balkon, de klimplanten, de vier beelden die de wacht houden over het Domus Quintilia, kortom: alles, weer in het donker gehuld.

Elettra gaat op haar blote voeten naar buiten. Ze loopt over de oude, afgesleten stenen en dan over het grind waar hardnekkig onkruid tussendoor steekt, langs het oude gammele busje van haar vader. In de verte klinkt getoeter, gelach.

Op haar tenen gaat Elettra de twee treetjes op. Ze legt haar hand op de stenen rand en kijkt in de put. Er ligt een zwart rooster over de opening, en daaronder is enkel duisternis. Geen enkel lichtje, zelfs niet helemaal in de diepte.

'Hoor je me?' klinkt op dat moment een stem vanuit de put, waardoor ze bijna haar evenwicht verliest.

Elettra kijkt om zich heen. Ze telt de ramen met de gesloten luiken. Ze telt de verdiepingen van het Domus Quintilia. Ze telt de deuren, de bogen. De beelden.

Haar mond valt open. Wie zei daar iets?

Ze buigt zich nog verder voorover in de put, legt haar handen op het rooster en luistert.

Daar klinkt de stem weer: 'Linda, hoor je me?'

Elettra slaat haar hand voor haar mond. Ze gelooft haar oren niet.

'Linda, alsjeblieft. Geef antwoord,' fluistert de stem in de put.

Dan zwijgt hij. Alles zwijgt. En op de binnenplaats klinken nu weer de verre geluiden van de Lungotevere, de weg langs de rivier. Onder in de put gaat opnieuw een zwak lampje aan. Er klinkt een gepiep, als van wielen. Het geluid van de liftdeuren.

Elettra kijkt door de ramen naar de eetzaal. Ze ziet het licht van de cabine die van onder de grond omhoog komt en op de eerste verdieping stilhoudt. De liftdeurtjes gaan open en dicht, de rolstoel van tante Irene glijdt over de vloer, de deur van haar kamer gaat open en dicht.

Elettra gaat op de treetjes van de put zitten en probeert te bedenken wat ze moet doen. Hoe kan het dat die lift nog een verdieping lager gaat? En wat is er, daar beneden?

Ze gaat weer naar binnen, loopt achter de balie van de receptie, pakt de groene aansteker die naast het pakje sigaretten van tante Linda ligt, pakt ook de zaklamp, doet de kelderdeur open

en schijnt op de steile treden die omlaag voeren in dat labyrint van stoffige ruimtes.

Elettra laat het licht over de met lakens bedekte meubels flitsen. Ze herinnert zich dat tante Linda haar vorig jaar terugriep toen zij daar beneden rondhing, op jacht naar een huis.

'Stomkop die je bent...' zegt ze tegen zichzelf, als haar te binnen schiet waar die onderaardse kamer zou kunnen zijn. 'Dat je nooit iets gemerkt hebt!'

Ze loopt de trap af.

'Ik wil alleen maar mijn mobieltje terug,' sist Harvey op de intercontinentale vlucht, als ze eenmaal zijn opgestegen en de noodverlichting uit is.

De stewardess van Air China doet een paar aluminium lades vol drankjes open en dicht. Ze is knap om te zien, klein van gestalte, en met een glimlach op haar gezicht.

'Natuurlijk, meneer...' antwoordt ze. 'Maar ik waarschuw u dat het gedurende de hele vlucht niet is toegestaan om te telefoneren...'

'Dat duurt acht uur!' roept Harvey. 'Acht uur kan echt te lang zijn voor mij.'

'Ik ben niet degene die de regels bepaalt. Wat u wel mag doen, is op een computer werken, zolang er maar geen printer op is aangesloten, naar muziek luisteren op uw mp3-speler, of naar een van de films kijken die we uitzenden. Ze zijn allemaal net uit, en...'

'Hoor je wel wat ik zeg?' stuift Harvey op. 'Ik moet naar huis bellen. En wel nu meteen. Er is een grote kans dat mijn moeder in gevaar is!'

Hij laat de stewardess het artikel in *The New York Times* zien. 'Weet je waarom ze die brand hebben aangestoken? Dat is mijn schuld.'

'Meneer, ik weet echt niet wat ik u moet zeggen.'

'Ik ben geen meneer!' schreeuwt Harvey bijna. 'Ik ben een jongen die naar huis moet bellen. Is dat zo moeilijk te begrijpen?'

'Praat alstublieft niet te hard...'

De stewardess haalt een interne telefoon uit een houder een zegt een paar zinnen in het Chinees. Dan loopt ze naar twee stewards, fluistert hen iets toe en wijst naar Harvey die achter in het vliegtuig staat, naast de wc-deur die op een kier staat.

Oké, begrijpt die. Ze heeft er versterking bij gehaald.

Door het raampje glijden witte wolkentapijten voorbij, zover het oog reikt.

Harvey wacht tot de twee mannen bij hem zijn en opnieuw vragen wat hij wil.

'Ik... wil... alleen... even... bellen,' zegt hij nadrukkelijk.

'Op deze vlucht...' begint de stevigste steward.

'Dat weet ik! Maar dit is een noodgeval. Een NOODGE-VAL! Ik zou het niet in mijn hoofd halen jullie lastig te vallen als het iets onbenulligs was.'

'We raden u aan terug te keren naar uw plaats,' zegt de stevige.

'We kunnen u een glaasje water brengen, als u wilt,' zegt de magere.

58

'*Harry Potter* wordt nu gedraaid.'

'Dat lijkt me wel iets voor u.'

Harvey haalt zijn schouders op. 'Jullie luisteren niet naar me, hè?'

Even staan ze allemaal te wankelen door een kleine luchtzak. De stevige raakt Harvey met een elleboogstoot die niet echt per ongeluk is.

'Neem me niet kwalijk,' zegt hij, maar zijn blik houdt een soort waarschuwing in.

Het spelletje wordt dus steeds harder.

'Mag ik dan in elk geval mijn mobieltje terug?' vraagt Harvey.

'We raden u aan om...'

Harvey steekt zijn handen in de lucht. 'Oké, oké, ik snap het.'

De stevige glimlacht. Harvey bekijkt de situatie. Gesloten laatjes, karretje, stevige steward, magere steward, wc. Hij kijkt naar het slot van de wc-deur. Hij beoordeelt de afstand tussen de magere en de deur.

Dan neemt hij een besluit. Hij loopt naar de magere en wijst naar diens broekzak. 'Waarom moet ik de mijne uit houden, terwijl de jouwe gewoon aan staat? Kijk dan, hij knippert.'

De steward steekt instinctief zijn hand in zijn zak, haalt zijn mobiel tevoorschijn en kijkt ernaar. 'Waar heb je het over, jochie?'

Harvey handelt in een flits: hij duwt de steward tegen het serveerkarretje en rukt het mobieltje uit zijn hand. Dan duikt hij de wc in en doet onmiddellijk de deur op slot.

De wc is piepklein. Maar hij is groot genoeg voor hem. Eén minuutje rust.

'Meneer!'

'Kom naar buiten, meneer!'

De stewards schreeuwen en bonzen op de deur.

'Heel even maar!' antwoordt Harvey.

Hij zet het mobieltje aan.

Hij kiest het nummer van thuis.

'Meneer! Dwing ons niet om de deur in te beuken!'

'Meneer! Mijn mobiel!'

Harvey wacht tot hij overgaat. 'Kom op, mama...'

'Doe onmiddellijk open!'

'Verdorie!' moppert Harvey een paar tellen later. Hij staat op en kijkt in de spiegel. Hij knipt het slot open en wordt bijna omver gelopen door de stevige steward, die hem bij de mouw van zijn trui pakt.

'Oké, oké, ik kom er al uit!' zegt Harvey terwijl hij het mobieltje zichtbaar omhoog houdt. 'Hier is het.' Hij glimlacht bitter: 'Ik geef het op.'

8

DE PASSAGIER

Nadat hij van lijn 4 is overgestapt op lijn 1, staat Sheng een paar minuten na tweeën op het Zuidstation. Hij laat de ondergrondse wachtruimtes achter zich en begeeft zich naar de enorme koepel van glas, aluminium en plexiglas. Het is een van de grootste wachtruimtes ter wereld, met een doorsnee van tweehonderdzeventig meter en een hoogte van bijna vijftig meter, ondersteund door een spinnenweb van pilaren en binten die zomaar in de lucht lijken te zweven. Het is een enorme lichte, schone ruimte die plaats biedt aan meer dan tienduizend personen, die rechtstreeks in verbinding staat met de dertien aankomstperrons. Aan de overkant is een vip-room, en op de bovenverdieping zijn de vertrekperrons. Hier zal je nooit iemand per ongeluk tegen het lijf lopen.

Sheng loopt rustig door de roezemoezende mensenmassa naar perron dertien. Op het scherm boven hem wordt aangegeven dat de trein uit Peking stipt op tijd zal aankomen, over een klein kwartiertje.

Hij kijkt wat nerveus om zich heen. Een man met een snor maakt een vreemd gebaar naar hem. Hij zit bij een sushistalletje voor het raam van de 'Wachtruimte met Zachte Stoelen'. Sheng herkent hem niet zo een-twee-drie en wil doorlopen. Daarop schraapt de man met de snor luidruchtig zijn keel. Hij draagt een grote grijsgeruite pet, een overhemd van glanszijde, een donkere overjas en zwarte puntschoenen die rechtstreeks uit de garderobekast van een gangster uit het begin van de twintigste eeuw afkomstig lijken te zijn. Als Sheng hem een beetje beduusd toelacht, heft de man zijn houten eetstokjes op in de vorm van de V van Victorie. Dan doet hij ze weer bij elkaar, geeft hem een knipoog en wijst op het rieten krukje op wielen naast het zijne. Sheng kijkt nog eens naar het aankomstschema, en op dat moment komt de man met de snor verontwaardigd vanaf het eetstalletje naar hem toe lopen.

'Wilt u zo vliendelijk zijn om naast me op het klukje te komen zitten, zeel geëelde heel Sheng?' vraagt hij ineens.

'Hao! Ermete!'

'Wie had je andels velwacht?' vraagt de ingenieur uit Rome in zijn nieuwe vermomming. 'Blad Pitt?'

Sheng lacht. 'Hoor eens, het zijn de Chinezen die de R van de westerlingen niet kunnen uitspreken, en niet andersom!'

Ermete loopt grinnikend met hem naar de krukjes. Dan laat hij hem een treinkaartje zien. 'Wist je dat je alleen maar in de wachtruimte met zachte stoelen mag wachten als je een 'zachte stoelen'-treinkaartje hebt? Ik mocht er niet in! Dus toen ben ik maar bij *Mister Sushi* gaan zitten...'

De Romeinse ingenieur wijst de uitbater van het kraampje een paar vishapjes aan en vraagt of Sheng ook iets wil.

'Nee, dank je.'

'Mihoen,' bestelt Ermete De Panfilis voor hem.

'Ik zei toch nee!'

'Als je niet eet, mag je ook geen krukje. Hoe gaat het met je, ouwe makker?'

'Niet slecht. En met jou?'

'Ben je er klaar voor om verder te gaan?'

'Ach ja... en jij? Word je het niet beu om van de ene vermomming in de andere te stappen?'

'Wat dacht je? Dit is een peulenschil voor een rollenspel-expert als ik. Ook al heb ik wel echt grote problemen gehad...'

'Je gebroken been?'

Ermete maakt een vaag gebaar met zijn hand. 'Grapje zeker? Ik bedoel mijn moeder. Ze wilde me niet laten vertrekken. Maar uiteindelijk heb ik haar weten te overtuigen toen ik zei dat ik hierheen ging om me te verloven met een schatrijk meisje.' Onwillekeurig haalt Ermete zijn mobieltje uit zijn zak, kijkt even op het schermpje en stopt het weer terug. 'En hier ben ik dan, zoals afgesproken.'

'Heb je al iets van de stad gezien?'

'Ik weet alles. Shanghai zakt één centimeter per jaar, er wonen twintig miljoen mensen... jullie gaan allemaal op vrijdagavond uiteten en jullie hebben geen straatnamen.'

Hij laat hem een uitgeprint blaadje zien met een foto van zijn hotel erop. 'Ik heb een hotel gereserveerd in deze straat die tegelijkertijd Huaihai Middle Rd, Central Huaihai Rd, Huaihai Zhonglu en Huai Hai Zhong Lu heet.'

Sheng grijnst. 'Je had ook het voorbeeld van de anderen kunnen volgen en het Grand Hyatt kunnen boeken.'

'Dat is niet te betalen!' roept ingenieur-radiozendamateur-archeoloog-striplezer-spelletjesmeester Ermete De Panfilis uit. 'Ik betaal dit uit eigen zak, deze reis om de wereld te redden. Of wat het ook is dat we moeten doen. En trouwens, het Grand Hyatt ligt aan de verkeerde kant van de stad: vlak bij de plek waar onze grote vriend woont. En waar je dus maar beter niet in de buurt kunt komen...' Ermete wijst naar perron nummer dertien en voegt eraan toe: 'Nog even.'

Er volgt een moment van stilte, waarin hij een paar happen rauwe vis neemt. Als hij ziet dat Sheng nogal onrustig om zich heen kijkt, vraagt hij: 'Zeg, is alles goed?'

'Ik kan niet slapen,' vertelt Sheng. 'Te veel spanning.'

De ingenieur geeft hem een klopje op zijn rug. 'Dat gaat wel over. Morgen komen de anderen.'

'Ik heb een sms van Harvey ontvangen. Als het goed is, komt hij vanavond aan. Maar hij gaat eerst naar zijn vader, die in de haven voor anker ligt. Kennelijk is er iets vreemds aan de hand met het oceanografische schip.'

'En wat heeft Harvey daarmee te maken?'

Sheng haalt zijn schouders op. 'Hij moet hem documenten brengen. Zijn vader vertrouwt niemand.'

'Hmm... interessant,' zegt Ermete terwijl hij aan Shengs mihoen begint. 'Jij eet het toch niet op, of wel?'

'Nee.'

De eerste mihoenslierten glijden in de mond van de ingenieur, waardoor hij echter niet meer kan praten: 'Je zal zien... allemaal... prima gaat.'

Sheng schudt zijn hoofd. 'Ik geloof er niet in. We maken geen schijn van kans deze keer...'

'Je vergeet de troef die we nog in handen hebben.'

Aan het eind van perron dertien verschijnt de witte schim van de trein die het station binnenrijdt.

'Stipt op tijd.'

Ermete gooit een handvol yuans op de balie en stapt van zijn krukje.

'Weten we zeker dat het slim is wat we doen?' vraagt Sheng terwijl hij met hem meeloopt.

'Dat moet jij mij vertellen,' antwoordt Ermete.

De trein komt met piepende remmen tot stilstand. Dan gaan de deuren open en stappen de eerste mensen uit. Het zijn net donkere schimmen van verschillende lengte die afsteken tegen het grijze licht van de hemel. Ze lopen Ermete en Sheng zacht ruisend voorbij en laten zich opslokken door de stad.

'Mijn vader zei altijd...' mompelt de Romeinse ingenieur, terwijl hij probeert in evenwicht te blijven in de stroom mensen die de andere kant op gaat, 'dat er maar twee typen mensen in staat zijn om onbewogen te blijven als hun huis instort.'

Sheng kijkt zijn vriend aan. 'Welke dan?'

'Domkoppen en zij die weten waarom het huis instort.'

'En welk van de twee typen zijn wij, denk je?'

'Ik hoop het tweede type,' zegt Ermete.

Eén schim die uit de trein is gestapt blijft voor hen staan. Hij zou daar niet moeten zijn. Hij zou niet eens moeten bestaan. Hij heeft heel kortgeknipt wit haar onder een baseballpetje en draagt een petrolkleurige regenjas waar zwartleren kistjes onderuit steken met geruisloze zolen. De gedaante klemt een viool-

koffer onder zijn arm, waarin een viool zit die hij speciaal heeft laten maken door een vioolbouwer in Cremona. De snaren en de strijkstok zijn vlijmscherp. Hij snuift de lucht van het station op en zegt voldaan: 'Eindelijk thuis.'

Hij draagt leren handschoenen. Hij geeft hen geen hand.

'Zijn we maar met zijn drieën?' vraagt Jacob Mahler ten slotte, als hij merkt dat noch Sheng, noch Ermete iets tegen hem durft te zeggen.

Cécile en Mistral Blanchard komen uit de halte van metro nummer 5 op de Place Jacques Bonsergent.

Er is inderdaad een kiosk, meteen links van de uitgang, met een reclamebord van het dagblad *Le Monde* erboven.

Moeder en dochter delen de oordopjes van de iPod, nadat Mistral aan Cécile heeft verteld wat erop stond. Ze hebben het huis verlaten zonder zich zelfs maar om te kleden; Mistral in haar bloemetjesjoggingpak, haar moeder in sportieve broek en sweater met overdreven lange mouwen. Maar ze hebben wel een behoorlijk volle schoudertas meegenomen, waarin de Sluier van Isis en Mistrals schetsboeken zitten.

'Speel maar verder,' zegt Cécile tegen haar dochter. 'Eens kijken wat hij nu zegt.'

Mistral drukt op de middelste knop van de iPod en luistert naar de stem van de antiquair uit New York.

'De mevrouw van de kiosk heet Jeanne. Ga naar haar toe en zeg dat je het nichtje van professor Van der Berger bent. Vraag een kopie van zijn huissleutels. Maak je geen zorgen; dat is heel

normaal. Alfred had de gewoonte om krantenverkopers in vertrouwen te nemen. Als ze vraagt hoe het met hem is, zeg je dat hij het goed maakt, maar dat hij de stad uit is. Zeg maar niets over New York en Rome...'

Mistral kijkt naar de kiosk en ziet dat er geen vrouw in staat. Er werkt een jongen met een baard.

'Probeer maar,' zegt haar moeder.

Mistral stelt zich toch maar voor, en net zoals eerder op de Piazza Argentina in Rome heeft ze even later de sleutels van de professor in handen. En een hele berg achterstallige tijdschriften.

Play.

'Je moet rechtdoor lopen over de Boulevard de Magenta, in de richting van de Place de la Republique. Blijf staan bij nummer 89. Er is een intercom waar je code 7145 moet intoetsen.'

Pause.

Ze lopen naar het opgegeven huisnummer, vinden de intercom, toetsen de code in en lopen naar de binnenplaats.

Play.

'Ga naar het deurtje achterin. Maak het open met het kleine sleuteltje. Dan ga je de trap op. Met de grote sleutel maak je de deur op de bovenste verdieping open. Nee, het spijt me... er is geen lift.'

Pause.

Mistral en haar moeder lopen de binnenplaats over, vinden het deurtje dat al open is en beklimmen de smalle wenteltrap waarvan de leuning en de treden zijn afgesleten door het vele gebruik.

Play.

'Je vraagt je misschien af waarom ik dit bericht voor je heb achtergelaten. Dat is een goede vraag. Verwacht echter niet dat je een even goed antwoord krijgt. Ik kan alleen maar zeggen dat ik waarschijnlijk nu in Parijs had moeten zijn, maar dat we de situatie inmiddels niet meer in de hand hebben. Ik heb moeten uitwijken. Aangezien ik geen vertrouwen heb in de posterijen, heb ik een oude vriendin van ons in vertrouwen genomen.'

Mistral loopt langs de eerste en de tweede verdieping.

'Het is gewoon ontzettend moeilijk om jullie te helpen zonder dat we iets mogen zeggen. Ze hebben ons geleerd dat we alleen maar aanwijzingen mogen achterlaten voor jullie, en dan maar hopen dat jullie die zullen volgen om zo ver te komen als wij zijn gekomen.'

Mistral loopt langs de derde en de vierde verdieping.

'Ook wij waren met zijn vieren. Net zoals jullie. Wie wij zijn? Dat is makkelijk: degenen die het Pact zijn aangegaan vóór jullie, in 1907. Dat heb je goed verstaan: 1907.'

Mistral loopt langs de vijfde verdieping en bereikt de zesde.

'Geen van ons vieren wist van het bestaan van het Pact toen we begonnen. Maar je kunt alles leren, zoals Alfred altijd zei.'

Mistral pakt de grote sleutel.

'Wees voorzichtig bij jou thuis, Mistral. En vertrouw niemand.'

Het meisje draait de sleutel om. Een, twee, drie keer.

'En stop nooit met zingen.'

Ze opent de deur van een klein appartementje met een houten vloer. Er hangt een bedompte lucht. De ramen zijn vergrendeld.

'Ga door, Mistral,' vervolgt de stem van Vladimir. 'Want dat wij hebben in 1907 niet gedaan.'

9
DE SCHIM

New York.

Mevrouw Miller is niet gewend aan zo'n stil huis. Eerst vertrok haar man, daarna Harvey, en Dwaine is er al lang niet meer, dus nu heeft ze het gevoel dat ze de laatste bewoner op aarde is. De avond is gevallen, de avond waarop Harvey is vertrokken, en de restaurantjes van de Village in New York hebben de eerste lampen aangedaan. Zij blijft thuis eten. Ze voelt zich opgelaten als ze in haar eentje uiteten moet. En ze zou er alleen maar nog treuriger van worden.

Op het antwoordapparaat staan twee berichten. Het eerste is alleen maar een rommelig geluid. Het tweede is van de bokstrainster van Harvey.

'Mevrouw, ik ben Olympia MacMahon. Sorry dat ik u zo laat bel, maar ik geloof dat ik u moet waarschuwen voor een mogelijk gevaar. Wees op uw hoede voor een oude man genaamd

Egon Nose, ik herhaal, Egon Nose. Hij zou onaangename dingen kunnen uithalen bij u thuis. Als u een beveiligingsdienst hebt, moet u die bellen. Of ga anders voor enige tijd naar een hotel. Geloof me, dit is geen grap. Als u mij wilt spreken kunt u me bereiken op nummer 212-234...'

Raar bericht, denkt mevrouw Miller. Angstaanjagend, kun je wel zeggen.

Ze probeert het nummer te bellen dat Olympia heeft opgegeven, maar dat is in gesprek. Dus loopt ze naar de kamer van haar zoon om het nummer van de sportschool te zoeken. Terwijl ze op Harvey's kamer is, hoort ze een vreemd geluid op de vliering, maar ze slaat er geen acht op.

Het nummer ligt niet op zijn bed.

Mevrouw Miller trekt de bureauladen open. Tot haar verrassing ziet ze een gewatteerde envelop met Harvey's naam erop. Ze maakt het open.

'Hemeltje lief!' roept ze uit.

Er zit een kopie van een vals paspoort in, met Harvey's pasfoto en de naam van een zekere James Watson. Mevrouw Miller controleert geschrokken de andere gegevens.

Dan haalt ze de hele la leeg, en ook die eronder.

Wat moet Harvey met een vals paspoort? En wat te denken van de waarschuwing van die Olympia over ene Nose? Met wie gaat haar zoon eigenlijk om?

Ze vindt een verdacht kistje: *de uitrusting van een privé-detective*. Minizaklampen vermomd als de gekste voorwerpen. Universele minischroevendraaiers...

De telefoon gaat en mevrouw Miller slaakt een gil.

'Hallo?'

Er wordt opgehangen.

Haar hart begint sneller te kloppen.

Het eerste wat in haar opkomt, is haar man bellen. Het tweede is... dat er iemand over het dak loopt.

Pistool, denkt Harvey's moeder meteen. Maar ze weet heel goed dat er geen pistool in huis is.

Opnieuw die geluiden op het dak.

Wacht eens, denkt mevrouw Miller, terwijl ze zich probeert te vermannen. Ze kijkt naar de uitschuifbare trap die naar het luik van de vliering leidt.

Misschien zijn het alleen maar de geluiden van Harvey's postduif... Misschien heeft dat beestje honger... Het trappelt rond in zijn kooi en dat heb ik geïnterpreteerd als voetstappen op het dak...

Ze beklimt de trap en doet het luik open. Het is stikdonker, afgezien van het spiraaltje licht dat door het dakraam valt. Op de tast probeert mevrouw Miller de lamp aan te doen.

Haar hand blijft ergens achter hangen.

Ze slaakt een gil.

Dan vindt ze de lichtknop.

Het zijn draden. Draden die van de ene naar de andere kant zijn gespannen, waar foto's van Elettra aan hangen.

Mevrouw Miller legt een hand op haar borst. Wat stom dat ze daar zo van schrok. Het zijn alleen maar foto's. En dat meisje ziet er echt leuk uit. Het is niet gek dat Harvey helemaal dol op haar is.

De vliering is tamelijk laag, ze moet gebukt lopen. Waar staat die kooi van die duif in vredesnaam?

Weer een geluid, deze keer harder, boven op het dak.

Ze kijkt doodsbang naar het dakraam. Ze loopt ernaartoe, probeert te achterhalen waar dat... En dan slaakt ze weer een gil.

Er staat een man voor het raampje.

Een gigantische man.

Hij trapt het raampje in één keer open.

En dan komt er een raaf met een gehavend oogje binnen.

Parijs.

Er hangt een groepje mensen rond in de Rue de l'Abreuvoir in Montmartre. De kunstenaarswijk. Ze zitten voor een café op de hoek genaamd La Maison Rose en houden het huis aan de overkant in de gaten, dat bedekt is met wilde wingerd die nu, in het najaar, vuurrood kleurt. Ze zitten al een paar uur op die groene plastic stoeltjes te wachten. Hun leider heeft besloten om instructies te vragen.

'Er is hier niemand,' herhaalt hij aan de telefoon. 'Geen enkele Mistral Blanchard.'

Dan houdt hij de telefoon een eind van zijn hoofd vandaan, omdat hij bijna doof wordt van de protesten die aan de andere kant van de lijn in zijn oor worden getoeterd.

'Uitstekend, Mademoiselle Cybel, ik heb het begrepen: ze komt vanzelf,' besluit hij. 'Prima. We zullen op haar wachten.'

Rome.

De steelse schim van een vrouw met lang haar loopt een flink eind langs de zuidkant van de Tiber voor ze een straatje inslaat dat naar de Piazza in Piscinula leidt. Ze kijkt heel goed uit dat ze niet te veel opvalt en loopt dicht langs de muren.

Het kost haar niet veel moeite om het naambord van Hotel Domus Quintilia te ontwaren. En om te controleren of de voordeur gesloten is.

10

DE KAMER

Het is koud daar beneden.

De kelder is een doolhof van ruimtes die steeds vochtiger en steeds verder verwaarloosd zijn. Donkere scheuren, beschimmelde muren, kasten met lege, open hangende laden. Zwartwitfoto's en oude documenten waar de muizen aan hebben geknabbeld.

Elettra zoekt een doorgang die haar onder de put zal brengen. En tot haar verrassing hoeft ze niet lang te zoeken. Hij bevindt zich achter een enorme kast die halfslachtig tegen een wand aan is geschoven. De doorgang is een spleet tussen de muur en het zware hout, waar ze tussendoor moet glippen zonder zich iets aan te trekken van de spinnenwebben en het stof.

De doorgang leidt naar een nieuwe ruimte waar tapijten op de grond liggen.

Er hangt al een wat minder bedompte lucht. Aan de ene kant is het metalen deurtje van de lift. Aan de andere kant een houten deurtje dat wie weet waar naartoe leidt. Er hangt een lampje aan de muur.

Elettra bevindt zich onder de binnenplaats van het Domus Quintilia.

Ze huivert, richt haar zaklamp op de grond en loopt naar het houten deurtje. Voordat ze het probeert open te doen, luistert ze. Niets te horen. Zelfs niet de ademhaling van iemand die ligt te slapen. Zachtjes duwt ze tegen de deur tot er een kier ontstaat, waar ze de zaklamp doorheen steekt.

Weer een kamer.

Rechts van de deur is de lichtknop. Elettra laat de lichtbundel van haar zaklamp door de hele kamer glijden.

In het midden staat een groot houten bureau, waarop een opengeslagen adresboekje ligt, een draagbare satelliettelefoon en een oude, zwart bakelieten telefoon die vastzit aan een draad die in het donker verdwijnt.

Aan de achterwand hangt een wereldkaart waarop alle steden met zwarte stift zijn doorgestreept. Op de continenten zijn donkere strepen, arceringen, pijlen en aantekeningen gezet die op het eerste gezicht onbegrijpelijk zijn. Op de steden Rome, New York, Parijs en Shanghai zijn met punaises gele briefjes geprikt.

Verder hangt er een schoolbord waarop met krijt iets in tante Irenes handschrift staat geschreven en dat is omcirkeld: *Sheng laten groeien*.

Op de laatste wand hangen tientallen foto's van kinderen, van wie de gezichten met rode stift zijn doorgestreept. Op een

bordje boven de foto's staat het simpele opschrift: *Lijst van kinderen geboren op 29 februari.*

Ernaast staat een kaartenbak waarvan één la halfopen staat. Elettra gaat de kamer binnen en loopt naar de kaartenbak. Ze trekt de openstaande la helemaal open en richt haar zaklamp erin. Hij bevat tientallen roze mappen met het opschrift: ELETTRA.

In de mappen zitten foto's, aantekeningen, gebeurtenissen uit haar leven, jaar na jaar gerangschikt. De foto van haar moeder. Een trouwfoto van haar ouders. De eerste spiegel die ze dof heeft laten worden. Er is zelfs een foto van Zoë, met drie rode cirkels eromheen.

Al het materiaal is uiterst zorgvuldig van een opschrift voorzien door haar tante Irene:

Gevoeligheid van het Vuur: sterke magnetische velden.
Oppassen voor haar woede-uitbarstingen. Weet zich soms slecht in bedwang te houden (28 en 29 december, 20 maart, 19 juni).
Hechte vriendschap met Harvey, of sterkere gevoelens?

Elettra verstijft. Ze kennen me door en door. Ze hebben me al vanaf mijn geboorte bestudeerd en in de gaten gehouden. Maar waarom, tante Irene?

Snel trekt ze de andere laden open: het leven van Harvey, dat van Mistral, en dat van Sheng.

Harvey Miller. Gevoeligheid van de Aarde. Verdachte aanvallen van depressie (4 december, 9 april). Introvert. Neiging om op eigen houtje te handelen.

Mistral Blanchard. Gevoeligheid van de Lucht. Mogelijke psychische gevolgen van haar ontvoering in Rome (30 december).

Absoluut noodzakelijk dat haar auditie aan het conservatorium van Parijs goed afloopt.

Sheng Young Wan Ho. Gevoeligheid van het Water. Nog niet gemanifesteerd. Enige vastgestelde gebeurtenissen zijn de afwijkende verkleuring van zijn pupillen. Vervangt Hi-Nau, de uitverkorene.

Hi-Nau? denkt Elettra verwonderd.

Bladerend door de map vindt ze een foto van een jongetje met Aziatische trekken, zwart haar en diepliggende ogen.

In de verte hoort Elettra het gepiep van de rolstoel. Ze probeert niet eens om alles weer op zijn plek te leggen. Daar heeft ze toch geen tijd meer voor.

Ze blijft roerloos staan tot de rolstoel bij de deur is.

'Sheng had er eigenlijk niet bij moeten zijn,' fluistert tante Irene achter haar. 'Dat jongetje, Hi-Nau, had een enorme gevoeligheid. De grootste van jullie allemaal.'

Elettra draait zich langzaam om, heel langzaam. Haar tante, of de vrouw die beweert haar tante te zijn, heeft een kaars op de armleuning van haar rolstoel staan, waardoor haar gezicht wordt beschenen.

'Hoezo "wij", tante Irene?'

'Jullie vier. De vier discipelen.'

'Wat betekent dat?'

'Het betekent dat jullie de vier kinderen van de Grote Beer zijn. En de anderen zijn de jagers die achter jullie aan zitten.'

'Tante, wat heeft dit allemaal te betekenen?'

78

'Gewoon, dat we allemaal sterren zijn.'

'Praat alsjeblieft niet in raadsels.'

'Dat is de enige manier waarop ik tegen je kan praten.'

'Waarom? Wie ben je echt?'

'Ik ben een van de vier die vóór jullie kwamen,' antwoordt de oude dame, terwijl ze beide wielen van haar rolstoel vooruitduwt om de kamer binnen te komen.

'Van de vier wat, tante?'

'Van de vier discipelen,' antwoordt Irene met een vermoeide glimlach.

Dan tilt ze haar hand op en maakt een vreemd gebaar; de kaars gaat uit, en het volgende moment glijdt Elettra op de grond, plotsklaps in slaap gebracht.

'We raden je aan om nu maar even een dutje te gaan doen,' dreigen de beide stewards van Air China. Na zijn stunt op de wc hebben ze Harvey's bagage helemaal uitgeplozen en hem dringend verzocht op de achterste rij van het vliegtuig plaats te nemen, zodat het personeel hem voortdurend in de gaten kan houden.

'Bedankt voor het begrip, jongens,' sneert Harvey.

'Je zult zien wat een lol we krijgen als we in Shanghai zijn geland,' voegt de stevige steward eraan toe.

'Ik moet nu al lachen.'

'Ik heb altijd al een hekel gehad aan wijsneuzen.'

'Terwijl ik juist een zwak heb voor spierbundels.'

De steward staart hem dreigend aan en loopt dan weg. Harvey stopt zijn vaders boeken en brochures, de opengescheurde post en de aantekeningen weer in zijn rugzak. Er zit van alles bij: studies over de luchtverontreiniging, grafieken van rampen, bijgewerkte tabellen over de toestand van het broeikaseffect, een tekst over statistisch onderzoek naar de temperatuursveranderingen, over de getijden, een samenvatting over de astronomie, een tabel met de verwachte zonsverduisteringen tussen 1950 en 2050 en een lang krantenartikel over intelligente rotsen waarin zijn vader heel veel onderstreept heeft en waarop hij Harvey's naam heeft geschreven, met een vraagteken erachter.

Harvey leest het vluchtig door. Volgens de auteur hebben de vele eeuwenoude mythes over godheden die uit steen werden geboren een diepere betekenis, namelijk dat de mensen inderdaad zijn geboren uit stenen die uit de ruimte zijn gevallen. Sterren van steen met in hun binnenste micro-organismen voorzien van DNA, die wachtten tot de stenen zouden opengaan en ze weer tot leven gewekt zouden worden zodra ze in contact zouden komen met water.

'Tja...' mompelt Harvey. Dan bladert hij snel de rest van het materiaal door, en met toenemende zenuwen gaat hij van het ene papier naar het andere.

11
HET CAFÉ

Jacob Mahler geeft een kaartje aan de taxichauffeur en zegt: 'We hebben behoefte aan een behoorlijke kop koffie.'

Dan zwijgt hij terwijl de auto door de zuidelijke straten van Shanghai naar het Franse consulaat rijdt. Langs het raam glijden drukke straten voorbij, glanzende wolkenkrabbers, de Nanpu Bridge, de karakteristieke brug over de rivier met de spiraalvormige oprit, anonieme betonnen gebouwen die allerhande winkels herbergen, en ten slotte de Franse wijk met zijn oude koloniale herenhuizen.

De taxi stopt voor het Bonomi Café, een etablissement dat is gevestigd in een villa uit het begin van de twintigste eeuw, met ruime, chique zalen en een terras op het gazon. Verborgen in die reuzenstad doet het denken aan een klassiek sprookjeshuisje midden in het bos, met een rood puntdak en deuren van peperkoek.

Mahler stapt uit de auto zonder zelfs maar om zich heen te kijken en loopt de oprijlaan op, alsof hij thuis is.

'Ja, hallo!' protesteert Ermete die als laatste in de taxi achter-blijft. De ingenieur haalt een stapeltje bankbiljetten tevoor-schijn en probeert van de chauffeur te begrijpen hoeveel hij moet betalen. Dan rent hij het café binnen. Mahler en Sheng hebben een apart zaaltje gekozen met chique betimmering. Het tafeltje kijkt uit over het gazon en er staan lage, roodleren krukjes omheen.

Het drietal bestelt twee koffie en één frisdrank met ijs.

'Wat willen jullie als eerste weten?'

'Waarom woont hij op de een-na-hoogste verdieping van zijn wolkenkrabber?' vraagt Ermete meteen.

Jacob Mahler fronst zijn wenkbrauwen.

'Ik bedoel, als die wolkenkrabber helemaal van hem is... waarom woont hij dan niet helemaal bovenin?' verklaart de ingenieur.

'Meer vragen?'

Sheng buigt zich stijfjes naar voren en vraagt: 'Waar houdt hij zich mee bezig?'

'Triades en *banghui's*,' is het beknopte antwoord van Mahler.

Ermete kijkt hem verbluft aan.

'Chinese maffia,' legt Sheng hem uit.

'Niet helemaal,' herneemt Mahler. 'De banghui's waren geheime zakengenootschappen. Illegale zaken, natuurlijk. De namen spreken voor zich: de kleine zwaarden, de opiumdra-ken... Ze kwamen voort uit de oude genootschappen die zaken deden met de Engelsen, of met de Fransen, toen die hier nog handel dreven. Ze ontstonden toen de Britse Oost-Indische

Compagnie werd opgeheven. De eerste oorlogen braken uit over de Indische opium die de Engelsen naar de haven vervoerden met hun oorlogsschepen. En die ze verkochten aan de monding van de rivier. Bloedige oorlogen, waarin vele banghui's werden weggevaagd. Maar niet die van de Devils, zoals ze zich lieten noemen opdat de Westerlingen hen goed zouden onthouden. De duivels. Half Engels en half Chinees; een gemengde familie en een van de wreedste van de stad. De jaren verstreken, maar zij bleven overeind. Ook toen de Green Gang opkwam.'

Jacob Mahler zwijgt langdurig terwijl hij de suiker door zijn koffie roert. '1888. De vereniging van schippers van Shanghai. De meest angstaanjagende plaatselijke maffiabende. Zij waren degenen die de Opiumoorlogen begonnen: om de hele stad onder controle te krijgen. Maar dat lukte hen niet volledig. Toen ook de tweede Opiumoorlog uitbrak, hielden de Devils zich gedeisd. Ze lieten de opiummarkt aan anderen over en begonnen huizen te bouwen die ze vervolgens verkochten. Aan alle partijen. De eeuw verstrijkt, de Eerste Wereldoorlog gaat voorbij, en de Tweede ook. De huizen worden wolkenkrabbers. De onroerend goedzaken gaan beter dan die van de drugs, en terwijl de geheime genootschappen van de opium een voor een het veld ruimen, gaan de Devils door met bouwen. Tot op de dag van vandaag, nu de dynastie ten einde loopt. Hij stopt hier, bij onze man.'

Mahler drinkt in één teug zijn halve kopje leeg.

'Hij laat zich Heremit noemen. Niemand weet zijn echte naam. Hij was degene die me op jullie spoor heeft gebracht.'

'Hoe oud is hij?'

'Een jaar of vijftig?' antwoordt Jacob Mahler. 'Ik weet het

niet precies. Er bestaan geen geboorteaktes, en ook geen woon-aktes. Er bestaan eenvoudig geen documenten. Op de platte-gronden van Shanghai komt de wolkenkrabber waarin hij woont niet eens voor. En mocht je hem willen opsporen via de satelliet, ha...' hij grinnikt. 'De satelliet is van hem.'

Sheng slikt.

Ermete daarentegen zit wat met zijn theelepeltje te spelen. 'Ik heb er altijd van gedroomd om een eigen satelliet te hebben. Je weet wel, om de dingen eerder te zien dan alle anderen. Maar zou het waar zijn dat ze dan zelfs een foto kunnen maken van het nummerbord van je...'

'Waarom laat hij zich Heremit noemen?' onderbreekt Sheng hem.

'Weet je wat een heremiet is?'

'Nee.'

'In Europa is een heremiet iemand die de wereld afwijst. Die ver van iedereen en alles af woont, een kluizenaar. Heremit Devil heeft zijn eigen wolkenkrabber gecreëerd. En dat is zijn wereld. Hij is er nog nooit uit gekomen.'

'Hoe bedoel je?'

'Ik bedoel dat hij, in elk geval zolang ik hem ken, nog nooit buiten is geweest. Hij is daar binnen geboren, volgens mij. Hij heeft daar binnen les gehad van privé-docenten. Hij spreekt acht talen vloeiend. Hij heeft de verbouwingsplannen van de wolkenkrabber ontworpen in de wolkenkrabber. Een privé-lift. De bovenste twee verdiepingen. Hij heeft zelf elke kamer ont-worpen, elke gang, elke airconditioner. Elke verdieping. Elke beveiligingsprocedure. Daar binnen heeft hij alles wat hij nodig heeft: acht verschillende restaurants. Alle denkbare fitnessappa-

raten, alleen doet hij niet aan fitness. Hij heeft een bioscoop. Een eindeloze bibliotheek. Een museum met kunstwerken uit de hele wereld. Hij heeft een gigantisch zwembad. Wat je ook bedenkt, hij heeft het binnen in die wolkenkrabber.'

'Maar hoe kan hij zijn... zaken beheren, als hij altijd binnen blijft?'

'Zijn zaken beheren zichzelf,' glimlacht de huurmoordenaar, alsof hij verbaasd is om zo'n onnozele vraag. 'Als hij iemand wil spreken, weet hij diegene wel te bereiken. Hij heeft een satelliet tot zijn beschikking. Hij heeft computers die wij pas over tien jaar zullen gebruiken. En als hij iemand nodig heeft die iets voor hem kan regelen in de buitenwereld... dan belt hij mensen zoals ik.'

Sheng probeert Ermetes blik te zoeken. 'Maar deze keer heeft hij misgerekend,' zegt hij.

'Ik weet niet waar hij op gerekend had. Misschien dacht hij dat het zou volstaan om een van de meiden van Egon Nose te sturen om zich van mij te ontdoen.'

Jacob heeft al kort verteld hoe hij heeft weten te ontkomen aan de moordenaressen van de Amerikaanse misdadiger. Hoe hij zich in een bos had verstopt en had gewacht tot hij weer aansterkte, en hoe hij vervolgens op eigen houtje de kinderen weer op het spoor was gekomen en ze in Parijs had teruggezien.

'Ik heb jarenlang voor hem gewerkt,' vervolgt Jacob Mahler. 'En daarbij heb ik hem nooit vragen gesteld. Nooit. Zelfs niet toen hij me naar Rome stuurde met een aan waanzin grenzende opdracht. Een oude professor vermoorden. Een koffertje te pakken krijgen. Controleren of daar vier houten tollen en een oude kaart met inkervingen in zaten.'

Stilte. Tergend lange stilte.

'Ik heb nooit echt begrepen wat dat koffertje voor hem betekende...' vervolgt hij. 'Ik weet alleen dat hij het nodig had om iets heel groots te bereiken. Aanvankelijk dacht ik aan een schat, maar ik vergiste me, want iemand als Heremit Devil zou nooit zo veel moeite doen voor een simpele schat. Hij heeft nu al meer rijkdom dan hij ooit zal kunnen opmaken in zijn hele leven.'

'Hij boft maar,' zegt Ermete. 'Misschien kan hij me helpen met de huur van mijn winkel.'

'Hoe dan ook...' besluit Mahler. 'Nu heeft hij de kaart en de tollen.'

'We moeten ze proberen terug te krijgen,' fluistert Sheng.

Jacob schudt zijn hoofd. 'Dat is onmogelijk. Er hangen overal camera's. De lift die naar de hoogste verdiepingen voert, is een expres-lift, een supersnelle lift die rechtstreeks naar Heremits kantoor gaat.'

'Is er een trap?'

'Eentje, de diensttrap, afgesloten door vierenzestig deuren met een cijfercode. Die voor elke verdieping anders is. En dan heb je ook nog de zeer vakkundige beveiligingsdienst. En Nik Knife. De Viervinger. De messenwerper.'

'Hoezo, de Viervinger?'

'Omdat hij één keer verkeerd geworpen heeft. En om de hand die gefaald had te straffen, heeft hij een vinger afgesneden.'

In Parijs, op de zesde verdieping van Boulevard de Magenta 89, zwijgt de stem van Vladimir Askenazy. Mistral en haar moeder kijken aarzelend om zich heen.

Het appartement is zo te zien volkomen leeg. Het bestaat uit twee kamers plus een kleine badkamer. Vanaf de voordeur opent zich een woonkamer met open keuken, een wandtafel, een staande lamp, lege planken in een witte boekenkast. Midden in de woonkamer staan een bank met een laken eroverheen en een tafeltje, waarop een tv en een oude videorecorder staan.

Mistral doet langzaam de deur achter zich dicht. De vloer kraakt onder haar voeten. Moeder en dochter lopen door de woonkamer heen om de tweede kamer te bekijken. Het is een slaapkamer met twee bedden en een nachtkastje ertussenin. Aan de muur hangt een poster van een oude film van Georges Méliès: *L'Éclipse du soleil en pleine lune*.

Op het bed vinden ze een plattegrond van Shanghai en twee rode paspoorten, met hun pasfoto's erop maar met andere namen.

'Mama!' roept Mistral. 'Moet je zien!'

'Dat zijn twee valse paspoorten... Een voor jou en een voor mij,' constateert Cécile Blanchard terwijl ze het document doorbladert. 'Compleet met visum voor China. Ze hebben het grondig aangepakt, zo te zien.'

'Hoe bedoel je, mama?'

'Ze willen ons duidelijk maken dat het gevaarlijk is om onder onze eigen naam te reizen. En misschien ook om terug naar huis te gaan, nu ik erover nadenk...'

Verder is er niet veel te zien in het appartement.

'Wat ik niet snap...' mompelt Cécile, 'is waarom dit allemaal zo is opgezet. Als ze ons een vals paspoort wilden geven, hadden ze het ook kunnen opsturen...'

'Misschien waren ze bang dat iemand het zou onderscheppen...'

'Was het dan veiliger om jou een iPod te laten geven met een opgenomen bericht erop dat je net zo goed had kunnen wissen? Of dat je misschien wel nooit zou hebben beluisterd? Morgen zouden we sowieso naar Shanghai vertrekken. En we hebben de tickets al gekocht.'

Mistral schudt haar hoofd. 'Ik weet het niet, mama. Werkelijk, ik heb geen idee.'

'Hoe dan ook, het lijkt me niet nodig om met valse papieren te reizen. Dat is nog gevaarlijk ook.'

'Gevaarlijker dan onder onze eigen naam reizen?'

'Dat doet er niet toe, het is illegaal. En wij doen niets wat illegaal is, Mistral.'

Cécile kijkt in alle keukenkastjes. Borden, glazen, bestek. Een pak Italiaanse pasta. Olie, zout, peper. Een blik gepelde tomaten, nog niet over de datum. Pannen in verschillende afmetingen: alles wat nodig is om voor een paar dagen te kunnen koken.

'Dit appartement is al minstens een jaar niet gebruikt,' merkt Cécile op.

Mistral kijkt of er een videoband in de recorder zit. De *eject*-knop lijkt vast te zitten, maar de *play*-knop niet.

'Hier zit iets in...' zegt ze terwijl de tv aanfloept.

Op het scherm verschijnt een trillende streep, dan een man die op een bank zit met wat papieren in de hand. Mistral en Cécile herkennen de kamer. De man is tamelijk oud, hij heeft een dunne baard en draagt een geruit jasje. Hij schraapt zijn keel en tuurt op de papieren in zijn hand. Naast hem op de bank liggen enkele foto's.

'Inzoomen...' zegt hij tegen de camera.

Zijn gezicht komt dichterbij.

'Dat is professor Van der Berger!' roept Mistral uit.

Op de video zegt de professor tegen degene die de camera bedient dat hij kan gaan. Er klinken voetstappen en dan horen ze de voordeur open- en dichtgaan.

Eindelijk begint de professor te praten.

'Ik heet Alfred van der Berger...' zegt hij met schorre stem. 'Ik ben geboren op 29 februari 1896. In 1905 emigreerde mijn familie vanuit Nederland naar New York... en het was in New York dat ik twee jaar later het bestaan van het Pact ontdekte. Het gebeurde in een bioscoopzaal. Ik was gaan kijken naar een korte film getiteld *L'Éclipse du soleil en pleine lune*, over een zonsverduistering. Voor die tijd en voor mijn jongensogen was dat werkelijk een ongelooflijk schouwspel. De film ging over een school voor astronomie; de grote meester droeg een gewaad vol sterrenbeelden en symbolen, en daarna gingen ze allemaal met lange telescopen naar het dak om te kijken naar de zon en de maan die zich aan de hemel verenigden. En daarna zagen ze de sterren, waarop allemaal mensjes zaten, die langzaam op aarde neerdaalden.'

Professor Van der Berger kucht.

'In die bioscoopzaal ontmoette ik na de voorstelling een vrouw die ik vele jaren later beter zou leren kennen,' hervat hij. 'Een jonge vrouw met ietwat schele ogen. Ze kwam uit Siberië, uit een dorpje genaamd Tunguska, en ze was van Rusland naar New York gereisd speciaal om mij te ontmoeten. Die dag gaf ze me twee tollen en een naam. De naam kwam overeen met die van een werkplaats van Russische timmerlieden die kort daarvoor in de stad waren aangekomen. Daar werkte een jongen die

89

even oud was als ik, en die net zoals ik op 29 februari was geboren, genaamd Vladimir. Ook hij had een tol ontvangen, en een
oude houten kaart vol inkervingen.'

'Nee maar...' mompelt Mistral. Haar moeder, die naast haar is
komen zitten, slaat een arm om haar heen.

'Van wie had hij die gekregen? Van dezelfde jonge vrouw die
mij die tollen gaf in die donkere bioscoopzaal?' vraagt de professor zich af op de video. 'Dankzij een neef van Vladimir, die
werkte op Ellis Island waar de verblijfsvergunningen voor de
Verenigde Staten werden afgegeven, ontdekten we dat de vrouw
was aangekomen op een schip dat was vertrokken uit een stad
genaamd Messina, in Italië. Dankzij enkele brieven en ons aller-
eerste intercontinentale telefoongesprek ontdekten we dat diezelfde vrouw in Messina een Siciliaans meisje genaamd Irene
had ontmoet. Ze had haar ook twee tollen gegeven, en een
naam. Mijn naam. Er ontbrak nog maar één persoon: de vierde.
Aan het eind van het jaar nam Zoë contact op met Irene. Ze zei
dat ze haar naam had gevonden bij twee oude houten tollen die
ze had ontdekt in haar speelgoedmand.'

De professor zwijgt langdurig en zoekt tussen de afbeeldingen
die hij bij zich heeft.

'Zal ik hem even stopzetten?' vraagt Cécile.

'Nee,' antwoordt Mistral. 'Laten we verder kijken.'

'Wat wij destijds niet begrepen was dat we deel uitmaakten
van hetzelfde plan. Een eeuwenoud plan, zoals we veel later
zouden ontdekken. Een plan dat vele eeuwen daarvoor was
begonnen, in de tijd van de oude Chaldeeën, die drieduizend
jaar voor Christus leefden. Een plan dat in het Oosten was
ontstaan en waarvan de naam verbonden was met die van een

godheid: Mithra. Die naam betekent immers *het pact*. Het verbond. Tegenwoordig noemen wij het Century, naar de naam van de plek waar dit Pact is verbroken. Zoals alle zichzelf respecterende verbonden had ook dit verbond zijn eigen regels: elke honderd jaar hadden vier Wijzen de taak om hun vier opvolgers te vinden en hen te onderwerpen aan vier proeven. De meesters kregen de plicht opgelegd om te zwijgen: ze mochten hun discipelen alleen maar aanwijzingen geven en hun gedrag in de gaten houden. Als de kinderen de proeven zouden doorstaan, zouden ze het uiteindelijke geheim vernemen van de meesters. Als de proeven echter niet gehaald werden, zouden de meesters de discipelen alleen maar uitleggen wat zijzelf hadden weten te ontdekken, en niet het hele plan van het Pact, waarmee de kans om alles te weten te komen geleidelijk aan steeds kleiner zou worden.'

Opnieuw is Van der Berger langdurig stil.

'De vrouw die onze leermeesteres was, van Irene, Vladimir, Zoë en mij dus, kende nog maar een heel klein stukje van het eeuwenoude Pact. Het deel dat haar meester aan haar had overgeleverd ergens rond het jaar 1800, toen hij haar de kaart met de tollen had overhandigd. Ze wist niet of er nog andere meesters in leven waren. Zij kwam ons op het spoor na de grote zonsverduistering van 14 januari 1907, toen ze van ons had gedroomd, zo vertelde ze.'

De professor kijkt naar de voordeur, alsof hij wil controleren of er niemand is binnengekomen.

Dan praat hij verder: 'Er ging natuurlijk heel wat tijd overheen voordat we haar verhaal echt geloofden, en vooral het feit dat zo'n jonge vrouw meer dan honderd jaar oud kon zijn. Haar

antwoord op die vraag was heel simpel: als je leermeester van dit Pact wordt, ook al is het maar van een heel klein deel, dan word je langzamer oud dan andere mensen. Dat is het geschenk dat de Natuur ons geeft voor de taak die we op ons nemen.'

De professor kijkt ongerust om zich heen en vervolgt: 'In 1907, zoals ik al zei, hadden wij slechts één leermeester, en alleen de tollen als aanwijzing. En we deden niets, of praktisch niets. We lieten het Pact mislukken, net zoals de metgezellen van onze meesteres het hadden laten mislukken, en ook de meesters vóór hen. Op dat moment realiseerden we ons dat het Pact meer was dan gewoon een geheime overeenkomst tussen mensen. We ontdekten dat de Natuur op de een of andere manier een soort... straf in petto had.'

Alfred van der Berger houdt een foto omhoog, waarop een met ijs bedekte vallei te zien is.

'Op 30 juni 1908 werd het Siberische dorp waar onze meesteres vandaan kwam getroffen door een enorme explosie, die 2.150 vierkante kilometer bos wegvaagde. Tot op de dag van vandaag kan niemand verklaren wat daar die dag is gebeurd.'

Nog een foto: kapotte gebouwen in een verwoeste stad.

'Op 28 december van datzelfde jaar, om 5.21 uur in de ochtend, werd Messina, de stad van Irene, verwoest door een van de zwaarste aardbevingen in haar geschiedenis. De zeebeving die daarop volgde overspoelde de kust kilometers landinwaarts. Er kwamen vijftienduizend mensen om. Tijdens die aardbeving raakte Irene verlamd aan haar benen.'

Alfred van der Berger legt de foto's neer en kijkt recht in de camera: 'Wij vieren konden maar één ding denken. Dat het onze schuld was. Dat we niet hadden gedaan wat we hadden

moeten doen. We bezaten allemaal een bijzondere gevoeligheid, maar die hadden we niet benut. Toen ik na de aardbeving door de verwoeste straten van Messina liep, kon ik de aarde horen huilen. Vanaf dat moment begonnen we te zoeken, ook al hadden we het geschikte moment daarvoor al voorbij laten gaan. We leerden hoe we de tollen moesten gebruiken, en met behulp daarvan vonden we de Ring van Vuur in Rome en de Ster van Steen in New York. In Parijs zochten we langdurig, evenals in Shanghai, dat in die tijd werd geteisterd door oorlogen. Maar het leverde verder niets op. Dus legden we alle spullen weer terug op hun plek en creëerden we een reeks aanwijzingen om onze taak te volbrengen: vier opvolgers kiezen en hen de aanwijzingen verschaffen zonder verder iets te zeggen. De zaken hebben echter een onverwachte wending genomen. En daarom ben ik deze videoband aan het opnemen. De laatste keer dat wij vieren elkaar ontmoet hebben, was in IJsland. We voelden dat het een belangrijk moment was: de eeuw was bijna ten einde en de uitverkorenen moesten op de lijst staan die we bij ons hadden. Zoë kwam als laatste en ze zei dat het Pact zou beginnen in Rome.'

Het gezicht van professor Van der Berger verdwijnt even uit beeld, om een opblaasbare wereldbol van de grond te pakken.

'De vier steden zijn niet zomaar vier steden. Ze staan symbool voor de vier elementen: Vuur, Aarde, Lucht en Water. Ze liggen allemaal op het noordelijk halfrond, onder de poolster, in de constellatie van de Draak en de Grote Beer. Daarom noemen de uitverkorenen zich ook wel de Kinderen van de Beer. Het sterrenbeeld bestaat uit zeven sterren, net als het aantal tollen dat er is. Wat de sterren ermee te maken hebben? Dat is simpel...'

Mistral luistert ademloos naar de woorden van professor Van der Berger.

'Ik geloof dat de Chaldeeën, toen ze de sterren bestudeerden, mensen hebben ontdekt. Mensen en sterren voldoen aan dezelfde wetten. En dat is de betekenis van de sterrenbeelden. Ik denk dat hun geleerden, de Magiërs zoals wij ze noemen, iets hadden ontdekt wat ze vervolgens verborgen hielden, beschermd door die opeenvolging van leermeesters. Een geheim, ja. Een geheim dat wij, doordat we de ene mislukking op de andere stapelden, zijn vergeten. Maar de mislukkingen van degenen die vóór ons kwamen hoeven jullie niet te beletten om erachter te komen wat het is. Ik ben ervan overtuigd dat leerlingen hun meesters kunnen overtreffen.'

Er klopt iemand op de deur. De professor draait zich geschrokken om. Dan kijkt hij weer in de camera en fluistert: 'Moge de Natuur met jullie zijn, kinderen van me. En moge zij jullie altijd beschermen!'

Alfred van der Berger staat op van de bank en zet de opname stop.

Mistral en Cécile staren naar het zwarte scherm.

'Dit moeten we aan de anderen laten zien...' zegt Mistral.

Cécile knikt.

'In Shanghai,' voegt het meisje eraan toe, terwijl ze de paspoorten pakt.

12
HET BUSJE

Als Elettra haar ogen opent, zit ze op de achterbank van het busje van haar vader. Door het raam ziet ze de grote ringweg van Rome.

Verbaasd knippert ze met haar ogen.

'Hallo,' zegt Fernando Melodia die aan het stuur zit.

'Wat gebeurt er? Waar ben ik?'

'We zijn op weg naar het vliegveld,' antwoordt haar vader bedaard.

'Vliegveld?'

'Weet je niet meer dat je naar Shanghai moet?'

'Maar...' Elettra kijkt verdwaasd om zich heen. 'Ik hoef morgen pas te vertrekken.'

'Het is al morgen.'

Dan begint het meisje zich langzaam alles te herinneren... de lift, het licht in de put, de onderaardse kamer, de komst van tante Irene.

'Dat kan niet, papa!' roept ze. 'Ik was thuis. En tante Irene was er ook. We waren... er is een kamer met een telefoon, onder de put! Je kunt er zo met de lift naartoe!'

'Ach ja...' zegt Fernando. 'En we hebben ook een paar marsmannetjes op zolder wonen.'

'Papa, dit is geen grap! Tante Irene is... een van hén!'

'Van wie?'

'Ze is een van de vier... Wijzen... de Meesters... de Magiërs! Degenen door wie we in deze toestand zijn beland.'

Fernando haalt behendig een auto van een Japans merk in. 'Zou kunnen...' mompelt hij terwijl hij weer op de rechter rijbaan invoegt.

Elettra kijkt hem verbluft aan. 'Jij weet het ook,' begrijpt ze ineens. 'Je hebt het altijd geweten.'

'Wat?'

'Hou je niet van de domme!'

'Geweldig. Dat zei je moeder ook altijd tegen me.'

Elettra slaat woedend haar armen over elkaar. 'Jullie kunnen me niet altijd als een kind blijven behandelen.'

'Zorg jij dan maar eerst eens dat je rustig wordt. Anders begint de motor van mijn busje straks nog te koken.'

'Weet je dat ook al?

'Wat? Dat jij in vuur en vlam staat telkens als je kwaad wordt?'

'Dat ik dat echt doe. En niet bij wijze van spreken.'

Fernando trommelt op het stuur. 'Dat is niet zo moeilijk te merken.'

'En dan zeg je niets? Je kunt niet net doen of er niks aan de hand is, papa. Tante beweert dat ze meer dan honderd jaar is, kun je nagaan!'

'Ik hoop dat ik dat ook haal.'

'Daar gaat het niet om. Waar het om gaat is dat er in die kamer onder de put allemaal foto's van ons hangen. Van mij, van Mistral, van Harvey en van Sheng... en ook nog van een ander kind. Van een jongetje waar ik nog nooit van gehoord heb. Maar dat misschien... Natuurlijk!' schreeuwt Elettra en ze slaat met een vuist op het dashboard.

'Hé, pas op dat de airbag niet openknalt!'

'Ik ben in slaap gevallen,' herinnert Elettra zich plotseling. 'Ik ben ter plekke in slaap gevallen.'

'Klopt. Je hebt geslapen tot één minuut geleden. En misschien was het beter geweest als je tot aan het vliegveld door had geslapen.'

'Gisternacht heeft tante Irene je geroepen, jij bent naar beneden gekomen om me op te pakken, je hebt me in de bus geladen en nu stuur je me weg, naar Shanghai. Zodat ik geen andere dingen meer kan ontdekken over die kamer. Die jullie nu allang helemaal hebben uitgeruimd.'

'Je doet wel een tikkeltje paranoïde, Elettra.'

'Ik heb die kamer met mijn eigen ogen gezien! Ik zag mijn foto's met jullie aantekeningen. Jullie weten zelfs dat ik Harvey leuk vind.'

'Dat lijkt me niet zo'n groot geheim.'

'En jullie vragen je af of mijn gevoelens diep zitten, alsof ik een insect in een laboratorium ben! Jullie zijn onuitstaanbaar! Jij en tante Irene!'

Fernando draait zich met een ruk om. 'Nu overdrijf je, Elettra.'

'Waarom vertel je me dan niet wat jullie met tante Linda

hebben gedaan? Wat hebben jullie tegen haar gezegd? Waar hebben jullie haar naartoe gestuurd?'

'Hoe moet ik dat weten? Ik zat samen met jou in Parijs!'

'Ach ja, neem me niet kwalijk,' moppert Elettra. 'Jij weet nooit iets. Jij bent altijd degene aan wie niets wordt verteld. De kunstenaar! De man die eeuwig in beslag wordt genomen door het boek dat hij nooit afkrijgt!'

Fernando Melodia staart zonder antwoord te geven naar de weg. Elettra doet hetzelfde, koppig en woedend. 'Je hebt geen idee hoe het voor mij is,' zegt ze even later.

'Je moet even wat spullen pakken die onder je stoel liggen,' antwoordt haar vader.

Het meisje duwt haar handen onder de stoel en haalt een oude koektrommel met een blikken deksel tevoorschijn. 'Dit?'

'Maak maar eens open.'

In de trommel zitten tientallen Chinese muntjes van verschillende afmetingen.

'Die heeft tante Irene me meegegeven voor jou.'

Elettra neemt er een paar in haar handen en bekijkt ze aandachtig: ze zien er heel oud uit, en dat zijn ze ook, in verschillende maten en kleuren, sommige met een gat in het midden.

Onder de muntjes ligt een roodgelakt stukje hout met het formaat van een bankpasje waarop vier kleine zwaarden met een zwart lemmet zijn geschilderd, en een dubbelgevouwen brief waarin een paspoort zit.

'Waar is dit voor?' vraagt ze.

'Dat zal wel in die brief worden uitgelegd,' antwoordt Fernando terwijl hij op de weg blijft letten.

Liefste Elettra,

Het spijt me vreselijk dat ik op deze manier afscheid van je moet nemen. Maar de tijd die we ons hebben gesteld is bijna verstreken. Ik hoop dat daarmee ook de verklaringen komen waarnaar je op zoek bent. In deze koektrommel zitten alle aanwijzingen van Shanghai in 1907. Gebruik ze zoals het jullie goeddunkt: niemand kan de sporen van het Pact beter interpreteren dan jullie.

Geen van ons is ooit zo ver gekomen. Een geen van ons heeft enig idee wat de werkelijke betekenis zou kunnen zijn van de voorwerpen die jullie hebben gevonden, of wat de bedoelingen zijn van de man die ze van jullie heeft gestolen. Vergeef me dat ik je zo lang in het duister heb laten tasten. Maar Vladimir en ik zijn er allebei van overtuigd dat we de regels die horen bij onze taak volledig moeten naleven: zwijgen en afwachten.

Alleen zo kunnen we erachter komen of er werkelijk een plan bestaat met een bepaalde betekenis.

Moge de Natuur met je zijn.

En je altijd beschermen.

P.S. Je tante Linda maakt het goed. Ze is alleen maar op reis gegaan om haar echte familie te leren kennen.

Als het vliegtuig eenmaal in Shanghai is geland, mag Harvey pas als laatste uitstappen. Dan wordt hij, onder begeleiding van de stevige steward, bruusk meegenomen naar een dienstkamertje van de douane.

'Dit wordt lachen...' fluistert de steward hem toe terwijl hij hem naar binnen duwt.

De kamer is bijna helemaal kaal. Er staat alleen een klein bureau, waaraan een kleine man zit. Achter hem hangt een groot portret van de Chinese president met een glimlachend gezicht. Voor het bureau staat een stoel waarvan je al rugpijn krijgt als je er alleen maar naar kijkt.

'Gaat u zitten, meneer Miller,' zegt de kleine man in het Engels, met een zwaar ambtenarenaccent.

Harvey gehoorzaamt onwillig. De steward en de man beginnen onderling te praten in het Chinees, waar hij niets van verstaat. Af en toe wijzen ze naar hem. Dat gaat zo zeker tien minuten door, en uiteindelijk pakt de ambtenaar een groot vel papier uit het kleine bureau. Hij pakt de telefoon en kiest een nummer.

'Luister,' probeert Harvey op dat moment tussenbeide te komen, 'ik moet dringend mijn moeder bellen. En mijn vader.'

De steward geeft hem een klap tegen zijn nek. 'Hier zijn toch geen camera's...' grijnst hij. 'Dit wordt lachen!'

Harvey probeert overeind te krabbelen, maar de man zet beide handen op zijn schouders en duwt hem tegen de grond.

Ineens trekt de kleine ambtenaar aan de telefoon bleek weg. Hij gebaart naar de steward dat hij de jongen moet loslaten.

Harvey staat op en wrijft over zijn nek. 'Lomperik die je bent.'

'Waag het niet een grote mond op te zetten!' dreigt de man terwijl hij zijn vinger opsteekt.

'Stil!' roept de kleine ambtenaar tegen hen beiden. Hij legt de telefoon neer en wacht.

Een minuut of tien later gaat de deur van het kamertje open. De ambtenaar springt overeind, nog steeds lijkbleek.

De nieuwkomer is een magere Chinees die volledig in het zwart gehuld is. Op zijn gladgeschoren achterhoofd prijkt een getatoeëerde schietschijf. Hij heeft vier vingers aan zijn linkerhand en vreemde kurken ringen om de vingers van zijn andere hand.

De man met de getatoeëerde schietschijf negeert zowel Harvey als de steward en richt zich rechtstreeks tot de ambtenaar aan het bureau; hij spreekt een paar onbegrijpelijke woorden uit waardoor zowel de kleine man als de stevige steward meteen overtuigd worden om de kamer te verlaten.

Harvey glimlacht opgelucht.

'Voelt u zich nu beter, meneer Miller?' vraagt de Chinees.

'Zeg dat wel, ja. Mag ik een telefoontje plegen?'

'Ga uw gang.'

Harvey belt het nummer van zijn huis. Onverwacht klinkt er een mannenstem aan de andere kant van de lijn.

'Uhhuhhuh! Jongeheer Miller!' roept Egon Nose vanuit New York. 'Wat een aangename verrassing! Mooi huis, hoor, dat moet ik zeggen. Jammer dat er niemand is. Helemaal niemand! Mag ik weten waar jullie allemaal zijn gebleven?'

'Nose!' roept Harvey. 'Wat doe jij bij mij thuis? Ga daar onmiddellijk weg! Ik bel meteen de politie!'

'Echt waar? En waar wil je de politie dan bellen? In Shanghai?'

De Chinees legt een vinger op de hoorn en beëindigt het gesprek.

'Dat lijkt me wel genoeg,' zegt hij met monotone stem. 'We gaan.'

'Waar naartoe?' protesteert Harvey, terwijl hij opnieuw probeert te bellen. 'U begrijpt het niet! Er is een man in mijn huis!'

Er schiet ineens een vlijmscherp mes uit de handen van de Chinees, dat tegen de ribben van de jonge Amerikaan wordt geduwd. 'Ik denk dat u degene bent die het niet begrijpt, meneer Miller.'

Harvey hapt naar adem.

De druk van het mes neemt ietsje af.

'We gaan hier weg,' sist de man terwijl hij hem naar de deur duwt.

'En waar gaan we naartoe?'

'Naar huis.'

'Irene? Hallo, Irene, hoor je me?'

'Vladimir? Ben jij het?'

'Ja, ik ben het. Ik heb groot nieuws voor je: onze meesteres leeft nog! Ze woont hier, in Siberië. Ze is stokoud en ontzettend moe, maar... ze leeft... En ze heeft zelfs een man naar Parijs gestuurd.'

'Nu snap ik wie dat is geweest.'

'Wie wat is geweest?'

'De kinderen hebben hem ontmoet. Hij had de tol met het hartje bij zich.'

'Jouw tol?'

'Ja, mijn tol.'

'Misschien hoor ik het niet goed, Irene, maar... ben je aan het huilen?'

'Ja, Vladimir, ik ben aan het huilen. Elettra heeft de kamer ontdekt. Ik moest haar... in slaap brengen. En haar laten wegdragen door Fernando.'

'Wat heeft ze ontdekt?'

'De foto's. En mijn aantekeningen.'

'Vroeg of laat zou ze er toch achter zijn gekomen. Beter zo dan dat ze het van Mistral zou horen.'

'Natuurlijk, maar... die blik in haar ogen, die zei dat ze me niet meer vertrouwde. Dat ze bang voor me was... dat was vreselijk. En nu zij ook is vertrokken... voel ik me zo eenzaam. En vol vragen.'

'We zijn allemaal eenzaam en vol vragen, Irene.'

'Zorg goed voor jezelf, Vladimir. En zorg goed voor mijn zus.'

'Je zus?'

'Ze is onderweg naar jou.'

13
DE TREIN

'O, nee, maakt u zich geen zorgen...' glimlacht Linda Melodia in de derde klas treinwagon die als het goed is van Moskou naar Omsk gaat, niet ver van de grens met Kazachstan. 'Ga uw gang.'

Natuurlijk verstaat de vrouw naast haar geen Italiaans en ze glimlacht dan ook alleen maar, terwijl ze haar rok uittrekt en verruilt voor een lichtblauwe pyjamabroek van badstof. Linda probeert niet naar haar te kijken, ook al is ze diep vanbinnen geschokt dat die vrouw zich zo bedaard omkleedt waar iedereen bij is. Ze zegt geen woord, ook omdat ze niet zou weten in welke taal dat zou moeten: ze spreekt geen Engels en aan het beetje Frans dat ze kent heeft ze hier ook niets. De man van de vrouw, die ook al zijn pyjama aan heeft en op wiens gezicht een snor met heel spitse punten prijkt, heeft geprobeerd in het Italiaans met haar te praten, maar eigenlijk kent hij alleen maar de namen van een paar voetballers die hij minstens twintig keer heeft herhaald. Het echtpaar zit naast Linda terwijl er tegenover hen een stoffen bedje staat waarin een klein meisje ligt te slapen.

Linda ontwijkt een elleboogstoot van de vrouw, die nu bezig is met haar pyjamajasje. Ze is al met al snel klaar en binnen een halve minuut heeft de vrouw haar nette kleren verwisseld voor haar treinpak. Ze vouwt haar kleren dubbel en propt ze op het bagagerek boven hun hoofden, tot Linda's grote afschuw.

'Zo doe je dat niet...' mompelt ze, op haar lip bijtend. 'Zo krijg je toch kreukels!'

Haar buurvrouw maakt zich echter totaal niet druk om de kreukels. Ze legt alles boven haar hoofd en gooit haar schoenen er ook nog bij, zodat ze op haar sokken op de vloer staat. Dat geldt trouwens ook voor haar man en de meeste andere passagiers in de wagon. Hele rijen schoenen die zijn opgehangen aan de veters, jasjes en overhemden hangen boven de stoelen, schommelend bij elke schok van de trein. Er klinkt voortdurend een gezoem van de verwarmingsinstallatie, en er hangt een mengeling van nogal onaangename geuren: zweet, goedkope zeep, benzine, gezouten vis, gerookt schapenvlees en andere geuren waar Linda liever niet over nadenkt. Er zijn geen coupés, alleen maar rijen houten zitplaatsen gescheiden door een middenpad en klaptafeltjes. Aan de andere kant van het gangpad zitten vier mannen al urenlang te schaken. Dat wil zeggen: twee van hen schaken en de andere twee kijken toe. En ook al hangt er vast en zeker wel ergens een bordje met een rookverbod, de schakers zijn niet van plan zich daaraan te houden.

Linda zit in haar hoekje, waar ze haar best doet niets te zien, niets in te ademen en niets aan te raken. Ze heeft haar grote koffer in de volgende wagon geladen en haar kleine reistas staat

hermetisch afgesloten op haar schoot. Ze is zo geschokt dat ze op het puntje van haar stoel zit, klaar om op te springen bij de minste aanraking.

Haar buurvrouw daarentegen lijkt een stuk meer op haar gemak nu ze haar pyjama aan heeft. Ze biedt Linda zelfs een bekertje aan waar koffie in zit, zo dik als petroleum.

'O nee, dankuwel!' roept Linda vol afschuw, maar wel zo vriendelijk mogelijk.

Ze ziet het bekertje de halve wagon rondgaan, het komt weer terug om te worden gevuld en gaat dan weer rond. De man van de vrouw geeft het bekertje zelfs aan het kindje in het bedje, en op dat moment kan Linda zich niet meer inhouden: 'Nee! Koffie is niet goed voor kinderen!'

De meneer met de puntsnor kijkt haar niet-begrijpend aan, dus grijpt Linda het bekertje uit handen van het meisje en gaat weer zitten.

'Ah, da!' glimlacht snorremans, die denkt te hebben begrepen dat Linda het laatste beetje koffie voor zichzelf wil. Zij overwint haar afschuw, houdt het bekertje voor haar lippen en doet alsof ze drinkt.

'Daaa!' roept snorremans, terwijl de vrouw in de lichtblauwe pyjama haar nog meer koffie aanbiedt.

Linda weigert beleefd. Ze probeert zich te concentreren op het landschap dat monotoon voor het raam langs glijdt. Het is de eindeloze vlakte van de taiga: groene velden, struiken en talloze riviertjes, met hier en daar een dorpje van houten huisjes, of gemetselde gebouwen die ineens verrijzen, zonder enige schoonheid, het gevolg van een kordate bevlieging van een of andere lokale partijfunctionaris.

Als de thermosfles is weggestopt, laat Linda haar blik weer rondgaan door de wagon. De schakers roken als schoorstenen, peinzend over hun volgende zet. Boven hun houten stoelen hangt een dikke rookwolk. Enkele passagiers bladeren luidruchtig door een krant met het formaat van een laken.

Linda doet heel voorzichtig het slotje van haar tas open. Ze haalt er een in achten gevouwen blaadje uit, waarop ze de vertrektijd en aankomsttijd van haar trein heeft genoteerd. Maar pas na haar vertrek heeft ze ontdekt dat beide tijdstippen om de een of andere vreemde reden zijn aangegeven in de tijd van Moskou, dat wil zeggen twee tijdzones geleden, en de tijdstippen die worden aangegeven door de klokken op de verschillende stations komen dus niet overeen met haar aantekeningen.

Zuchtend probeert ze uit te rekenen hoe het zit: nog tien uur reizen, denkt ze. Of nog acht. Of nog twaalf.

Linda snuift en geeft zich over aan het ongemak.

Dan krijgt ze een idee. Ze zit midden tussen onbekende mensen die een andere taal spreken, maar misschien kan ze zich toch nuttig maken.

Ze doet haar tas wat verder open en haalt er een reiswoordenboekje Italiaans-Russisch uit.

'Aha... oké...' mompelt ze, terwijl ze de vrouw in de blauwe pyjama aankijkt. 'Goed: *par... don.*'

Ze knikt en herhaalt nadrukkelijk: '*Pardon!*'

En dan nog eens, twijfelachtig: '*Pardon?*'

Ten slotte klapt ze het woordenboekje dicht. De vrouw glimlacht. Haar man glimlacht.

De schakers glimlachen.

Zouden ze me verstaan hebben? vraagt Linda Melodia zich af. Ze staat op, pakt de kleren van de vrouw uit het bagagerek en begint ze netjes op te vouwen.

14
DE AANKOMST

Sheng droomt.

En het is weer dezelfde droom als altijd.

Hij is met de andere kinderen in de jungle, een stille jungle, zonder enig geluid. Een jungle waar ze bijna rennend doorheen lopen, alsof ze achterna worden gezeten. Achter de tropische begroeiing begint de zee. Sheng en de anderen duiken erin en zwemmen naar een klein eiland begroeid met algen. Op het strand zien ze een vrouw die hen staat op te wachten. Haar gezicht is bedekt met een sluier die haar gelaatstrekken verbergt. En ze draagt een nauwsluitende jurk waarop alle dieren van de wereld getekend zijn. Deze keer heeft de vrouw haar handen vrij en beweegt ze alsof ze Shengs vrienden, die langzaam langs haar heen lopen, zegent: eerst Harvey, dan Elettra, dan Mistral. Sheng probeert ook uit het water te komen, maar het lukt niet; hij blijft plat op de grond liggen, alsof hij wordt vastgehouden door het gewicht van het zeewater. Als de anderen langs haar heen zijn gelopen, wendt de vrouw zich tot hem. En... dan wordt Sheng met een schok wakker.

Hij is in zijn kamer, in zijn eigen huis. De wanden zijn zo dun dat hij zijn vader kan horen snurken in de andere slaapkamer. En zijn moeder kan horen rommelen in de keuken, beneden. Als hij goed luistert, kan Sheng zelfs haar voeten over de grond horen schuifelen.

Hij draait zich gekweld om in zijn bed. De monitor van zijn pc op het tafeltje in de hoek is een lichtgevende rechthoek, net een spook. Over de binnenplaats zijn allemaal zwarte waslijnen gespannen waaraan hun kleren hangen te drogen. De daken van de lage huizen in de oude wijk zijn bezaaid met tv-antennes, het ziet eruit als een moderne rozentuin zonder bloemen.

Sheng stopt zijn hoofd onder het kussen. Hij denkt aan de droom. Wat zou die te betekenen kunnen hebben? Het zweet breekt hem uit.

Hij staat op, loopt de smalle gang in die naar de badkamer voert en gaat dan naar beneden, nog half slapend.

'Hoe laat is het?'

Zijn moeder gebaart dat hij zachtjes moet praten: zijn vader slaapt nog.

Het is zes uur 's ochtends.

Er ligt een vochtig waas op de stenen van de binnenplaats. Door de vierkante ramen ziet Sheng dat het op straat nu al een drukte van belang is van voetgangers en fietsers; de vreemdste handelswaren worden op de rug of op oude brommertjes vervoerd.

'Sheng, voel je je wel goed?' vraagt zijn moeder terwijl ze een kommetje donkere bancha-thee inschenkt uit een karaf. Dan zet ze als verrassing twee maankoeken op tafel.

Ze glimlacht.

'Ik ben aan het oefenen voor het feest van Zhong qiu jie,' fluistert ze.

Het Midherfstfestival oftewel het Maanfeest, vertaalt Sheng in zijn hoofd. Dan worden alle huisaltaren beladen met fruit en zoetigheid voor de gasten.

Hij pakt een van de koeken. Hij voelt compact, zwaar aan en ziet er mooi uit.

'Suiker, sesamzaad, noten, lotuszaad, ei, ham, bloemblaadjes en verder... nog wat eigen ingrediënten,' somt zijn moeder op, alsof ze voorleest uit een receptenboek.

Sheng bijt erin. De eerste hap valt niet tegen. Maar al bij de tweede hap dringt er een vreemde, doordringende smaak door van de vulling.

'Mpf... en wat heb je precies... gebruikt... als eigen ingrediënten?'

'Ach, dat weet ik niet meer. Ik heb maar wat geïmproviseerd!'

Bij de vierde hap is de koek veranderd in een plakkerige bonk die roerloos op zijn tong blijft liggen. Sheng krijgt er geen beweging meer in. Hij probeert hem weg te spoelen met een slok bancha-thee, en na enkele vergeefse pogingen weet hij hem eindelijk door te slikken.

'En? Hoe smaakt hij?' vraagt zijn moeder, nog steeds op fluistertoon.

Sheng staart vol schrik naar de andere maankoek die op zijn bord ligt. 'Niet slecht...' liegt hij, terwijl hij de helft die hij nog over heeft in zijn pyjama wegmoffelt.

Terwijl hij zijn thee drinkt denkt hij aan de dag die komen gaat, en weer breekt het zweet hem uit. Hij heeft niets van Harvey gehoord en hij denkt aan alles wat hem te wachten staat: doen alsof hij naar school gaat, maar in plaats daarvan Ermete ontmoeten en even later ook Mahler weer. De rivier oversteken, een manier vinden om de wolkenkrabber binnen te dringen. Wachten tot de anderen arriveren.

En dan?

Zodra hij klaar is met zijn ontbijt gaat hij terug naar zijn kamer, kleedt zich aan zonder in de spiegel te kijken, pakt zijn rugzak met schoolboeken en blijft even staan. Elke gedachte wordt echter verstoord door het ritmische gesnurk van zijn vader dat door de kamer galmt. Sheng heeft het gevoel dat hij nauwelijks adem kan halen.

Dus loopt hij de trap af en gaat weer naar de keuken, klaar om de deur uit te gaan.

'Sheng, waar wil jij naartoe? Het is nog te vroeg om al naar school te gaan...' houdt zijn moeder hem tegen.

'Ik kan toch niet meer slapen, mama. Dan kan ik net zo goed alvast gaan.'

'Je bent net je vader,' fluistert ze. 'Die kon op jouw leeftijd ook geen moment stilzitten.'

Sheng geeft haar snel een kus en dan staat hij op straat. Hij kijkt om zich heen. Brillenverkopers, reclameborden, kledingwinkels waar broeken aan metalen hangers prijken, kleurige stoffen, brommers die met de hand worden voortgeduwd.

En daar, aan de overkant van de straat, staat hij weer. Leunend tegen kartonnen dozen van tl-buizen. Het bleke jongetje met nummer 89 op zijn shirt.

Het jongetje dat hem overal achtervolgt.

Op de een-na-hoogste verdieping van een zwarte wolkenkrabber in het hart van Pudong, de nieuwe wijk van Shanghai, gaat de privé-telefoon die op het bureau staat over. Heremit Devil doet het deurtje van de kinderkamer waarin hij altijd slaapt achter zich dicht en loopt door de lange gang, waarvan de muren door een kind zijn vol gekliederd, naar de telefoon.

'Devil,' sist hij licht hijgend in de telefoon.

'Ik heb de jongen te pakken,' antwoordt een mannenstem.

Nik Knife. De Viervinger. De messenwerper. De leider van zijn beveiligingsploeg.

Heel goed, denkt Heremit. De eerste is aangekomen.

'Breng hem naar boven.'

'Kan hij zijn kleren aanhouden? Hij heeft in een vliegtuig gezeten.'

'Laat hem eerst ontsmetten.'

'Dat duurt een halfuur.'

'Ik kan wachten.'

Heremit hangt op. Hij leunt op zijn bureau en belt een ander nummer.

'Cybel?'

'Mijn jongen! Mijn lieve jongen! Waaraan heb ik je telefoontje te danken? Ik ben op de twaalfde verdieping, in dat

verrukkelijke schoonheidscentrum van je. Ik wist niet dat jij daar zo veel waarde aan hechtte! Ik laat net mijn nagels lakken in...'

'Heb je al iets gehoord over de meisjes?'

'Altijd even opgewekt, hè, Heremit? Waarom laat je niet eens een lekkere ontspanningsmassage doen? Of een chocolade-pakking? Volgens die dames hier moet dat iets fantastisch zijn.'

'Cybel. Heb je al iets gehoord over de meisjes?'

Cybel snuift. Ze houdt haar hand voor de hoorn en fluistert in de telefoon: 'Ik wilde gewoon geen antwoord geven waar zij bij waren...'

'Doe het maar gewoon.'

'Jij hebt te veel vertrouwen in andere mensen, Heremit! Als je zo doorgaat, is er vroeg of laat iemand...'

'Cybel. De meisjes.'

'Het lijkt net of je me een ultimatum stelt. Goed dan, ik zal je antwoord geven... Nee. Geen nieuws. We hebben ze niet te pakken kunnen krijgen.'

'Waarom niet?'

'Ze zijn geen van beiden thuis. De Française en haar moeder zijn niet teruggekomen. En die Italiaanse is vannacht in het busje van haar vader gestapt en naar de luchthaven gereden, maar... ze heeft geen vliegtuig genomen. Ik herhaal: geen vliegtuig.'

'Waarom is ze dan naar de luchthaven gegaan?'

'Misschien ging ze met haar vader mee om nieuwe gasten op te halen?'

'Waarom zijn ze nu niet thuis?'

'Omdat niet iedereen zo is als jij, beste Heremit! Mensen gaan de deur uit, schat! Ze gaan de deur uit! Als iemand buiten

116

de deur is, wil dat niet meteen zeggen dat hij op reis is naar Shanghai.'

Heremit kijkt op de kalender. 19 september. Twee dagen voor de laatste seizoenswisseling van het jaar.

'Ze hadden allang vertrokken moeten zijn.'

'Maar dat zijn ze niet, mijn jongen, dat zijn ze niet! Hoe moet ik het je zeggen: ik heb zo mijn mensen. En noch Elettra Melodia, noch Mistral Blanchard bevinden zich op dit moment in een vliegtuig, een trein, een schip of een raceauto op weg naar Shanghai.'

Heremit hangt op. Nog maar twee dagen.

En hij heeft nog steeds geen idee wat er gedaan moet worden.

'Claire en Lauren St-Tropez...' leest de ambtenaar van het immigratiekantoor terwijl hij de beide paspoorten controleert op de luchthaven van Shanghai. Hij kijkt Mistral en haar moeder aan en vergelijkt hun gezichten met de pasfoto's. Hij bladert tergend langzaam de documenten door, werpt een blik op het visum en zet dan eindelijk een stempel en een snelle handtekening.

'Welkom in China,' zegt hij glimlachend terwijl hij hun paspoorten teruggeeft.

Het tweetal onderdrukt een zucht van verlichting en maakt zich snel uit de voeten, door de gang die met neonborden wordt aangegeven. De internationale luchthaven Shanghai Pudong is één grote schittering van glas en kristal met een groot golvend dak dat nergens op lijkt te steunen, uitkijkend op de eindeloze

117

landingsbanen. Moeder en dochter doen er alleen al tien minuten over om bij de bagagebanden te komen. Ze hebben nog steeds dezelfde kleren aan als toen ze naar het appartement aan de Boulevard de Magenta gingen, omdat ze liever niet meer naar huis wilden gaan. Hun bagage bestaat uit een koffer, aangeschaft in warenhuis Lafayette en gevuld met nieuwe kleren die ze allemaal contant hebben betaald om geen sporen van een creditcard achter te laten.

Als ze bij de bagageband aankomen, merken Mistral en Cécile Blanchard dat ze niet alleen zijn.

'Elettra!' roept Mistral uit als ze haar vriendin herkent tussen de mensen die op hun bagage staan te wachten.

De twee meiden vliegen elkaar om de hals. Ondanks de reis ziet Elettra er goed uit: haar ravenzwarte haar is alweer een stuk gegroeid, ze draagt een witte katoenen trui met ronde hals en een roomkleurige broek waarvan de pijpen verdwijnen in heftige zwarte veterlaarzen. Mistral en Elettra hebben elkaar vlak voor ze aan boord gingen nog gesproken en op het vliegveld afgesproken, zodat ze samen naar het hotel konden gaan.

'Eerlijk gezegd ben ik niet Mistral, maar Claire...' glimlacht het Franse meisje terwijl ze om zich heen kijkt.

'En ik ben Marcella,' zegt Elettra beschaamd.

Ze grinniken.

'En de anderen?'

'Ik heb al sinds gisteren niets meer van Harvey gehoord,' antwoordt Elettra. 'Maar als het goed is zijn Sheng en Ermete al in het Grand Hyatt-hotel.'

'Het lijkt me een fantastische plek. Boven in een wolkenkrabber.'

'Waar wachten we nog op?'

'Misschien moeten we eerst uitzoeken welke kant we op moeten?'

Als ze hun bagage hebben, staan de drie dames inderdaad verbluft in de grote aankomsthal: een ellenlange witte ruimte die twee verdiepingen beslaat, onderbroken door lichtgevende palen met reusachtige schermen waarop reclamefilmpjes worden getoond.

'We moeten de pijlen naar de Maglev volgen,' zegt Elettra terwijl ze zich probeert te oriënteren in die mensenmassa. 'Dat is trouwens de snelste trein ter wereld.'

In haar reisgids staat dat de Maglev vierhonderdeenendertig kilometer per uur kan rijden, gebruikmakend van het eerste en tot nog toe enige magneetzweefspoor ter wereld. In zeven minuten kan hij de dertig kilometer van de luchthaven naar de stad afleggen.

'Die kant op...' wijst Mistral als ze een bord ontwaart.

Ze slepen hun koffers op wieltjes een roltrap op en lopen over de tussenverdieping van de hal, waarna ze afslaan naar een lange gang die vreemd genoeg zowat is uitgestorven. En de weinige mensen die er lopen zijn allemaal buitenlanders.

'Zo te zien zijn de Chinezen niet zo gek op deze trein...' mompelt Elettra, getroffen door het contrast met de mensenmassa in de hal.

Ze bereiken het station van de Maglev, waar een heleboel rode Chinese lantaarns hangen. Cécile gaat netjes in de rij staan om kaartjes te kopen, alleen voor de heenreis. Dan komt de roltrap die hen omlaag voert. Over een lopende band worden ze vervolgens naar een afscheiding van aluminium en glas

gebracht, met een stuk of veertig andere mensen. De trein laat niet lang op zich wachten: een witte slang met een hoge, schuine neus die stil langs het perron glijdt.

Ze stappen in.

De wagon heeft stoelen in twee verschillende kleuren: gele en witte. De gele zijn de beroemde 'zachte stoelen' voor de vips. Cécile, Mistral en Elettra gaan op de witte stoelen zitten. En dan vertrekt de snelste trein ter wereld.

'Hoe zal dat zijn, voortrazen over magnetische rails?'

Daar komen ze gauw genoeg achter: je schommelt.

Mistral kijkt een beetje misselijk naar het zwarte display waarop met groene letters de snelheid van de trein wordt aangegeven. Door het raam begint het landschap geleidelijk steeds sneller voorbij te flitsen. Straten, bomen, gebouwen.

'Tweehonderd kilometer per uur,' zegt Elettra, terwijl de Maglev schommelt als een boot.

'Driehonderd kilometer per uur,' zegt Elettra weer.

Daarbij vergeleken lijkt het net of de auto's op de snelweg stilstaan.

'Vierhonderddertien!' roept Elettra uit.

Dan begint de trein af te remmen, en zeven minuten na vertrek stopt hij op station Longyang. Het drietal pakt hun bagage en verlaat de trein.

'En nu?' vraagt Mistral om zich heen kijkend.

Enkele borden wijzen naar taxi's, maar het is niet precies duidelijk waar ze dan naartoe moeten. De trein keert weer terug naar de luchthaven en laat enkele groepjes mensen achter, met hun koffers, die zich allemaal dezelfde vraag lijken te stellen als Mistral.

'Laten we maar achter hen aan lopen...' stelt Elettra voor, wijzend op enkele reizigers die vastberadener lijken dan de rest.

Vijf minuten later bevinden ze zich op een troosteloze parkeerplaats, zonder verdere aanwijzingen.

'Die kant op!' roept Cécile op een gegeven moment, als ze een taxi de parkeerplaats op ziet rijden.

Ze bestormen hem als nomaden in de woestijn die een oase zien.

'Naar het Grand Hyatt alstublieft!'

De taxichauffeur glimlacht en stort zich in een stroom auto's die al na een paar honderd meter tot stilstand komt. Shanghai lijkt nog ver vóór hen te liggen.

Mistral, Cécile en Elettra kijken mismoedig om zich heen.

'Wat heeft het voor zin om de snelste trein ter wereld te nemen als je daarna nog een uur met de taxi moet om op de plaats van bestemming te komen?'

15

MILLER

Het is allemaal heel moeilijk te begrijpen, maar mevrouw Miller doet haar best. Hoe dan ook.

Ze zit op een leren stoel in een stinkend café, in het gezelschap van de man die door het dakraam haar huis is binnengedrongen en haar daarmee het leven heeft gered.

De man heet Quilleran, er stroomt indiaans bloed door zijn aderen en hij beweert een vriend van Harvey te zijn. Hoe het ook moge zijn, hij is in elk geval zeker hun postbode.

'Er was geen andere manier om binnen te komen, mevrouw, gelooft u me...' herhaalt de man voor de zoveelste keer. 'Egon Nose stond al voor het hek. En hij zou me gezien hebben.'

Dat is precies het gedeelte van het verhaal dat Harvey's moeder zo onbegrijpelijk voorkomt. 'En wilt u me eens uitleggen waarom die... Egon Nose het op mij gemunt zou hebben?'

'Niet op u, mevrouw. Op uw zoon.'

'Is dat vanwege die paspoorten?'

Quilleran schudt zijn hoofd. 'Het is een lang verhaal. Als Harvey het u niet verteld heeft, kan ik het ook niet doen.'

'En... wat kunt u dan wel doen, behalve me door het dakraam uit mijn huis te laten vluchten?'

'Ik heb u al mijn excuses aangeboden.'

'En die heb ik geaccepteerd. Anders zat ik hier nu niet met u te praten.'

'U moet op een veilige plek onderduiken, tot alles weer rustig is. En u moet onmiddellijk naar de politie gaan.'

'Wat moet ik dan zeggen?'

'Dat u door iemand wordt bedreigd.'

'Ik bel mijn man,' stelt mevrouw Miller voor.

Quilleran overhandigt haar zijn mobiele telefoon.

Meneer Miller is op de brug van het schip, samen met Paul Magareva van het Polynesisch Instituut voor Oceanografie. Ze zitten nu al uren druk te praten. Het rapport van professor Miller is werkelijk meedogenloos.

'Het afgelopen jaar...' leest hij voor, 'was er een recordaantal tyfoons boven de Stille Oceaan. Vijftien orkanen van de hoogste klasse boven de Atlantische Oceaan, tegen een gemiddelde van tien; 182 tornado's in augustus, 56 meer dan in het recordjaar 1979, en 235 in september, 139 meer dan in 1967. Uitzonderlijk veel bosbranden in Alaska; een verwoestende aardbeving in Iran en de tsunami van de Indische Oceaan; verergerde droogte in Noord-Afrika met sprinkhaanplagen en een economisch

verlies dat wordt geschat op 8.500 miljoen dollar, waarvan de verzekeringen slechts 925 miljoen dollar dekken. Alles bij elkaar zitten we op 145 miljard dollar schade. En de laatste tien jaar waren de warmste van 1861 tot nu.' George Miller gooit het rapport op het tafeltje van het schip. 'Is dat rampzalig genoeg voor je?'

Paul Magareva kijkt naar de haven van Shanghai. 'En? Ben je ervan overtuigd dat we met een planeet gaan botsen?'

'Eerlijk gezegd niet. Maar ik ben er wel van overtuigd dat we met onszelf gaan botsen.'

'Wat er gaat gebeuren is al gebeurd,' beweert zijn Polynesische collega. 'Het is net als wanneer je pc te vol staat met nutteloze programma's. Dan is er maar één oplossing: alles wissen. Noem het de universele zondvloed, het uitsterven van de dinosauriërs, maar zo is het.'

'Jij leest te veel sciencefiction, Paul.'

'En jij leest te weinig sciencefiction!'

De mobiele telefoon van professor Miller gaat over. 'Wie kan dat nu zijn?' vraagt hij zich af, aangezien het nummer hem niet bekend voorkomt.

De professor neemt op. Het is zijn vrouw. Ze klinkt behoorlijk overstuur. Hij knikt en zegt: 'Ik ga meteen de ambassade bellen.'

$$\bigcirc \oplus \odot \ominus$$

Door de geblindeerde ramen van de auto ziet Harvey alleen maar schimmen. Schimmen van gebouwen, auto's, staalplaten rond bouwputten, brede wegen. Silhouetten van hijskranen.

125

Lange rijen bomen, die onverwachts opduiken en plotseling weer verdwijnen.

Er zit ook een schim aan het stuur, naast de Chinees met de schietschijf op zijn hoofd getatoeëerd, maar Harvey ziet niet wie het is. De reis van de luchthaven naar die-andere-plek duurt tweeëndertig minuten. Duizendnegenhonderdtwintig seconden, die Harvey een voor een aftelt om zijn concentratie niet te verliezen. Discipline en zelfbeheersing. Dat heeft hij van Olympia geleerd.

Onder zijn onverstoorbare voorkomen is hij natuurlijk woedend. Heel erg woedend. Hij had niet verwacht dat hij opnieuw te maken zou krijgen met Egon Nose.

Had hij de anderen nu maar verteld wat hij van plan was. Maar dat heeft hij niet gedaan. En nu is het beslist te laat om nog iemand te waarschuwen.

Mijn vader weet het, bedenkt hij terwijl de schimmen van de stad langs hem heen glijden. Mijn vader weet dat er iets groots staat te gebeuren. Hij zal wel weten wat hij moet doen.

Harvey's rugzak, met de boeken van zijn vader, wordt stevig vastgehouden door de Chinees voorin, die zwijgt als het graf.

De auto mindert vaart, maakt een flauwe bocht en rijdt dan ineens een helling af. Een ondergrondse parkeergarage, bedenkt Harvey.

Uit het gedrag van zijn zwijgende reisgenoot kan Harvey opmaken dat ze op de plek van bestemming zijn. Het portier gaat open. Harvey wordt meegenomen naar een lift een paar meter verderop. Hij kan nog net een blik om zich heen werpen: een geasfalteerde oprit, vijftig parkeerplaatsen, glimmend zwarte busjes.

Het is licht. De ochtend is aangebroken.
Dan wordt hij opgeslokt door de lift.

16
HET GRAND HYATT

Ermete en Sheng zitten aan een glazen tafeltje dat lijkt te
zweven tussen de wolken, in de lobby van het hotel op de 53ste
verdieping van de wolkenkrabber.

Zodra ze Elettra, Mistral en mevrouw Blanchard zien binnenkomen, staan ze op en zwaaien naar hen. Het is een warm,
hartelijk weerzien en er worden heel wat gemoedelijke grapjes
uitgewisseld. Dan begeeft Cécile zich naar de receptie om in te
checken, onder hun valse namen, en om de bagage naar hun
kamers te dragen terwijl de twee meisjes aan het tafeltje gaan
zitten om meteen te bespreken wat ze moeten doen.

'Hoe is het met Harvey?' vraagt Elettra.

Ermete en Sheng kijken elkaar aan. 'Dat is het eerste raadsel.
Hij had gisteravond in Shanghai moeten landen. Maar zijn
mobieltje staat uit en hij heeft niet ge-sms't.'

'Dat klinkt niet goed.'

'Ook omdat we weinig tijd te verliezen hebben.'

Sheng wrijft in zijn ogen en kijkt om zich heen. Dan onderdrukt hij een geeuw die zijn hele onderkaak laat trillen.

'Hoe voel je je?' vraagt Mistral.

'Goed,' antwoordt hij, terwijl hij een tweede geeuw onderdrukt. 'Ik ben alleen een beetje... moe.'

'Je ziet er afgepeigerd uit.'

'Dat is het juiste woord,' beaamt hij.

'En die droom die je telkens had?' vraagt Mistral weer.

Sheng knikt. 'Die heb ik nog steeds.'

De meisjes kijken naar Ermete en dan naar elkaar. 'Misschien moeten we erachter zien te komen waarom je die droom steeds hebt.'

Sheng staart naar de neuzen van zijn nieuwe schoenen. Het is niemand opgevallen dat hij nu geen spuuglelijke gymschoenen meer draagt.

'Misschien heeft het iets te maken met jouw... ogen,' oppert Elettra.

'Kom op!' roept Sheng. 'Laten we het over iets anders hebben, of moet ik soms per se in het beklaagdenbankje?'

'Je wordt niet aangeklaagd. Het is gewoon zo dat er geen Chinezen met blauwe ogen bestaan,' vervolgt Elettra. 'Dat was je toch zeker wel bekend?'

'Wat weten jullie daar nu van?' moppert hij. 'Eigenlijk bestaat het volk dat jullie de Chinezen noemen niet eens.'

'Hoezo niet?' vraagt Elettra. 'Wie zijn de Chinezen dan?'

'Toevallig hebben wij "Chinezen" zelf geen woord om "de Chinezen" mee aan te duiden. Wij gebruiken het woord "han",

maar dat slaat alleen op een bepaald aantal volkeren dat in de loop van de geschiedenis is gedomineerd door de Han-dynastie.'

'Hoe kunnen jullie dan aangeven of iemand een Chinees is of niet?'

'Dat kunnen we niet. Wat heeft het voor zin om te zeggen dat iemand Italiaans is, of Frans?'

'Voor ons Europeanen is dat heel belangrijk.'

'Maar voor ons niet. En als je het echt wilt weten, we hebben zelfs geen woord om "China" te zeggen.'

Ermete lacht. 'Hou je ons voor de gek?'

'Helemaal niet. China is een woord dat "jullie" hebben bedacht om de plaats aan te duiden waar "wij" woonden. Dat is geen Chinees, en ook geen Wu.'

'Wat is Wu?'

'Dat is het dialect van Shanghai, dat weer anders is dan het dialect van Peking. En dan dat van Hong Kong, en...'

'Wacht eens even...' valt Mistral hem in de rede. 'Als er geen Chinees woord bestaat om China te zeggen, hoe zeggen jullie dan China?'

'Dat ligt eraan wat we bedoelen. We kunnen *zhong guo* gebruiken, "het rijk van het midden", en *zhong guo ren* voor de inwoners daarvan. Maar dat betekent niet hetzelfde als... "China".'

'Net als met die straatnamen hier!' moppert Ermete. 'Tweehonderd manieren om hetzelfde te zeggen. Hier is niets gewoon simpel. Alles is veranderlijk, vloeibaar.'

'We zijn dan ook in de stad van het water,' helpt Elettra de anderen herinneren. 'En sinds 2004 is de haven hier de grootste

rivierhaven ter wereld. Hoe dan ook...' Elettra kijkt om zich heen. 'Denken jullie dat we hier vrijuit kunnen praten?'

'Ik denk niet dat ze hier speciaal voor ons afluisterapparaatjes hebben geïnstalleerd...'

'Vooral ook omdat niemand kan weten dat we hier zijn.'

Elettra zwijgt even. 'Ik heb jullie iets te vertellen,' zegt ze dan.

'Ik ook,' voegt Mistral eraan toe.

Snel brengen de twee meisjes de anderen op de hoogte van hun ontdekkingen. Elettra zegt alleen niets over die andere Chinese jongen, Hi-Nau. Als haar verhaal is afgelopen, kijkt Sheng haar aan en roept: 'Dus jouw tante is een van de vier Wijzen!'

Ermete leunt achterover in zijn stoel. 'Na al die moeite die we gedaan hebben... We hadden het alleen maar even aan haar hoeven vragen!'

'Maar dan zou ze toch geen antwoord hebben gegeven. Het is onderdeel van het Pact dat ze ons niets mogen vertellen.'

'Ja, maar...' werpt Sheng tegen, met een blik op Mistral. 'Professor Van der Berger heeft zich daar niets van aangetrokken. Hij heeft ons uiteindelijk toch verteld hoe de vork in de steel zat.'

'Dat heeft hij gedaan voor het geval hij zou komen te overlijden,' zegt de Romeinse ingenieur. 'Ik weet niet of het Pact ook nog van kracht is na je dood.'

'Hoe dan ook...' zegt Mistral, 'het Pact is verbroken. Vanwege Century, of op een plek die Century genoemd wordt.'

'Zou het gebeurd kunnen zijn in dat appartement in het Century Building in New York?' mompelt Ermete.

'Daar gaat het niet om,' herneemt Elettra. 'Het gaat om twee

dingen: Sheng en deze trommel.'

Met die woorden zet ze de koektrommel op tafel die ze van haar tante heeft gekregen. 'Hierin zitten de aanwijzingen die zij in 1907 hadden. En waarvan ze niet wisten hoe ze ze moesten gebruiken.'

'Net zoals in Parijs met dat horloge?'

'Precies,' antwoordt Elettra. Tussen haar benen klemt ze de rugzak met daarin de kaart van de Chaldeeën en de enig tol die ze nog hebben, die met het hartje. Dan vervolgt ze: 'Maar voordat we die trommel openmaken, wil ik terugkomen op de droom van Sheng.'

Hij snuift: 'Alweer?'

'Volgens mij is die van wezenlijk belang. In haar mappen had mijn tante het over "gevoeligheden". Ik heb een gevoeligheid voor het Vuur, voor energie.'

'En daarmee liet je de lampen van de bibliotheek springen...' fluistert Mistral, terugdenkend aan wat er in New York gebeurd is.

'Jij hebt een gevoeligheid voor de Lucht. En dankzij die gevoeligheid hoef je maar te zingen... en dan luisteren de dieren van de lucht naar je.'

'Net als die vent, die indiaan in New York!' roept Sheng. 'Quilleran, die met raven kon praten. Was hij ook een van de Wijzen?'

'Nee,' herinnert Mistral zich. 'Maar hij vertelde ons dat een vriend hem had geleerd met raven te praten. En ik denk dat ik wel weet wie die vriend was.'

'Wie dan?'

'Vladimir.'

'De antiquair?' vraagt Ermete verwonderd.

'Precies. En weet je waarom? Omdat ik ervan overtuigd ben dat ook de vier meesters die voor ons kwamen die... "gevoeligheden" hadden. Neem professor Van der Berger: hij kon met de Aarde praten. En hij kon planten laten groeien, volgens mij. Net als Harvey.'

Ermete steekt zijn handen omhoog. 'Wacht, wacht. Ik snap er niets meer van. Harvey heeft de gevoeligheid van de Aarde... net als de professor, klopt dat?'

'Precies,' beaamt Elettra.

'En jullie zeggen dat Mistral de gevoeligheid van de Lucht heeft, net als Vladimir, de antiquair.'

'En jij?' vraagt Sheng aan Elettra.

'Ik heb dezelfde gevoeligheid als Zoë.'

Bij die woorden denkt de ingenieur terug aan zijn ontmoeting met haar in Parijs en hij mompelt: 'Achtenvijftig euro aan bloemen, zomaar weggegooid...' Dan wendt hij zich tot Sheng: 'Dus dan moet jij de gevoeligheid van het Water hebben...'

'Ik kan niet eens zwemmen, jongens.'

Allemaal kijken ze naar Elettra.

'Net als jouw tante Irene dus?'

'Precies,' antwoordt het meisje, terwijl ze haar vinger opsteekt. 'Zij zou je misschien kunnen uitleggen wat die terugkerende droom van je betekent.'

Sheng knikt. 'Ja, wie weet.'

'Ook omdat ik denk dat jouw gevoeligheid, Sheng, op de een of andere manier te maken heeft met slapen. Mijn tante heeft me met één beweging in slaap gebracht.'

'En vergeet die gele ogen niet,' komt Mistral tussenbeide ter-

wijl ze door een van haar schetsboeken bladert.

Sheng haalt blozend zijn schouders op. 'Zal ik me even uit-kleden, dan kunnen jullie me beter ontleden.'

'We willen je alleen maar helpen!'

'In mijn droom is altijd heel veel water...' mompelt Sheng dan, plotseling serieus. 'Wij zwemmen naar dat eiland. Midden in het water. Maar dan... als het moment daar is om uit het water te komen, dan lopen jullie er zonder problemen uit, maar ik... ik niet. Het lukt me niet. Ik blijf aan de grond vastgezogen zitten.'

'Zie je wel dat het belangrijk is dat je met mijn tante praat? Ook al antwoordt ze je misschien in raadsels, zoals ze tot nu toe allemaal hebben gedaan, misschien zijn het wel raadsels die gemakkelijk op te lossen zijn.'

Even zijn ze alle vier stil, in gedachten verzonken.

Dan komt Cécile aanlopen en glimlachend vraagt ze: 'Zal ik ook jullie koffers naar de kamer brengen?'

Elettra staat op en zegt: 'Nee, mevrouw, stel u voor, dat doen we zelf wel.' Ze knipoogt naar Mistral, die begrijpt dat ze moet meekomen. Dan zegt ze tegen de anderen: 'Wachten jullie hier even op ons?'

Zodra de liftdeur dichtgaat, legt Elettra haar vriendin uit: 'Er is nog iets wat ik liever niet aan Sheng wil vertellen...'

'Waar gaat het over?'

'Op die geheime plek van mijn tante heb ik ook ontdekt dat Sheng de vervanger is van een andere jongen die Hi-Nau heet, of heette.'

'Dus Sheng had niet Sheng moeten zijn?'

'Precies. Voordat ze me in slaap bracht, vertelde tante Irene me dat Hi-Nau een heel grote gevoeligheid had, de grootste van ons allemaal.'

'En waarom is hij dan niet hier?'

'Dat weet ik niet.'

'Je zou het haar kunnen vragen.'

'Ik zal het proberen, maar waar het om gaat... misschien is dat de verklaring voor het feit dat Sheng zo onzeker is.'

'Hoezo? Vind je óns dan zo zeker overkomen? Ik heb de taal der dieren al in geen weken meer gebruikt. Het idee alleen al vind ik eng...'

'Maar je weet wel hoe het moet! Ik ben ook doodsbang voor mijn energie, maar... ik heb hem wel gebruikt. En hetzelfde geldt voor Harvey! Terwijl Sheng.... wat kan die nu eigenlijk?'

De lift gaat open, en de twee meisjes staan met open mond te kijken. De gang waarin ze staan kijkt uit over de lobby van het hotel, vijftig meter onder hen. Het is alsof ze zich in een schouwburg bevinden met een adembenemend uitzicht: een spiraal van balkons met vloerbedekking die uitkijken op gouden kroonluchters en grote, glanzende ramen. Buiten gaan de lichtjes van de stad aan en de hemel wordt donker. Miljoenen kleurige neonreclames beloven weer een nieuwe droomnacht.

Elettra en Mistral blijven verrukt voor de balustrade staan.

De lift die Cécile heeft genomen moet nog komen.

'Heb jij die Hi-Nau gezien?' vraagt Mistral, terwijl ze van bovenaf naar de twee gekleurde puntjes kijkt die Ermete en Sheng vormen.

'Alleen op een foto, maar ik denk niet dat ik hem zou her-

kennen. Ik kan Chinese gezichten niet zo goed uit elkaar houden. Waar ik bang voor ben... is dat Sheng misschien de moed
verliest als hij te weten komt dat hij eigenlijk tweede keus was.'

Mistral knikt. 'Je hebt gelijk. O, daar komt mijn moeder aan.'

De lift laat een piepje horen en gaat open.

De twee meisjes draaien zich om.

Cécile Blanchard is lijkbleek. Naast haar staat een tamelijk
lange man met een petrolkleurige regenjas aan en een baseballpetje over zijn ogen getrokken.

'Zijn jullie niet blij om mij weer te zien?' vraagt Jacob
Mahler terwijl hij uit de lift stapt.

17
DE DUIVEL

Een smalle, wit betegelde ruimte, in tweeën gedeeld door een zwarte glaswand. Rechts van de glaswand is een zilverkleurige lopende band. Links ervan prijken enkele aluminium buizen. Op de vloer staat een laag helder water van zo'n tien centimeter hoog. Het ziet eruit als de ingang van een openbaar zwembad.

Door de luidspreker aan de wand wordt Harvey opgedragen om zijn kleren uit te trekken, maar het is zo'n absurd verzoek dat het twee keer herhaald moet worden voordat hij gehoorzaamt. Verbaasd trekt hij eerst zijn schoenen uit en zet ze op de zilverkleurige, plakkerige lopende band.

'De rest ook,' beveelt de stem door de luidspreker.

Nik Knife is een onverstoorbaar masker achter hem.

'Dit is toch zeker een grap?' grinnikt Harvey Miller zenuwachtig.

De Chinees zet enkel de rugzak op de lopende band. 'We hebben niet veel tijd. Meneer Heremit Devil wacht op ons.'

Harvey knikt. In het huis van de duivel gelden de regels van de duivel.

Hij trekt zijn trui en zijn twee T-shirts uit en staat in zijn blote buik. Hij legt alles op de lopende band. Dan is zijn broek aan de beurt.

'Loop naar die kant.' De Chinees wijst naar de helft van de gang met het desinfecterende voetenbad.

Terwijl Harvey erdoorheen loopt, verschijnen op de zwarte schermen die de gang in tweeën delen röntgenbeelden van zijn skelet.

Door de aluminium buizen wordt een scherp ruikende stoomwolk over hem heen geblazen. Een douche van water vermengd met een of ander desinfecterend middel. Dan komt er een stoot geparfumeerde warme stoom, en ten slotte warme lucht om hem te drogen.

Intussen zijn er zes handen in rubberhandschoenen die razendsnel al zijn kleren controleren, zijn rugzak openmaken, alles eruit halen en weer terug stoppen. Zijn schoenzolen worden doorgelicht met een waaier van oranje licht. Broek, shirts, trui en rugzak worden besproeid met dezelfde desinfecterende stoom.

Aan het eind van de gang krijgt Harvey zijn kleren terug.

'Je mag je weer aankleden,' zegt een Chinees, die rubberhandschoenen en een mondkapje draagt.

'Heel vriendelijk,' sneert Harvey. 'Moet iedereen die zijn huis binnenkomt daar doorheen?'

'Alleen degenen die hij snel wil zien,' antwoordt de Chinees,

onverstoorbaar als een standbeeld. 'Met de anderen zijn we veel grondiger.'

Hij trekt de handschoenen uit, doet het mondkapje af en wacht tot Harvey zich heeft aangekleed.

'Mijn haar is nog nat,' protesteert de jongen als hij naar een tweede lift met vergulde deuren wordt geduwd. 'Als je met nat haar naar buiten gaat word je ziek.'

'We gaan niet naar buiten,' gromt de Chinees.

De deur gaat dicht en de cabine zoeft razendsnel naar boven.

Negenentwintig, dertig, eenendertig seconden... telt Harvey en hij voelt de druk op zijn knieën.

Dan komen ze aan in de werkkamer van Heremit Devil.

'Kijk eens wie we daar hebben!' roept Mademoiselle Cybel zodra Harvey uit de lift stapt. 'Mijn favoriete Amerikaantje!'

Zij was wel de laatste die Harvey hier verwacht had. Maar Nik Knife duwt hem tegen zijn elleboog vooruit.

'Mademoiselle Cybel,' gromt Harvey terwijl hij op de fauteuil af loopt waarin de vrouw zit weggezakt. 'Wat een genoegen u weer te zien.'

De vrouw lacht, waardoor haar onderkinnen heen en weer deinen.

'Kennelijk is het mijn specialiteit om me op vliegvelden te laten ontvoeren,' vervolgt Harvey geïrriteerd. 'Alleen zie ik hier geen giftige spinnen.'

'Goed kijken,' grinnikt de vrouw. 'Goed kijken, Miller junior.'

Harvey's ogen flitsen door de kamer: adembenemend uitzicht over de stad. In het westen de rivier. In het zuiden een groot park. Andere wolkenkrabbers. De televisietoren van Shanghai.

Binnen een paar tellen weet hij de wolkenkrabber te plaatsen op de plattegrond van Shanghai, die hij uit zijn hoofd heeft geleerd.

De werkkamer van Heremit is een sobere, steriele ruimte. Televisieschermen die uit staan. Vrijwel lege planken. Glanzend geboend bureau. Telefoon. En een reeks voorwerpen die hem deels bekend voorkomen, keurig gerangschikt op het bureau: de Ring van Vuur, de Ster van Steen, de tollen, een houten bootje...

Dan draait de man die tot nu toe met zijn rug naar hem toe stond en liever naar de lichtjes van de stad keek, zich heel langzaam om.

De Heremiet-Duivel.

Hij zegt niets. Hij kijkt hem alleen maar aan vanachter zijn dikke brillenglazen, gevat in een zwart hoornen montuur. In die blik ligt een stille lading van ijskoude insecten die langs Harvey's rug omhoog klimmen en in al zijn zenuwen prikken.

'Niets bijzonders, meneer,' zegt Nik Knife intussen, terwijl hij Harvey's rugzak op de grond zet. 'Alleen een uitgeprinte reservering in het Grand Hyatt voor vanavond.'

Mademoiselle Cybel fluit. 'Zo zo, toe maar, Miller junior! Het gaat goed met je, hè? Behoorlijk goed, zou ik zeggen!'

'En dit,' besluit de Chinees. In zijn hand houdt hij de wikkel van aluminiumfolie met daarin de laatste twee zaadjes die Harvey in New York heeft gevonden.

Mademoiselle Cybel werpt er een blik op vanachter haar opzichtige bril. 'Zo te zien het zaadje van een plantje. Zaadje, plantje,' herhaalt ze vrolijk, alsof ze een geweldige grap heeft bedacht. 'Jij bent echt een vreemde jongen, Miller junior.'

Heremit Devil loopt langzaam naar de wikkel. Daarvoor beweegt hij zich in een grote cirkel, met Harvey als middelpunt. En met de afstand tussen hen beiden als straal.

'Wat is dat?' vraagt hij.

Nik Knife legt de zaadjes op het bureau.

'Zaadjes van een plantje,' antwoordt Harvey, spelend met vuur.

'Brutaaltje,' zegt Mademoiselle Cybel met enige bewondering in haar stem.

Harvey probeert de blik van Heremit Devil te weerstaan, maar het lukt hem niet. Noodgedwongen richt hij zijn ogen op zijn gedesinfecteerde gymschoenen.

'Vernietig ze,' beveelt Heremit Devil aan Nik Knife.

De Chinees wil het bevel meteen uitvoeren, en Harvey bezwijkt. 'Beter van niet,' zegt hij.

Heremit Devil loopt dezelfde cirkel terug naar zijn favoriete plekje bij het raam. 'Wat is het?' vraagt hij voor de tweede keer.

'Het zijn de zaadjes van een boom.'

'En waarom kunnen ze beter niet vernietigd worden?'

'Omdat ze mijn talisman zijn. Ik plant altijd overal bomen als ik op reis ben.'

'Dan moet je maar gauw een andere talisman nemen, mijn jongen,' komt Mademoiselle Cybel lachend tussenbeide. 'Gauw een andere talisman nemen, zou ik zeggen!'

Met een ruk van zijn hoofd legt Heremit Devil haar in één tel het zwijgen op.

'Vertel over die boom.'

'Mijn vader beweert dat hij heel zeldzaam is. En heel oud. Een Ginkgo biloba.'

'Jouw vader is een zeer gewaardeerd professor,' zegt Heremit Devil. 'En zeer verontrust, neem ik aan. Op dat schip.' Hij wijst met zijn kin naar de rivier, die roerloos lijkt, voor hen en onder hen.

'We hadden het niet over mijn vader.'

'En hij heeft gelijk,' vervolgt Heremit, met vlakke stem. 'We zijn allemaal zeer verontrust. Vreemde natuurverschijnselen. Heftige tornado's, een klimaat dat zonder duidelijke reden verandert, smeltende ijskappen, stijgende zeespiegels, overstromende rivieren. We zijn terecht verontrust.'

Niemand in de werkkamer zegt een woord. Heremit vervolgt zijn trage monoloog: 'De lucht in deze stad is totaal verpest. Driekwart van de inwoners van Shanghai lijdt aan chronische slapeloosheid door de verlichting van de uitgaansgelegenheden. We zijn allemaal verontrust. We liggen er 's nachts wakker van.'

Heremit Devil laat zijn vingers knakken op zijn rug. 'En het enige wat we nodig hebben is... antwoorden. Eenvoudige antwoorden op eenvoudige vragen: Wie ben je? Waar ben je? Waar kom je vandaan? Waar ga je naartoe? Waarom? Dat is de uiteindelijke reden waarom we hier zijn: antwoord verkrijgen op die vragen.'

Bij het horen van die woorden laat Harvey een zenuwachtig lachje ontsnappen. Hij denkt: Die man is gek.

'Laten we verder geen tijd verdoen, Miller. Ik weet alles over het Pact, over jullie vieren, over de vier leermeesters. Ik weet wat ze gedaan hebben, waar ze nu zijn, hoe ze jullie hebben gekozen. Ik weet vrijwel alles, behalve de reden waarom ze uitgerekend jullie hebben uitgekozen en wat de reden is van deze reeks... díngen.' Hij wijst naar de voorwerpen op zijn

144

bureau en vervolgt: 'Die spiegel snap ik wel: jezelf spiegelen, begrijpen wie je bent. Je ware aard ontdekken. Ook die steen die uit de hemel is komen vallen: weten waar je vandaan komt, van de kometen die door de ruimte reizen, net als de zaadjes van een boom die kriskras op aarde terechtkomen. Maar dan heb je dat bootje. Weten waar je naartoe zult gaan? Over de golven? Over een onbekende rivier, gehuld in nevel?'

Harvey heeft dat bootje nog nooit eerder gezien. Hij neemt aan dat dit het vierde voorwerp is, dat van het Water, dat in Shanghai verstopt lag. Maar doordat Mademoiselle Cybel zich zo nerveus gedraagt, begrijpt hij dat er iets niet klopt.

'Als het goed is heb ik nu het plaatje compleet...' vervolgt Heremit Devil. 'Alleen de betekenis van het plaatje ontgaat me. Net als de tijd. Ik heb zes lange jaren gewacht en al die tijd heb ik zitten gissen. En eerlijk gezegd ben ik het nu moe.'

Heremits blik boort zich in die van Harvey. Het is een lange, eindeloze blik vol vraagtekens. Een harde, meedogenloze blik, maar ook, verrassend genoeg, smartelijk.

'Je hoeft mij niets te vertellen, beste Heremit, je hoeft mij niets te vertellen!' roept Mademoiselle Cybel op dat moment. Haar stem klink als brekend glaswerk. IJs dat op het verkeerde moment word gebroken. 'We zijn het allemaal moe. Zes jaar, kun je nagaan! Zes jaar!'

De vrouw loopt onstuimig naar voren, met haar gigantische jurk van ruisende zijde. 'Ik zal jullie nu alleen laten! Ik ga maar eens op zoek naar een nieuwe ontspanningsmassage.'

Mademoiselle Cybels opwinding is voor Harvey een laatste bevestiging van zijn vermoedens: 'Is dat het bootje van Shanghai?' vraagt hij in een poging alles op alles te zetten.

'Wat zeg je, Miller?'

De vraag van Heremit Devil klinkt retorisch, alsof hij alles allang weet. Hij beveelt zijn handlangster uit Parijs dan ook: 'Cybel, wacht.'

De vrouw staat nog maar een paar passen van de vergulde lift af. Ineens breekt het zweet haar uit. Toch speelt ze het klaar om te doen alsof ze van niets weet.

'Waarom zou dat het bootje van Shanghai moeten zijn?'

'Omdat Shanghai de stad van het Water is,' antwoordt Harvey. 'En Parijs is de stad van de Wind...'

'Beste Heremit!' valt Mademoiselle Cybel hem in de rede. 'Je gelooft die snotneus toch zeker niet? Zoë heeft die boot gevonden op de plek waar hij verstopt lag. Exact op de plek waar hij verstopt lag.'

'En dat is?'

'Op het Ile de la Cité!'

Harvey grinnikt. Het enige wat zich op het Ile de la Cité bevond waren de spitse punten van de Notre Dame. Hij begrijpt dat Heremit niets gelooft van wat de vrouw vertelt, maar hij laat haar evengoed gaan. 'Oké. Ga maar, Cybel.'

'Heremit...'

'Je kunt gaan.'

De vrouw werpt Harvey een woedende blik toe. 'Wou je mij soms voor leugenares uitmaken, snotneus? Mademoiselle Cybel een leugenares?'

De olifant in zijde verdwijnt in de lift, en vervolgens vraagt Heremit: 'Wat was er in Parijs?'

'Dat kan ik u niet vertellen,' antwoordt Harvey.

146

'Daar kan ik inkomen,' zegt de man. 'We zijn tegenstanders. En je gaat niet je eigen tegenstander helpen.'

Heremit Devil loopt naar zijn bureau. Hij pakt het houten bootje op en gooit het met enorme kracht in gruzelementen tegen het glas van de wolkenkrabber.

'Rommel!' schreeuwt hij. 'Nutteloze rommel! Waar dacht ze dat ze mee bezig was? Mij voor de gek houden?'

Niemand geeft antwoord. Er rollen stukjes boot door de kamer, tot in de verste hoeken.

In minder dan tien tellen is Heremit Devil uit zichzelf weer helemaal gekalmeerd. 'Handel jij dat maar af,' beveelt hij aan Nik Knife, wenkend naar het spoor van parfum dat Mademoiselle Cybel heeft achtergelaten. 'En als je klaar bent, ga je naar het Grand Hyatt. Wellicht zijn de metgezellen van meneer Miller al aangekomen.'

Nik Knife verlaat de werkkamer even snel als een akelig voorgevoel kan opkomen.

'Laat mijn vrienden met rust,' gromt Harvey, in een poging dreigend over te komen.

'Vrienden, meneer Miller? Ben je er echt van overtuigd dat vrienden bestaan? Je bent natuurlijk nog jong... en je hebt nog niet ontdekt wat vriendschap is. Het is slechts een masker van de afgunst. Het is de handschoen van de dief die je leven steelt en geen vingerafdrukken achterlaat.'

18
NAAR BOVEN

'Wat zou erin zitten?' vraagt Ermete terwijl hij de koektrommel vastpakt en er voorzichtig mee rammelt. De oude Chinese muntjes maken een hoop kabaal.

'Laat hem maar liever staan tot de meisjes terugkomen,' oppert Sheng.

'Kan er nog een lachje af?'

Sheng glimlacht. 'Hao!'

'Help me uit de brand, is hao een Chinees woord?'

'Wie zal het zeggen? Maar weet je wat? Ik zat te denken aan de betekenis van onze namen. Mistral is de naam van een wind, Elettra klinkt als elektriciteit...'

'O nee, dat is fout,' verbetert Ermete hem. 'Het is het Oud-Griekse woord voor barnsteen. Het betekent "schitterend". En barnsteen heeft als eigenschap dat het statisch wordt wanneer je eroverheen wrijft. Elektrisch, dus.'

'Jij bent echt een bron van wijsheid.'

'Dat is ook de betekenis van mijn naam: Ermete komt van Hermes, en dat is de boodschapper van de goden en de god van de welsprekendheid. Betekent Sheng ook iets?'

'Dat is de naam van een soort houten fluit bestaande uit heel veel verticale buisjes. En...' En nu laat Sheng zich weer gaan in zijn vertrouwde brede glimlach. 'Het betekent ook "Victorie".'

'Dus jij heet eigenlijk Victoria, als een meisje?'

'Heel grappig,' grinnikt Sheng. 'Victorie in de zin van "over-winning". Ik ben de winnaar!'

Zijn mobieltje gaat over.

'Is het Harvey?' vraagt Ermete.

Sheng schudt zijn hoofd. Het is een onbekend nummer. 'Hallo?'

Het is Jacob Mahler. 'In de hal van het hotel staat een man met zwarte kleren aan. Kaalgeschoren kop. Zie je hem?'

Sheng vormt met zijn lippen de naam 'Mahler' naar Ermete en herhaalt dan op fluistertoon: 'Man in het zwart... kaalgescho-ren... in de hal.'

Ze kijken snel om zich heen.

'Er zijn zo veel mensen in de hal.'

Aan de andere kant van de lijn klinkt geen kik.

'Dáár.' Ermete wijst naar een stevige, maar niet al te lange Chinees die bij de liften staat.

'Ik zie hem. Hij is er,' zegt Sheng in de telefoon. 'Wat wil dat zeggen?'

'Ze hebben ons gevonden,' zegt Mahler. 'De Viervinger. Kijkt hij naar jou?'

'Nee.'

150

'Dan kent hij je niet.'

'Wat moet ik doen?'

'Niet naar hem kijken. Pak al je spullen en verlaat het hotel.'

'En de anderen?'

'Daar zorg ik wel voor.'

'Zorg dat je over twee uur in Rushan Lu bent, op de hoek van de Meiyuan-tuinen.'

'Elettra en Mistral...'

'Die zijn al bij mij,' besluit de huurmoordenaar, waarna hij de verbinding verbreekt.

Vele verdiepingen boven hen, in de spectaculaire gang die naar hun kamers leidt, heeft Mistral het gevoel dat ze flauwvalt.

Jacob Mahler. De man die haar in Rome heeft ontvoerd. Die haar met de dood heeft bedreigd, haar heeft opgesloten in een kamer in de wijk Coppedè. De man die dood had moeten zijn.

Nu staat hij daar, op een paar passen van hen af, samen met haar moeder.

'Hallo Mistral,' durft hij ook nog te zeggen.

Mistral kijkt de andere kant op. Ze voelt dat Elettra haar hand vastpakt.

'Alles is in orde,' zegt Elettra. 'Hij...'

Mistral wil niet luisteren. Ze draait zich met een ruk om. Ze weigert met die man te praten.

Ze vertrouwt hem niet.

Ze zal hem nooit vertrouwen.

'Stuur hem weg,' zegt ze voor de deur van haar kamer.

Mahler kijkt naar beneden en beveelt: 'Ga vlug naar binnen.'

Ze doen wat hij zegt. Maar zodra ze in de kamer zijn, sluit Mistral zich op in de badkamer. Ze kijkt in de spiegel en draait de kraan open boven de wasbak van doorzichtig glas. In iedere andere situatie zou ze die badkamer in één woord fantastisch vinden. Maar nu kan ze alleen maar denken aan Jacob Mahler aan de andere kant van de deur, die met haar moeder en Elettra staat te praten.

'Als jullie hier weg proberen te gaan, heeft hij jullie meteen in de gaten,' zegt Mahler.

'Hoe kan hij nu weten waar we zijn? We hebben valse namen en paspoorten gebruikt.'

'Harvey ook?'

'Wat heeft Harvey ermee te maken?'

'Zou Harvey ook naar dit hotel komen?'

'Ja, hoezo?'

'Duidelijk. Heremit Devil weet niet zeker dat jullie hier zijn. Maar hij gaat ervan uit dat jullie komen. En hij is bereid om te wachten. Daarom heeft hij de beste man die hij nog overheeft erop af gestuurd om jullie te zoeken.'

Mistral voelt haar hart steeds sneller tekeer gaan. Ze weet nog heel goed hoe ze wakker werd in dat kamertje in Rome, en hoe Mahler de kamer binnenkwam om haar te ondervragen.

'Vertrouw hem niet...' mompelt ze vanachter de badkamerdeur. 'Jullie moeten hem niet vertrouwen.'

Het geluid van het warme water dat in de wasbak stroomt overstemt de rest van het gesprek. Door de stoom beslaan de spiegel en alle andere dingen.

'Mistral?' vraagt Elettra even later, terwijl ze op de deur klopt. 'Alles goed?' Als ze geen antwoord krijgt, voegt ze eraan toe: 'Hij is weg.'

Mistral doet de deur op een kier. 'We moeten hem niet vertrouwen.'

'Hij is de enige kans die we hebben.'

'Dat is niet waar, hij is niet onze enige kans. Je tante heeft je de aanwijzingen uit 1907 gegeven. Die hebben we ook. En we hebben ook nog een tol, meen ik.'

'Ja, maar Jacob... kent de stad. En hij kent de mannen van Heremit Devil.'

'Hij ís een man van Heremit Devil.'

'Dat wás hij.'

'Waar is hij naartoe?'

'Hij is iets aan het afspreken met je moeder.'

'Wat aan het afspreken? Wat is hij van plan?'

'Hij zegt dat we niet naar beneden kunnen.'

'En dus?'

'En dus... gaan we naar boven.'

'Naar boven? We zitten op de zeventigste verdieping! En als we dan boven zijn?'

Elettra staart haar aan zonder iets te zeggen.

'En als we dan boven zijn?' vraagt Mistral opnieuw.

19
DE VLEERMUIS

'Weet je de weg?' vraagt Ermete terwijl ze met gezwinde pas de wolkenkrabber, genaamd Jin Mao Tower verlaten, waarin het hotel zich bevindt.

Sheng, die voor hem loopt, steekt het Lujiazhu Green-park over in de richting van de brede rijbanen van de Jujiazhi Lu.

Ze hebben de koektrommel van Irene en de rugzak van Elettra bij zich.

'Denk je dat hij ons gezien heeft?'

'Volgens mij niet. Maar als je even op me wacht, heb ik misschien kans dat mijn hart niet uit mijn lijf springt.'

Sheng gaat iets langzamer lopen.

'Is dat adres dat hij genoemd heeft ver weg?' dringt de ingenieur aan.

Het tweetal bereikt het kruispunt aan de andere kant van het park. Zes rijbanen vol auto's. De eerste brandende koplampen flitsen voorbij in het uitdovende daglicht. De bladeren aan de bomen worden gestreeld door een licht briesje, vol en vochtig. Er hangt regen in de lucht.

'Hier is alles ver weg.'

'Ik bedoel: wil je er lopend naartoe?'

Sheng krabt in zijn zwarte haar. 'Eigenlijk wel, ja.'

Ermete vouwt de plattegrond van Pudong open die hij bij de receptie van het hotel heeft gepakt. 'Waar is het?'

'Hier ergens.'

'En waar zijn wij?'

Sheng snuift. 'Hoor eens, je weet dat kaartlezen niet mijn sterke kant is!'

'Ja, ja. Maar waar zijn wij nu?'

'Hier, denk ik.'

'Hoe bedoel je, dénk ik?'

'O nee. Hier. Misschien.'

Ermete stampt met zijn voet op de grond.

'Er wonen twintig miljoen mensen in deze stad,' zegt Sheng verontschuldigend. 'En Pudong is niet mijn wijk.'

De ingenieur laat zijn vinger zenuwachtig langs de straatnamen glijden. 'Waarom schrijven jullie toch alles in het Chinees?' moppert hij.

Dan kijkt hij op. Afstekend tegen de donkere hemel lijkt het verticale silhouet van het Grand Hyatt op een gigantische edelsteen.

'Het ziet er inderdaad wel indrukwekkend uit...' mompelt Ermete, zonder zijn blik los te maken. 'Die wolkenkrabbers zijn ongelooflijk, en dat is dan nog zacht uitgedrukt. Nu snap ik waarom ze dit het New York van het Oosten noemen.'

'Als het daarom gaat, Shanghai wordt ook het Parijs van het Oosten genoemd,' voegt Sheng eraan toe. 'Maar nu moeten we opschieten, als we over twee uur bij de tuinen van Meiyuan willen zijn.'

De jongen wacht tot het groen wordt en steekt over.

Achter hem moet Ermete geeuwen. 'Van lopen word je slape- rig, wist je dat?'

'Was dat maar waar,' antwoordt Sheng, met rode ogen van vermoeidheid.

Ze lopen met de rugzak op hun rug en de koektrommel stevig onder de arm geklemd. Piepkleine zwarte stipjes in dat spiege- lende oerwoud.

'De laatste keer dat ik me heb gewogen was ik vijfenveertig kilo,' zegt Elettra, staande op de daklijst van de zevenentachtigste verdieping van de Jin Mao Tower. De vochtige wind duwt voort- durend haar haren voor haar ogen. In minder dan veertig minu- ten is de nacht als een kleed over de stad gevallen. Elettra's stem trilt. Rondom haar vormen de wolkenkrabbers van Pudong hoge kolommen van licht. De enorme stad strekt zich eindeloos uit rondom hen. Op vijf stappen voor haar is het niets. En op het randje van dat niets zit een gehurkte schim.

Jacob Mahler, roerloos, als een roofdier. Hij kijkt. Hij wacht tot de gasten op het panoramische terras onder hen weggaan. Er staat een grote rugzak naast hem, die hij in zijn kamer heeft opgehaald. En een vioolkoffer.

'En jij?' vraagt de schim aan Mistral.

Het Franse meisje is zo bleek als een spook. Haar ovale gezicht doet denken aan dat van een porseleinen beeldje. Haar dunne haren worden door de wind voor haar ogen gewaaid. Ze leunt met haar handen tegen de muur, en over haar smalle rug hangt de schoudertas waar de Sluier van Isis in zit. De felle schijnwerpers van het hotel, tien passen links van hen en boven hen, doen denken aan de stralen van een buitenaards ruimteschip.

'Mistral?' vraagt ook Elettra. 'Hoeveel weeg je?'

'Ik weet het niet,' antwoordde ze. 'Ik weeg me nooit.'

Jacob Mahler staat op, balancerend op de daklijst van de zevenentachtigste verdieping van de toren alsof het de normaalste zaak van de wereld is. 'Je weegt zeker niet meer dan zij,' zegt hij.

Het lijkt wel alsof hij zich weer herinnert hoe licht Mistral aanvoelde toen hij haar wegdroeg uit het ingestorte appartement van de professor, in Rome.

Hij wil haar zijn vioolkoffer geven, maar die weigert ze aan te pakken.

Jacob dringt niet aan. 'Hou jij deze vast,' zegt hij tegen Elettra.

Dan doet hij de rugzak om en maakt de riemen vast.

'Ik heb de strijkstok nodig,' zegt hij tegen Elettra.

Het meisje laat het slotje van de vioolkoffer openspringen, doet het deksel open, veegt haar haren uit haar ogen en kijkt naar de viool: de houten kast die met de hand gemaakt is in een zaak in Cremona, de twee S-vormige gaten aan weerszijden van de ongewone metalen snaren. De strijkstok, naast het instrument, heeft een vlijmscherp lemmet.

Elettra geeft hem aan Mahler, die hem gebruikt om zijn petrolkleurige regenjas in repen te snijden. Met onthutsende snelheid fabriceert hij twee provisorische tuigjes.

Vanaf de straat klinkt in de verte het geluid van een sirene. De spiegelende ruiten van de wolkenkrabbers glanzen van het weerkaatste licht.

'Doe om,' zegt Mahler tegen de twee meisjes.

'Dit kunnen we echt niet doen...' protesteert Elettra bevend.

'Ze houden het wel.'

'En als ze het niet houden?'

'Neem je vriendin stevig in je armen,' beveelt Jacob Mahler.

'Wat?'

'Neem haar in je armen.'

Mistral houdt haar ogen dicht en schudt haar hoofd. Elettra pakt voorzichtig haar schouders vast.

'Steviger,' vervolgt Jacob Mahler achter haar.

Elettra klemt Mistral steviger tegen zich aan. Dan raakt ze ineens uit evenwicht. Mistral onderdrukt een kreun. Ze voelt iets klemmen in haar zij en ze wordt opgetild. Na een paar tellen laat Jacob Mahler hen weer zakken.

Hij heeft hen met één arm opgetild. 'Als die tuigjes het niet houden,' zegt hij, 'houd ik jullie wel.'

Rushan Lu, op de hoek van de Meiyuan tuinen, is een kleine wolkenkrabber uit de jaren zeventig. Een stuk of twaalf verdiepingen, meer niet. Grijs en anoniem, ware het niet dat er een heel hoge televisieantenne op staat, die doet denken aan een

wuivende pluim op het dak. De voordeur met een trapje ervoor is gesloten. En er is geen intercom.

'En nu?' vraagt Ermete.

'Wachten?' stelt Sheng voor.

Het tweetal gaat zitten op de onderste treetjes, buiten het bereik van de tl-lampen die de ingang verlichten en de talloze piepkleine vliegjes die eromheen zwermen.

'We zouden nu even in de koektrommel kunnen kijken,' oppert Ermete. 'Wat denk je daarvan?'

Ze zetten hem op schoot en doen hem open: een heleboel muntjes in verschillende vormen en afmetingen, en een roodgelakt pasje met vier gestileerde zwarte zwaardjes erop.

'Is het dat?'

'Zo te zien wel.'

Ze geven de muntjes een voor een aan elkaar door en houden ze in het licht om het jaartal te kunnen lezen.

'Oud,' merkt Sheng op.

'Waar zouden ze voor dienen?'

'Ik weet niet. Ik heb geen flauw idee. Ook omdat Shanghai nu volkomen anders is dan in 1907. En volgens mij is er niet veel blijven staan uit die tijd.'

Ermete bekijkt de gestileerde zwaarden op het rode pasje.

'Wij houden niet van oude dingen,' vervolgt Sheng. 'Als we een gebouw moeten restaureren, breken we het af en bouwen er een in dezelfde stijl, maar dan nieuw.'

Ermete knikt en legt het pasje neer. 'Dus het eerste wat we nodig hebben om deze aanwijzingen te kunnen gebruiken, is een plattegrond van de delen van de stad die in 1907 al bestonden... en die er nu nog zijn.'

'Precies,' zegt Sheng. 'En dat is ook weer niet zo heel moeilijk. Het theehuis van Huxinting... de Tuin van de Mandarijn Yu... de Jade Boeddha Tempel... een paar oude Engelse gebouwen aan de rivier in de wijk Bund. En een aantal villa's in de Franse concessie.'

'Dat is dus geen al te groot onderzoeksveld...' mompelt Ermete terwijl hij het rode pasje aan Sheng doorgeeft.

'O!' zegt de jongen als hij het ziet.

'Zegt het je iets?'

'Niets goeds,' mompelt die. 'Vier kleine zwaarden.'

'En wat wil dat zeggen?'

'Het Kleine Zwaarden Genootschap was de naam van een triadengroep van rebellen die in de tweede helft van de negentiende eeuw de opstand tegen de Westerlingen leidde.'

'Geweldig.'

'En het zijn er vier.' Sheng schudt zijn hoofd.

'Wat wil dat zeggen?'

'Dat is bijgeloof: in Shanghai is vier het ongeluksgetal. Omdat je het uitspreekt als *sì*, net als het woord voor "dood".'

'Dus *sì* betekent "dood"?'

Sheng knikt somber. 'En het betekent ook... "verliezen".'

'En in het Italiaans zeggen we *sì* als we "ja" bedoelen. Dus wanneer ik in Rome "Sì, Sheng" tegen je zei, verstond jij: "verlies de overwinning"?'

De Chinese jongen glimlacht. 'Zoiets, ja.'

Base-jumpen.

Zo heet het als mensen van hoge gebouwen af springen met de uitrusting die Jacob Mahler op zijn rug heeft gedaan. Voor

sommigen is het een sport. Voor anderen gewoon de enige manier om uit een wolkenkrabber te komen zonder al te veel op te vallen.

'Zijn jullie er klaar voor?' vraagt Jacob Mahler vanaf de daklijst van het hotel.

'Ja,' antwoordt Elettra.

Mistral zegt niets. Dat is niet nodig.

'Ik tel tot drie, en dan rennen jullie gewoon naar voren.'

Voor hen is een grote leegte. De wind. De stad. De rivier. De meisjes worden vastgehouden door het tuig van repen regenjas en door de armen van Jacob Mahler.

Elettra kan nergens aan denken.

'Eén...'

Mistral beweegt traag haar lippen. Ze is zachtjes aan het zingen.

'Twee...'

Misschien roept ze de geesten van de lucht op, denkt Elettra. De insecten van Shanghai. Of de meeuwen.

'Drie.'

Jacob springt met een ruk naar voren. Elettra rent met ingehouden adem naar de rand van de daklijst van het Grand Hyatt. Maar zodra ze beseft dat ze aan het rennen is, is ze er al voorbij. De leegte in.

Haar hoofd wordt door de wind omvat, haar lichaam wordt vastgeklemd door de sterke armen van Jacob Mahler, de huurmoordenaar met de viool, de man die een kogel in zijn buik heeft overleefd en de explosie van een kleine villa in de wijk Coppedè. De man waarvan iedereen denkt dat hij is vermoord

door de meiden van Egon Nose. De man die zich daarentegen verborgen hield in de bossen, roerloos wachtend.

De levende dode.

Die nu probeert te vliegen.

De sprong duurt minder dan een seconde, een ellenlange, eeuwigdurende seconde. De val overrompelt Elettra als een schreeuw. Het is een scheur in het donker van de nacht. Een werveling van lichten die plotseling in haar ogen schijnt en haar aanvalt.

Het duurt nog een seconde.

Nog twee seconden.

Nog drie.

Dan laten Jacob Mahlers armen de twee meisjes los, zodat ze vrij langs de verticaal oprijzende wanden van de Jin Mao Tower omlaag storten, enkel aan elkaar verbonden door de petrolkleurige stofrepen.

Elettra ziet zichzelf ondersteboven weerspiegeld in de ramen van de wolkenkrabber. Mistral is nog steeds aan het zingen.

Vier seconden.

En eindelijk gaat de parachute open.

Een grote zwarte vleermuis die boven het groene gazon van het Lujiazui Park zweeft en dan als een spook tussen de wolkenkrabbers door glijdt.

Met drie paar benen, schommelend in het luchtruim.

20
DE ROEP

'Heb je Mademoiselle Cybel laten vermoorden?' vraagt Harvey
aan de onverstoorbare man die schuilgaat achter die zwarte
hoornen bril.

Er zijn vele minuten verstreken sinds Nik Knife de werkkamer heeft verlaten. En sindsdien heeft Heremit Devil geen
woord meer gezegd. Niet één.

Alleen zij tweeën zijn in de kamer.

'En laat je mij straks ook vermoorden?'

De blik van Heremit Devil komt traag omhoog.

'En wie laat je daarna nog meer vermoorden?' dringt de jongen aan.

'Jij zou de dood toch goed moeten kennen,' antwoordt de
man. 'Zullen we het over Dwaine hebben?'

Als hij de naam van zijn overleden broer hoort uitspreken
heeft Harvey het gevoel dat hij een klap in zijn maag krijgt. Hij

voelt een enorme woede en wrok in zich opkomen. Maar hij
moet er niet op reageren. Heremit is een kil, ijzig, laf figuur.
Hij wil Harvey gewoon uitlokken. Harvey's bokstrainster heeft
hem geleerd wat hij moet doen. Niet luisteren. Niet reageren.
Dekking hoog houden. Altijd blijven bewegen op je benen.
Concentreren. Niet luisteren. Niet reageren. Maar elke klap
beantwoorden.

'Waarom niet?'

Gezoem van beeldschermen die aan gaan. New York. Rome.
Parijs. Shanghai. Beelden van plekken die Harvey herkent. Met
de afstandsbediening wordt er op het ene of het andere beeld
ingezoomd. Het Rockefeller Center. Het restaurant van Cybel
in Parijs. Het Tibereiland. De beelden worden razendsnel verder
gezapt.

'Nog maar één dag, dan is het 21 september, Miller.'

'En nog maar twee dagen, dan is het 22 september.'

'Heel spitsvondig. Maar zinloos.'

De afstandsbediening wordt op het bureau gesmeten. De
handen van Heremit Devil glijden snel over de tollen en grijpen
die met de schedel vast.

Harvey krijgt een schok. Die tol heeft hij nooit eerder gezien.

'Toen jij klein was, Miller, had je toen al een van deze? Een
van de tollen van de Chaldeeën?'

Niet luisteren. Niet reageren.

'Nee hè, die had je niet. Je was niet speciaal. Je was gewoon
een kind. Geboren op een heel bijzondere dag. De dag die niet
bestaat. Een vreemd kind. Heel vreemd. Een kind dat opgroeide
te midden van mensen die glimlachten, maar die intussen dachten: Wat is hij toch vreemd. Klopt het wat ik zeg?'

Dekking hoog. Bewegen op je benen.

'Maar over je broer zei iedereen: "O ja, die is wel knap. Heel knap. Die zal ons veel vreugde schenken. Heel anders dan Harvey. Geboren op de schrikkeldag. Brengt ongeluk." Net als de staart van een komeet. Iets wat aan je blijft kleven. Jij staat er niet bij stil, maar de anderen wel.'

Elke klap beantwoorden. 'Wat ben jij een zielige man.'

De tol begint rond te draaien op het bureau. 'En jij had niet zo'n tol. Die heb je pas vele jaren later gekregen van een van de leermeesters. In een versleten leren koffertje. Nadat hij een lange reis had afgelegd van Parijs naar Rome. In de hoop dat hij op tijd zou komen. Vier tollen. Ieder één. En welke was de jouwe?'

Heremit Devil houdt de andere tollen een voor een omhoog. 'Het huis van de soldaat... of de toren, zoals jullie hem noemden? Ik heb groot nieuws voor je, uilskuiken: de Chaldeeën hadden geen torens. Was dit de jouwe?'

'Niemand heeft een eigen tol. De tollen zijn van iedereen.'

'Van iedereen? Precies! Dat dacht ik ook. Maar nee, iemand heeft besloten dat ze alleen voor jullie waren. Van Harvey Miller. En van Mistral Blanchard. Elettra Melodia en... ten slotte... die Chinees.'

Als het weer stil wordt in de werkkamer, heeft Harvey het idee dat hij geroep hoort in de verte, heel zachtjes, maar aanhoudend. Een klaaglijke stem die zijn naam roept, maar heel smartelijk, alsof diegene pijn lijdt.

'Wie roept mij daar?' vraagt hij heel zachtjes aan Heremit Devil.

De tol met de schedel is midden op het bureau tot stilstand gekomen. 'Wat zeg je?'

'Ik hoor mijn naam roepen,' herhaalt Harvey. En terwijl hij dat zegt ziet hij dat hij het onverstoorbare masker van die man aan het wankelen heeft gebracht. Hij ziet hoe hij met een lichte trilling zijn volmaakt verzorgde vingers opheft naar de interne telefoon en kortaf beveelt: 'Breng meneer Miller naar zijn kamer.'

Dekking hoog. Bewegen op je benen. En als het moment daar is: vastberaden treffen.

'Er zijn nog steeds dingen die je niet begrijpt, hè?' vraagt Harvey terwijl hij een stap in de richting van het bureau zet.

Met alleen dat glanzend geboende meubel tussen hen in, lijkt het alsof Heremit Devil hem niet gehoord heeft.

'Er zijn dingen die je niet begrijpt en je weet niet wat je moet doen,' herhaalt Harvey steeds zelfverzekerder. 'Je kent het Pact, de vier Wijzen, ons, je hebt ons laten volgen en schaduwen, je hebt alles van ons gestolen, je hebt zowel onze leermeesters als je eigen slinkse handlangers laten vermoorden... en toch weet je na zes jaar nog steeds niet wat je moet doen. En je weet ook niet waarom je dat allemaal hebt gedaan. Heb ik gelijk?'

'Let op je woorden, jochie.'

De liftdeur gaat geluidloos open.

'Wie is dat toch die mij roept?' vraagt Harvey nogmaals, voordat hij door twee sterke handen bij zijn schouders wordt gegrepen en weggesleept.

Naar een of andere plek.

In die zwarte wolkenkrabber.

CENTURY

ACQUA

L. Melodia
Trans-Siberia Express
'ty Park
ikaart
astiglione
Shanghai

VERMIST

LINDA MELODIA

HEBT U DEZE VROUW GEZIEN?

BEL: LETTRA 06 78695

L. Melodia
Trans-Siberië Expres
Aankomst in Shanghai

'ry Park
r het Oosten

'kaart

'astiglione

Shanghai

9

10

11

The Hongkong and Shanghai Banking Corporation

10 · 香港上海滙豐銀行 · 10

Promises to pay the bearer
on demand at its Office here

**TEN
DOLLARS**

HONGKONG 1st JANUARY 1992

By order of the Board of Directors

GENERAL MANAGER

拾圓

WV588200   WV588200

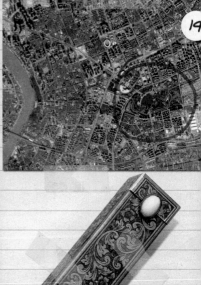

Welcome to Chinese Restaurant.
Please try your Nice Chinese Food With Chopsticks
the traditional and typical of Chinese glorious history.
and cultural

BAMB... ...PSTICKS
PROD... ...HINA

16

18

19

17

PASSPORT

United States
of America

20

Union européenne
République française

...uropéenne
...ue française

PASSEPORT

...EPORT

21

CENTURY
WORLD MAP

23

24

25

26

27

G. Castiglione
Hyatt/Bonomi/S-61

Shanghai

28

29

30

31

33

34

6 MESSINA VIA S. GIOVANNI

ANNUAL D-N 1891-1900 L-OTI(°C) ANOMALY VS 1951-1980   .21

ANNUAL D-N 1997-2006 L-OTI(°C) ANOMALY VS 1951-1980   .48

Bohaizee

Gele Zee

Japanse Zee

Oost-Chinese Zee

INHOUDSOPGAVE

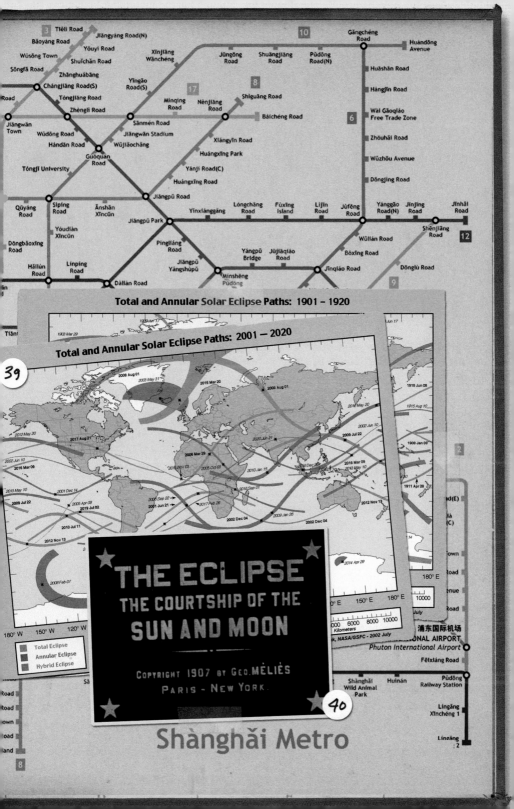

21
DE CODE

Het is een levendige avond vol technische snufjes en verlicht
door slierten neonreclame in alle kleuren. Shanghai is een wirwar van lichtslangen. De uithangborden zijn zoemende maskers.
Achter de met bomen omzoomde boulevards met de vijfsterren-
hotels, de chique restaurants met marmeren vloeren, de keurig
verzorgde bloemperken, liggen de kleinere, donkerder straatjes
verborgen. De vergeten straatjes. Daar komen de dienstuit-
gangen van de horecagelegenheden op uit, de keukendeuren, en
daar staan de vermoeide obers met elkaar te praten in het Wu,
in het Engels, in het Frans, Russisch of Italiaans. Terwijl op de
hoofdstraten voortdurend naaldhakken en modieuze schoenen
klinken, zijn de vergeten straatjes stil. Daar lopen alleen maar
schimmen. Schimmen die andere schimmen achter zich aan
slepen: grote stukken stof, nylontouwen. Een parachute die snel

moet worden opgevouwen en weggestopt tussen de kunststof geraamtes van de afvalcontainers.

In de vergeten straat waar ze zijn geland, kijken Elettra en Mistral angstvallig om zich heen, zonder te weten waar ze bang voor zijn. In hun hoofd beleven ze hun zweefvlucht tussen de wolkenkrabbers door telkens opnieuw, van de eerste tot de laatste tel.

In een donker hoekje is een vleermuisman net klaar met het wegstoppen van zijn parachute en hij wenkt de meisjes naderbij.

Ze lopen door het duister en horen doffe muziek dreunen door de dunne muren. Jacob Mahler bereikt een verlichte straat. Hij steekt hem over. Loopt langs een rij bomen. En weer het donker in.

Als ze bij een grote rotonde komen, lijkt de man te aarzelen welke kant hij op moet. Dan loopt het drietal verder naar links en steekt een groen grasveld over, verlicht door platte lichtgevende schijven waar je overheen kunt lopen. De bomen om hen heen lijken net rouwdoeken. Een trap bedekt met graffiti. En een lang trottoir dat weer naar de weg leidt. Op de begane grond van de rij gebouwen bevinden zich enkele restaurantjes. Mahler gaat het eerste binnen, met een knipperend bord van een blauw varken erboven. Hij gaat op een van de drie krukjes voor het raam zitten en bestelt voor hen alle drie thee en dumplings gevuld met vlees. Dan wijst hij de meisjes op de wolkenkrabber die schuin voor hen verrijst, aan de overkant van de straat.

Het is een volkomen zwart gebouw.

Hoog, glimmend, en zwart. De wolkenkrabber van Heremit Devil.

'Dat is hem,' zegt Mahler.

Een ober van middelbare leeftijd reikt hen drie glazen met een vreemd gelig drankje aan en een mandje gestoomde deegballetjes gevuld met vlees, die ze met stokjes kunnen eten of gewoon met hun handen.

'Nu snap ik het,' fluistert Mistral, die weigert het eten aan te roeren.

'Wat?'

'Waarom het Century heet.' Ze wijst naar een tweetalig bord op de hoek van de straat, waarop in het Chinees en het Engels een naam staat: Century Park.

'De naam van de plek waar het Pact is verbroken...' mompelt Elettra.

'Dat was zes jaar geleden,' zegt Jacob Mahler zachtjes. 'Toen de archeologe reageerde op een advertentie in de krant.'

'Wat voor advertentie?'

'Heremit had werkzaamheden laten verrichten onder de fundering van zijn wolkenkrabber. En tijdens die werkzaamheden was er een oud huis opgegraven. Hij zette een advertentie om iemand te vinden die hem kon uitleggen wat hij had gevonden.'

'En daarop reageerde Zoë.'

'Ik ging met haar kennismaken in IJsland. En daarna kwam ze hierheen.'

'En zij vertelde alles.'

Het zwijgen van Jacob is een antwoord.

Mistral schudt opnieuw haar hoofd, met een kort lachje. 'En toen ben jij...' fluistert ze. 'Toen ben jij naar Rome gekomen om de professor te vermoorden. En om ons te vermoorden.'

'Ik had niet de opdracht gekregen om jullie te vermoorden.'

171

Mistral kijkt hem aan met haar grote lichte ogen. En in die blik ligt alles besloten wat ze denkt.

'Ik deed alleen maar wat me was opgedragen,' zegt Jacob Mahler.

Er volgt weer een moment van stilte, dat eindeloos duurt. Elettra en Jacob eten langzaam en bestellen nog meer dumplings. Aan de overkant van de straat lijkt het zwarte, glimmende staal van de wolkenkrabber zelfs het licht van de straatlantaarns op te slokken.

'Nu gaan we naar de anderen,' besluit Mahler ten slotte. 'Jullie gaan samen onderdak zoeken voor de nacht.'

'En wat ga jij doen?'

'Ik heb met een oude vriend afgesproken...' Jacob kijkt op zijn horloge. 'Over precies twee uur.'

'Wie is die oude vriend?'

Mahler rekent contant af. Hij verlaat het eettentje en loopt over Century Boulevard, aan de overkant van de wolkenkrabber van Heremit Devil, waarna hij een zijstraat inslaat die de andere kant op gaat.

'Wie is die oude vriend?' vraagt Elettra opnieuw.

Jacob Mahler geeft geen antwoord.

Hij is niet gewend om zoveel te praten.

Elettra kijkt Mistral aan. Het Franse meisje staart onder het lopen naar de neuzen van haar gymschoenen. Ze fluistert: 'Vertrouw hem niet.'

Sheng en Ermete zitten nog steeds op het trapje.

Ze hebben de plattegrond van Shanghai opengevouwen en er allemaal cirkeltjes op getekend: een voor elk gebouw dat er in 1907 al stond.

'Hao! Eindelijk,' begroet Sheng hen als hij Jacob Mahler met de twee meisjes ziet aankomen. Ze lijken niet al te vrolijk gestemd. En de man met de viool heeft niet meer dezelfde kleren aan als eerst. 'Wat is er met je regenjas gebeurd?'

De aanloop. De sprong. De zweefvlucht. Alleen al bij de gedachte aan wat ze zojuist gedaan hebben, krijgt Elettra weer de rillingen.

'Alles goed met jullie?'

Ermete en Sheng laten zien wat ze met de plattegrond gedaan hebben. Mahler tikt intussen een code in op het toetsenblok naast de voordeur. Hij laat iedereen binnen en leidt hen naar een appartement op de negende verdieping.

Een grote lege kamer, waar allemaal kabels op de vloer liggen. In het midden, op een statief, staat een ronde schijnwerper als van een schip, die op het raam gericht is. Een tafel zonder stoelen. Een tiental spuitbussen met zwarte verf. Een hele rij aluminium kleerhangers waaraan allemaal dezelfde kleren hangen, nog in het cellofaan verpakt.

Mahler wacht tot iedereen binnen is en doet dan de deur dicht. Hij doet geen licht aan.

Er is nergens een lamp te bekennen.

'In de koelkast ligt vast wel iets te drinken. De badkamer is daar.'

'Is die ook donker?' vraagt Ermete.

Hij krijgt geen antwoord.

Jacob Mahler legt de vioolkoffer op de tafel, kleedt zich uit, haalt een paar nieuwe kleren uit het cellofaan en trekt die aan.

Dan haalt hij zijn oude kleren door een papierversnipperaar.

'Waar zijn we?' vraagt Elettra.

'Bij mij thuis,' antwoordt de man.

'Gezellig...' merkt Sheng op.

'En van alle gemakken voorzien,' zegt Elettra. 'Prachtige kabels op de vloer... geen enkel overbodig meubelstuk, zelfs geen lampje...'

Sheng zet de koektrommel en de rugzak van Elettra op de enige tafel in de kamer.

'Jullie kunnen hier hooguit een paar uur blijven,' zegt Jacob Mahler. 'Daarna moeten jullie weg.'

Hij loopt naar Elettra en praat tegen haar alsof zij de aanvoerder van de groep is: 'Naast de voordeur zit een rode knop. Als jullie weggaan, druk je die in. Trek de deur dicht. En maak hem absoluut niet meer open, om wat voor reden dan ook.'

'Want anders?'

'Anders vliegen jullie ook de lucht in.'

Mahler doet zijn riem om.

Mistral loopt naar het raam waarop de schijnwerper gericht is. In de verte, tussen de andere gebouwen, herkent ze het silhouet in zwart glas van de wolkenkrabber van Heremit Devil.

'Je wilt daar naartoe gaan, hè?' vraagt ze, zonder een antwoord te verwachten.

Mahler glijdt geluidloos naast haar. 'Dat is de reden waarom ik ben teruggekomen.'

Sheng roept: 'En gisteren zei je nog dat het onmogelijk is...'

174

'En dat is ook zo. Het is onmogelijk. Behalve als je iemand hebt die de deur voor je opendoet.'

'Die vriend van je,' zegt Elettra.

Jacob Mahler knikt. Hij kijkt hoe laat het is.

Dan bukt hij zich achter de schijnwerper en haalt een flinke schakelaar over zodat er iets roods begint op te gloeien in het apparaat. Binnen een halve minuut is de schijnwerper klaar en projecteert hij een schijf van wit licht op het raam, in de richting van de wolkenkrabber van Heremit Devil. De schakelaar is verbonden met een druktoets. Telkens als erop gedrukt wordt, gaat het licht van de schijnwerper even uit en weer aan. Even uit en weer aan.

Even uit en weer aan.

Sheng is de eerste die door heeft wat er gebeurt.

'Morse,' zegt hij zachtjes. Dan rent hij naar het raam. 'Geniaal! Om te kunnen communiceren met iemand in de wolkenkrabber van Heremit!'

Mahler antwoordt niet. Hij blijft de schijnwerper aan- en uitzetten, om zijn bericht af te maken.

'Wat geef je door?'

'Ik vraag hem hoe hij heet.'

Vijf paar ogen kijken naar de zwarte wolkenkrabber tussen Century Park en Century Boulevard. Het merendeel van de ramen van de onderste verdiepingen is donker. Alleen de een-na-hoogste verdieping is volledig verlicht.

Heel lang gebeurt er niets.

Dan gaat ineens het licht van een kamer aan, en dan weer uit, en dan weer aan.

'Daar komt het,' zegt Jacob Mahler.

175

'Wat zegt hij?' vraagt Elettra, geboeid door die stille berichten die de nacht doorklieven.

'H... a...' leest Ermete. Zonder Elettra aan te kijken legt hij uit: 'Het morsealfabet is gesneden koek voor een rollenspelexpert.'

'*Ha...* en verder?' vraagt Sheng.

'Harvey,' antwoordt Jacob Mahler glimlachend.

22
DE VRIEND

'Er is iemand aan de poort,' zegt Irene Melodia. Ze draait zich op haar stoel om naar Fernando. 'Fernando?'

Hij kijkt op van de stapels papieren om zich heen. 'Wat?'

'Er is iemand aan de poort.'

'Ik heb niets gehoord.' Hij wijst naar zijn papieren. 'Ik was... ik ben...'

Hotel Domus Quintilia is gesloten en ongewoon stil. De laatste gasten zijn vertrokken en Fernando en Irene hebben besloten voorlopig geen nieuwe aan te nemen, in elk geval totdat alles weer normaal is. In de tussentijd heeft Elettra's vader het werk aan zijn eindeloze roman weer opgepakt, in de enige kamer waar licht brandt.

Opnieuw vult de ijzeren deurklopper van de poort de binnenplaats met metalige echo's. Deze keer hoort Fernando ze ook, hij staat op en wrijft in zijn ogen. 'Wie zou dat kunnen zijn, zo laat nog? En waarom bellen ze niet gewoon aan?'

'Zal ik dan maar even gaan kijken?' zegt Irene sarcastisch.

De man rekt zich mompelend uit en verlaat de kamer. Maar net voordat hij de deur dichttrekt, drukt Irene hem op het hart: 'Niet meteen opendoen. Wees voorzichtig.'

'Zal ik het geweer van opa meenemen?'

Tante Irene glimlacht. 'Ik denk dat het geweer van opa gevaarlijker is voor degene die het vastheeft dan voor anderen.'

Fernando loopt de trap van de eerste verdieping naar de receptie af, ziet een bezem naast de deur staan en omdat hij bang is dat er misschien iemand met kwade bedoelingen staat, grijpt hij hem vast en controleert hoe stevig de steel is. Beter dan niets.

Hij loopt de donkere binnenplaats over, onder de ranken van de klimplant door die al begint te verkleuren, en als hij bij de poort komt laat hij het zware, antieke slot openspringen.

Er staat een zigeunerin.

'O nee... luister... wij kopen niet aan de deur,' zegt Fernando terwijl hij haastig de poort weer dicht wil doen.

Tussen de vuile krullen van de vrouw blinkt een gouden oorbel. 'Ik ben een vriendin van uw dochter,' zegt ze.

De man laat de poort weifelend op een kier staan.

'Uw dochter Elettra,' zegt de zigeunerin weer.

Fernando doet de poort langzaam verder open. Ze heeft een bekend gezicht, hij heeft het idee dat hij haar al eens eerder heeft gezien. Dan weet hij het weer: het is de zigeunerin

die vaak op de Piazza in Piscinula zit te bedelen, of op de brug over de Tiber. Nu herkent hij haar. En hij meent ook de trui van de vrouw te herkennen. Is die van Elettra geweest? Of van Irene?

'Dat is mijn trui...' mompelt hij ten slotte.

De zigeunerin kijkt naar haar kleren. 'Echt waar? Ach, dat wist ik niet... Het spijt me. Ik heb hem van Elettra gekregen.'

'Mijn dochter...'

'Is in Shanghai, dat weet ik,' glimlacht de vrouw. Een glimlach die haar gele, lelijke tanden ontbloot, maar die wel verrassend hartelijk is. Ze haalt een zwart notitieboekje onder haar trui vandaan en geeft het aan Fernando. 'Werpt u hier maar eens een blik in. Ik heb het gestolen.'

De man verstijft.

'Lees! Jullie zijn in gevaar,' dringt de zigeunerin aan.

'Luister, als dit een grap is...' Fernando leunt tegen de poort en opent het notitieboekje. Het staat vol aantekeningen.

Woensdag: EM vertrekt om 8.00. Keert terug om 13.00. FM zit nog steeds binnen. Te schrijven? Donderdag: geen beweging. Vrijdag: FM en EM vertrekken om 5.00. FM komt alleen terug om 7.38.

'Wat wil dat zeggen?' vraagt Elettra's vader.

De zigeunerin wijst op de Piazza in Piscinula. 'Dat boekje is van de ober van dat restaurant. Die nieuwe jongen. Ik heb het pas van hem gestolen. Ze houden jullie in de gaten.'

'Wat...' stamelt Fernando.

'Kijk op de laatste beschreven bladzijde,' dringt de vrouw aan.

FM morgen om 18.00 naar de groentemarkt? Binnendringen om dat ouwe mens te grijpen.

Fernando Melodia spert zijn ogen wijdopen.

'Ik denk dat jullie maar beter kunnen vertrekken,' zegt de zigeunerin. En ze voegt eraan toe: 'Onmiddellijk.'

23
BUITEN

In het gebouw van Heremit Devil zit Harvey weer in het donker.

Hij kijkt naar de wolkenkrabbers van Shanghai, al die lichten die aan en uit gaan.

En hij vraagt zich af of er achter die lichten misschien nog meer boodschappen schuilgaan.

Nog meer morsecodes.

Toen Jacob de schijnwerper liet knipperen, was Harvey net de kamer binnengebracht. Hij had het niet meteen gemerkt, ook al hadden ze het plan al wekenlang geoefend en wist hij precies in welke richting hij moest kijken. Dat had Jacob hem uitgelegd, want die wist zeker dat Heremit hem, als hij eenmaal gevangengenomen was, in deze kamer zou laten opsluiten. Hij had hem uitgelegd hoe hij de aandacht moest trekken in het vliegtuig, hoe hij zich moest gedragen tegenover Heremit, en als hij eenmaal alleen was, in welke richting hij moest kijken, in afwachting van de code.

Aan. Uit.

Aan. Aan.

Uit.

Aan.

De instructies om uit die kamer te kunnen komen reisden langzaam door de nacht. En Harvey gaf antwoord.

Aan. Aan. Aan.

'Goed.'

In het duister van de kamer doet de jongen zijn rugzak open, die eerst de controles op de luchthaven van New York en vervolgens die van de beveiliging van Heremit Devil heeft doorstaan. Hij haalt er een toilettas uit, pakt zijn tandenborstel en draait aan de kop. Tussen de haartjes verschijnt de scherpe punt van een schroevendraaier, die Harvey op het bed legt. Dan maakt hij de tube tandpasta open en perst het eerste sliertje eruit. Onder een dun laagje tandpasta is een minuscule, maar krachtige zaklamp verborgen die wit licht verspreidt.

De jongen gaat op bed zitten en haalt de veters uit zijn schoenen: ze zijn gemaakt van hetzelfde scherpe materiaal als de haren van Mahlers strijkstok. Vlijmscherp.

Uit de mouwen van zijn trui trekt hij twee stukken voering, die volmaakt passende handschoenen vormen, en hij trekt ze aan.

Dan gaat hij de badkamer binnen, maakt het douchegordijn rond het bad los en legt het op de grond, vlak onder het kastje dat de temperatuur in de kamer regelt. Hij vouwt

het gordijn netjes dubbel, zodat het twee lagen isolerend materiaal vormt, en gaat er met zijn schoenen op staan. Hij kijkt aandachtig naar het apparaatje voor zijn neus. Met de tandenborstel haalt hij de vier schroeven eruit, haalt het deksel van het kastje en schijnt erin met zijn tandpastazaklamp. In het kastje zit de getande knop van de temperatuurregelaar, een glazen buisje vol kwik, een groene draad, een rode draad, een blauwe draad. Mahler heeft gezegd dat hij de blauwe moet doorsnijden. Hij haalt de veter achter de blauwe draad langs en geeft een ruk. Het licht in de kamer gaat één seconde lang uit.

En het slot van de deur naar de gang doet *klak*.

Het volgende moment gaat het licht alweer aan, maar dan heeft Harvey de deur al opengetrokken. Hij doet de rugzak om en rent de kamer uit.

Eenmaal buiten kijkt hij op zijn horloge. Hij heeft een minuut of twintig de tijd.

Hij luistert. In de gang waar hij staat klinkt een voortdurend gezoem, dreigend.

Hij kijkt. De vloer is van keihard teakhout. Boven in een hoek brandt het rode lampje van de camera. Volgens Mahler draait de camera elke veertig seconden rond om de gang te filmen. Harvey verstopt zich weer in de kamer vlak voor de camera naar hem toe draait, wacht tot hij weer in de oude stand is teruggekeerd en rent dan naar buiten. Hij heeft veertig seconden om een wit deurtje te bereiken dat ergens in de tegenoverliggende muur moet zitten.

Nog dertig seconden. Nog twintig.

Naast het deurtje is een toetsenblok. Harvey kent de code. Hij toetst hem in.

8... 2... 6... 8...

Hij werpt een laatste blik op de camera.

Nog tien seconden.

... 6.

Het slot springt open. Harvey rent door het witte deurtje, doet het achter zich dicht en gaat omlaag over de diensttrap van de wolkenkrabber van Heremit Devil.

Hij daalt behoedzaam af, let op ieder geluidje.

Ook al hangen daar als het goed is geen bewakingscamera's, Harvey blijft het toch controleren. Na elke twee trappen telt hij de verdieping waarop hij is aangekomen en onthoudt die, want er is geen enkel bordje om de ene verdieping van de andere te onderscheiden.

Als hij eindelijk is aangekomen op dat wat de begane grond zou moeten zijn, gaat hij maar een halve trap omlaag. Er zou een ander, wat kleiner dienstdeurtje moeten zitten, aan de linkerkant.

Hij ziet alleen een klein toetsenbord, net boven de lichte plint die langs de treden loopt. Harvey toetst de code in en er verschuift een klein stukje muur over een onzichtbaar spoor.

Aan de andere kant is een heel lage gang, waarin hij alleen maar kan kruipen. Hij komt uit bij een nieuw deurtje met cijferslot.

Klak!

Harvey gluurt naar buiten. Nacht. Duisternis. Een eenvoudige metalen buitenkooi, op een klein betonnen binnen-

184

plaatsje. Een wirwar van buizen die bulderend onder de grond duiken en aan de bovenkant onder een rooster door glijden. Aan de buitenkant heeft het deurtje geen cijferslot.

Harvey zet zijn voet ertussen zodat het niet dichtvalt. Dan buigt hij zich naar buiten en fluit.

Drie keer.

Hij laat een minuut voorbijgaan en fluit opnieuw.

De buizen blazen warme stoom uit. Ze zoemen, proesten, blazen. Uit ondergrondse apparaten weerklinken herhaalde klappen.

Plotseling ziet Harvey een schim die over het rooster loopt, tien meter boven hem.

Harvey verstopt zich in de gang en houdt het deurtje op een kier. De schim glipt onder het rooster, haakt een karabijnhaak aan een van de metalen kabels die tussen de buizen door lopen en laat zich vallen.

Harvey doet het deurtje nog wat verder open.

De schim begint omlaag te glijden, waarbij de vonken van zijn met staal beslagen schoenen vliegen. Op minder dan een meter van de kooi maakt hij de karabijnhaak los en hurkt naast Harvey neer.

'Hoe gaat het met je?' vraagt hij.

De jongen knikt.

'Zie je het zitten om nog terug te gaan?' De schim kijkt naar het gangetje dat naar de dienstingang voert. Hij heeft zijn vioolkoffer bij zich.

Opnieuw knikt Harvey. 'We moeten naar de hoogste verdieping.'

'Het is niet de hoogste verdieping,' verbetert Jacob Mahler hem, terwijl hij het gangetje in kruipt.

24
HET PLAN

In het appartement op de negende verdieping op de hoek van het Lujiazui Park weten Elettra, Mistral, Ermete en Sheng absoluut niet wat ze moeten doen.

Mistral stuurt een sms aan haar moeder waarin ze schrijft dat alles goed gaat en dat ze zich geen zorgen hoeft te maken. 'Hoe dan ook, we moeten niet hier blijven,' mompelt ze dan.

'Mahler heeft gezegd dat we na twee uur weg moeten.'

'En dat we de rode knop moeten indrukken.'

Ze kijken bezorgd naar de wirwar aan kabels die door de hele kamer lopen.

'Rode knop, en dan... BOEM!' zegt Ermete terwijl hij er een paar omhooghoudt die naar een zwart kastje bij de muur lopen.

Elettra loopt zenuwachtig door de kamer. 'Ik ga ook,' zegt ze.

'Waar naartoe?'

'Naar de wolkenkrabber.'

'En als je daar dan bent? Vraag je dan of je mag binnenkomen? "Goedenavond, ik heet Elettra. Is meneer Heremit Devil thuis? Misschien kunt u het even nakijken, als het goed is heb ik een afspraak."'

'Harvey is daar binnen.'

'Hij is er expres naar binnen gegaan. Dat was de afspraak,' zegt Mistral.

'Was een van ons op de hoogte van dat plan?' vraagt Ermete. 'Of hebben die twee dat samen bekokstoofd... zonder ons iets te vertellen?'

Iedereen schudt het hoofd: ze wisten nergens van.

Elettra slaat met haar vuist op tafel. 'Maar waarom heeft hij ons niet gewaarschuwd?'

'Omdat we het niet goed zouden hebben gevonden dat hij zich gevangen liet nemen om onze spullen terug te krijgen.'

Ermete knikt geestdriftig. 'Maar het is wel een geweldig idee. Als het Harvey en Jacob lukt om hun plan uit te voeren, hebben we de tollen en alle andere voorwerpen weer terug. Trouwens...' Terwijl de anderen overleggen, zet hij op de enige beschikbare tafel de eeuwenoude kaart van de Chaldeeën klaar. Vanbuiten lijkt het net een kistje vol ingekerfde initialen en handtekeningen. Als je het opendoet, zie je een oppervlak vol kringen en groeven, als diepe vingerafdrukken. Een van de vier hoeken ontbreekt. 'Laten we proberen de kaart te gebruiken,' stelt de ingenieur voor terwijl hij op zijn inmiddels vrijwel kale hoofd krabt.

'Harvey is er niet bij,' zegt Elettra.

'Laten we het evengoed proberen,' dringt Ermete aan.

'Met welke plattegrond?' vraagt Mistral.

Sheng houdt de plattegrond van Shanghai omhoog. Hij spreidt hem uit op het oude houten vlak. Dan pakt hij de enige overgebleven tol uit zijn rugzak.

'Wie gooit?'

Besluiteloosheid.

'Dan gooi ik,' besluit Sheng.

Hij pakt de tol, zet hem op het midden van de kaart en geeft er een zachte duw aan. Het orakel met het hartje begint rond te wervelen door de oude groeven in het hout. Hij raast snel door de wijk met de wolkenkrabbers, steekt de rivier over ter hoogte van de toeristenboten en begeeft zich naar de door de Engelsen gebouwde boulevard De Bund, de Franse concessie en ten slotte, met een snelle bocht, naar de vierhoek met straten die de oude stad begrenzen, de plek waar de eerste nederzetting van Shanghai zich bevond.

'Goed zo, tolletje...' zegt Sheng als de tol stopt op een rechthoekje met een wirwar aan smalle straatjes. Op die plek staat een van de rode cirkels die Sheng en Ermete hebben getekend toen ze op zoek waren naar de oudste gebouwen van de stad.

'Wat is dat voor plek?' vraagt Ermete.

'Dat groene is de Tuin van de Mandarijn Yu... Mandarijn is de benaming voor een belangrijke functionaris van de keizer,' legt Sheng uit, terwijl hij de tol oppakt. 'En dit vierkantje in de tuin is Huxinting, het paviljoen midden in het meertje. Het is het oudste theehuis van de stad.'

'Hoe oud?' vraagt de ingenieur.

'Volgens mij wel een paar honderd jaar.' Sheng denkt even na en probeert zich te herinneren wat hij op school geleerd heeft. 'Als ik me niet vergis zijn de tuinen waarin het theehuis staat gebouwd door keizer Qianlong van de Qingdynastie, rond de zeventiende eeuw. En... de eeuw daarna werd het tot restaurant omgebouwd door een groep katoenhandelaren. En dat is het gebleven.'

Ineens grijpt Elettra de tol en gooit hem opnieuw. 'Het probleem is dat de tol telkens als je gooit op een andere plek eindigt...' zegt ze, terugdenkend aan haar pogingen om haar tante te vinden.

De tol begint als een razende rond te draaien. Hij verlaat snel de oude stad, om snelheid te minderen tussen de wolkenkrabbers van Pudong. Hij stopt precies op de plaats van de wolkenkrabber van zwart glas waarin Jacob Mahler en Harvey zich bevinden.

'Zou het kunnen...' mompelt Mistral, 'dat de tol met het hartje gewoon het hart volgt van degene die hem gooit?'

Twee schimmen beklimmen de diensttrap van de wolkenkrabber aan Century Park. Ze lopen geruisloos. Degene die voorop loopt heeft wit haar en draagt een vioolkoffer. De tweede, in spijkerbroek en trui, heeft de verende tred en het uithoudingsvermogen van een geoefende sporter.

Ze zeggen de hele beklimming geen woord. Drieënzestig verdiepingen. Tweeënveertig treden per verdieping. Tweeduizendzeshonderdzesenveertig treden in totaal. Een beklimming

waar iedereen lamme benen van zou krijgen.

Maar niet Jacob Mahler.

En ook niet Harvey.

Op de een-na-hoogste verdieping stopt de trap. En dus staat ook de huurmoordenaar stil, voor een wit deurtje. Harvey haalt zwaar adem, zijn dijspieren staan in brand.

Jacob toetst de code in. Het is een andere code, veel langer dan de vorige.

'Nu maar hopen dat hij hem de afgelopen maanden niet veranderd heeft...' mompelt hij.

Als het laatste van de drieëntwintig cijfers is ingetoetst, zoeft het deurtje open. Achter Jacob slaakt Harvey een zucht van verlichting.

In de werkkamer is niemand. Het is donker. En er klinkt een licht getik van de zachte regen tegen de ruiten.

Jacob Mahler loopt vastberaden naar het bureau. Hij lijkt rustig, alsof hij zeker weet dat er verder geen bewaking is in die kamer.

En dat er geen direct gevaar dreigt.

Met onthutsende snelheid stopt hij alle voorwerpen die op het bureau liggen in Harvey's rugzak en zegt: 'Ga maar. Vooruit.'

Harvey is stomverbaasd. Tot nu toe was hij er steeds van uitgegaan dat ze samen zouden vertrekken. 'En jij dan?'

'Ik moet op een oude vriend wachten,' glimlacht Mahler.

Harvey doet de rugzak om. 'Dankjewel, Jacob.'

De huurmoordenaar geeft geen antwoord. Hij glimlacht niet. Het lijkt wel of hij zich opgelaten voelt. Niemand heeft ooit 'dankjewel' tegen hem gezegd.

'Je kunt de gouden lift nemen, als je wilt,' fluistert hij dan. 'Die staat niet op de bewakingsschermen van de wolkenkrabber. Stop op de eerste verdieping en loop dan weer één trap naar beneden. Dan klim je naar het rooster waar je mij hebt zien aankomen. Je bevindt je dan op een vierkante binnenplaats. Als de schijnwerpers van de beveiliging elkaar kruisen in het midden, tel je vijftien seconden. Dan ren je eroverheen: ze zullen je niet verlichten. Klim over de ladder omhoog en duw het hek naar Century Park open. Daar stonden twee privé-bewakers. Maar die heb ik al uitgeschakeld.'

Harvey loopt naar de privé-lift van Heremit Devil. Hij drukt op de gouden knop om de lift te roepen en wacht een paar tellen tot de deur open schuift. De regendruppels trekken strepen over het glas van de wolkenkrabber.

'Tot ziens,' zegt hij als hij in de lift stapt.

In de werkkamer steekt Mahler een hand op.

Ook het raam van het appartement op de negende verdieping aan het Lujiazui Park is natbetraand.

'Regen,' zegt Sheng. 'Daar zaten we net op te wachten.'

Hij legt zijn hand tegen het raam en volgt de waterstroompjes die zich in onregelmatige vertakkingen verdelen rond zijn vingers. Wat de anderen zeggen klinkt gedempt, in de verte. Hij is zo moe dat hij gewoon staand in slaap zou kunnen vallen, met zijn hand tegen het glas gedrukt. Als hij maar niet zo bang was om weer over dat vervloekte eiland te dromen. En over al dat water.

Hij doet zijn ogen dicht, en weer open als hij Ermete hoort roepen: 'We moeten gaan, Sheng!'

De jongen knippert om weer bij zijn positieven te komen. Hij heeft het koud. En als hij zich dat realiseert, lijkt het alsof de hele kamer één eindeloze ijsvlakte is geworden. Buiten ziet hij de lichtjes van de stad, vervormd door de regen. Hele slingers straatlantaarns, glimmend zwart asfalt versierd met bladeren. De treetjes van de trap voor de ingang lijken de witte toetsen van een piano.

Er staat iemand op dat trapje. Iemand die omhoog kijkt.

Sheng trekt zijn hand weg van het raam, alsof hij zich gebrand heeft.

Op het natgeregende trapje staat het jongetje met nummer 89 op zijn shirt. En hij kijkt naar het raam waar Sheng voor staat.

Een geritsel, en dan staat Mistral naast Sheng. 'Sheng, we moeten weg. Hé, wat is er met jou aan de hand?'

'Dat jongetje is er weer.'

'Welk jongetje?'

'Daar op het trapje, hij staat naar me te kijken.'

Mistral lacht nerveus en kijkt hem dan geschrokken aan. 'Sheng!' roept ze. 'Je hebt weer gele ogen!'

De gouden lift van Heremit Devil daalt snel tot aan de eerste verdieping. De gele getallen volgen elkaar in een razend tempo op, maar dan terugtellend. Harvey slikt, onwillekeurig

bang. Hij drukt zich plat in de hoek tegenover de deur en kijkt naar de aftellende nummers.

Het lijkt wel of de lift heel hard schreeuwt onder het dalen.

Of anders is er iets in zijn hoofd dat schreeuwt. Dat vreemde geroep dat hij in de werkkamer van Heremit hoorde. Hij drukt zich nog steviger tegen de hoek aan en kruipt weg in zijn trui omdat het ineens zo koud is. En hoe dieper de lift daalt, hoe meer de temperatuur lijkt te zakken.

En hoe dieper we komen, hoe harder dat geroep klinkt... denkt Harvey.

Verdieping nummer één. De deur gaat open.

Een roep.

Harvey wankelt naar de deuropening.

Het is niet een roep. Het is een stem.

'Harvey... Harvey... alsjeblieft... kom hierheen... kom hierheen...'

In de gang ziet hij het knipperende lampje van de camera in de hoek. Hij heeft weer veertig tellen om naar de diensttrap te rennen, een halve verdieping af te dalen, de code in te toetsen en naar buiten te gaan.

Maar hij hoort die roep. Zo duidelijk, zo dichtbij, zo indringend. Net als de roep die Harvey telkens hoort als hij in New York langs Ground Zero loopt. Zoals de stemmen die hem door het labyrint onder de bibliotheek en door het woud van wortels naar de Ster van Steen leidden: stemmen van de aarde.

En die roepen hem.

Veertig tellen, denkt Harvey, dan kan ik weg zijn uit deze wolkenkrabber.

Hij aarzelt. Hij kijkt naar de vergulde knoppen van de lift. Hij kan nog een verdieping lager.

Van onder de grond klinkt het geroep.

Het ondergrondse vraagt hem om te komen.

Harvey stapt weer in de lift en drukt op de onderste knop.

Hij duwt zich in de hoek tegenover de deur.

De lift zakt nog een verdieping.

En nog een.

Het is koud.

Heremit Devil schrikt wakker.

Hij voelt aan zijn wangen en merkt dat ze vochtig zijn. Hij tast vlug naar de lamp op zijn nachtkastje en doet die aan. Hij kijkt om zich heen. Het kinderbedje waarin hij slaapt is keurig opgemaakt, alsof hij er niet eens in heeft gelegen. De deur naar de trap en de bovenste verdieping, waar vroeger zijn werkkamer was, is dicht. Evenals de deur naar de gang en de badkamer.

Alles is in orde. Alles zoals het moet zijn.

Hij heeft gedroomd. Hij heeft alweer alleen maar gedroomd.

Het park. De speeltoestellen. De bomen.

De graafwerkzaamheden. De tol. En toen...

Hij heeft alleen maar gedroomd.

Maar het lijkt alsof hij geen lucht krijgt. Het kleine, vierkante raam in de buitenmuur zit vol regenstrepen.

Die ene dag regende het ook, denkt Heremit Devil.

Die ene vervloekte dag.

Nu kan hij niet meer slapen. Net als alle andere keren; over een paar uur breekt de ochtend alweer aan. Dan zal Nik Knife inmiddels Mademoiselle Cybel uit de weg hebben geruimd. En de andere kinderen zullen dan ook hier zijn.

O ja. Alle vier de kinderen.

Inclusief die uit Shanghai.

En dan zal hij het begrijpen.

Zeker weten.

Dan zal alles in één klap duidelijk zijn. Heremit Devil staat op, trekt een kamerjas aan, gaat naar de badkamer om zich te wassen met gezuiverd water en doet dan het deurtje open naar de lange gang die is volgekliederd met kindertekeningen en krabbels. Hij loopt terug naar zijn werkkamer, de ruimte waarin hij het grootste deel van zijn leven doorbrengt. In elk geval sinds die ene vervloekte dag, toen hij heeft besloten om nooit meer een voet op de bovenste verdieping te zetten.

Al meteen vanuit de deuropening merkt Heremit dat er iemand binnen is. Hij ruikt, nog voordat hij het ziet, dat er niets meer op zijn bureau ligt.

De regen wordt ineens heviger.

'Hallo Heremit,' zegt een onverstoorbare stem. Een strijkstok fonkelt in het duister. 'Heb je goed geslapen, je laatste nacht?'

In het appartement op de hoek van het Lujiazui Park gaat een mobieltje over. Het mobieltje van Elettra.

Sheng maakt zich los van het raam en wankelt door de kamer. Zijn ogen zijn geel.

Hij houdt zijn handen voor zijn ogen. Ze doen geen pijn. En hij kan er normaal mee zien. Wat is er dan voor bijzonders mee?

Het mobieltje van Elettra blijft maar overgaan, en niemand neemt op.

Sheng heeft het gevoel dat hij elk moment kan flauwvallen. Of dat hij in een zee vol donker water zwemt.

'Ik voel me niet zo goed...' mompelt hij.

'Ga hier maar zitten,' zegt iemand. Mistral misschien. 'Je moet slapen.'

Ja, het is Mistral die naast hem zit. Ze is zo mooi.

'Jij ziet zeker niemand hè, op dat trapje?' vraagt Sheng haar. Ze schudt haar hoofd.

'En die bewaker in het Louvre heb je ook niet gezien, hè?'

'Sheng...' Mistral legt haar hand op zijn schouder.

Hij knijpt erin. 'Ik hou van je,' zegt hij met een glimlach. En op het moment dat hij dat zegt, wordt hij bevangen door een plotselinge angst. Het gevoel dat hij wordt afgewezen. Dat hij er niet bij hoort, dat hij niet op zijn plek is. Dat hij nutteloos is.

De mobiel van Elettra gaat nog steeds over. Sheng laat Mistrals hand los. 'Maar hij is er wel! Hij bestaat echt!' roept hij wanhopig. 'Ik ben niet gek!'

Hij springt op, bezeten door een plotselinge woede, en rent naar de deur van het appartement. Hij gooit hem open en

rent de gang op, voordat de anderen hem kunnen tegenhouden.

'Sheng!' schreeuwt iemand. Mistral misschien.

Maar hij rent de trap al af.

Eindelijk heeft Elettra haar mobiel te pakken en ze neemt
vlug op.

'Harvey? Waar ben je?'

'Ik ben helemaal beneden, Elettra.'

'Waar beneden? Hoe is het met je?'

'Ik ben helemaal onder in de wolkenkrabber. Het is een
lang verhaal... ik heb geen tijd om het uit te leggen. De verbinding valt steeds weg.'

'Waarom zit je daar nog steeds? Maak dat je daar wegkomt!'

'Laat me uitspreken! Ik heb de stemmen gevolgd, snap je?
Ze hebben me naar beneden laten gaan, zodat ik jullie kon
waarschuwen. Hier is alles! Maar jullie moeten ervandoor
gaan! Nu meteen!'

'Wat zeg je allemaal?'

'Heremit Devil heeft onder zijn wolkenkrabber opgravin-
gen laten verrichten,' legt Harvey uit. 'Er is hier een hele
afgrond. Er zijn buizen... en lampen. Een trap omlaag. Er
staan een paar beelden, een eeuwenoude muur en... dat
ding... van hout.'

'Wat voor ding?'

'Dat weet ik nog niet. Het lijkt wel... een monster. Daar
kwam die roep vandaan. De stem die zei dat ik moest gaan
kijken...'

'Harvey? Wie was dat dan die je riep?'

'Die hele ruimte, Elettra. Onder de fundering van de wolkenkrabber. Eerst verstond ik het niet. Ik dacht dat het maar één stem was, maar toen...'

'Harvey!'

'Ik wil je zo graag weer zien.'

'Ik jou ook! Ik kom je ophalen!'

'Nee! Maak dat je wegkomt! Je moet... je moet tegen iedereen zeggen dat ze weg moeten uit deze stad! Het heeft geen zin om iets te zoeken in Shanghai! Hij heeft het al gevonden! Ik ga hier nu weg en...'

Een klap. En Harvey zwijgt.

'Harvey, wat gebeurt er?'

Stilte.

Gekraak.

Elettra drukt het telefoontje tegen haar oor om maar iets op te kunnen vangen. De verbinding valt weg. Dan klinkt Harvey's stem weer, hijgend: 'Ik moet hier weg, Elettra. Er is iemand naar beneden gekomen. Ik probeer me... te verstoppen. Ik weet niet of ik nog kan bellen.'

'Harv...'

'... weggaan. Meteen! ... allemaal zinloos...'

Geritsel. De hijgende ademhaling van Harvey.

'Er is iemand uit de lift gekomen... de Viervinger... Elettra!'

Weer een klap, deze keer harder.

En dan niets meer.

De deur van het appartement staat nog steeds open.

Ze horen Sheng de trap af rennen.

Mistral is naar de deur gelopen om hem te roepen.

199

Elettra gooit haar mobieltje op de grond. 'Nee! Harvey! Nee!'

'Hé,' roept Ermete. 'Kunnen jullie me ook uitleggen wat er...'

'Dat kan niet!' schreeuwt Elettra terwijl ze naar de deur rent.

Mistral houdt haar tegen en grijpt haar arm vast. 'Wacht! Wat wil je gaan doen?'

Elettra rukt zich los. 'Ik ga mijn vriendje redden!'

'Hé!' komt Ermete tussenbeide, deze keer vastberadener. 'Blijf staan! Zijn jullie allebei gek geworden?'

Maar Elettra's ogen spuwen vuur. De schijnwerper in het midden van de kamer knalt ineens kapot.

'Elettra! Doe eens rustig!'

Elettra's pupillen boren zich in Mistrals ogen.

'Ik ga met je mee,' zegt het Franse meisje, zonder dat haar vriendin iets hoeft te vragen.

'Hé!' herhaalt Ermete voor de derde keer, als hij merkt dat hij alleen is achtergebleven. 'Ach, die jongelui ook met hun speciale krachten... onuitstaanbaar!'

Hij graait al hun spullen bijeen van de tafel en haast zich naar buiten.

Hij trekt de deur achter zich dicht, doet hem dan weer open, drukt de rode knop in en trekt de deur voor de tweede keer dicht.

25
DE VOLWASSENEN

Het hotel is klein maar comfortabel. Irene en de zigeunerin kijken om zich heen, elk met hun eigen gedachten. Voor Irene is het een noodoplossing, prima voor één nacht. Voor de zigeunerin daarentegen is het de eerste keer in jaren dat ze in een echt bed kan slapen. Ze bekijkt de badkamer en draait de douchekraan open, starend naar dat stromende water.

In de deuropening werpt Fernando een blik op de oude dame. 'Weet je zeker dat dit een goede beslissing is?'

'Heel zeker,' antwoordt Irene.

'En zij?' vraagt Fernando, doelend op de zigeunerin.

'We kunnen haar vertrouwen. Ze staat aan onze kant.'

'Irene, ik snap eerlijk gezegd niet hoe jij dat kunt weten...'

'Dat is een kwestie van gevoeligheid,' antwoordt de oude dame en ze duwt haar rolstoel naar het raam. 'Help je me even met die gordijnen?'

Fernando loopt naar haar toe en trekt de gordijnen open.

Buiten, in de verte, ligt het Tibereiland midden in de rivier. Als ze dat ziet wordt Irene nog rustiger. 'Perfect,' zegt ze.

'Een kwestie van gevoeligheid...' hervat Fernando. 'Wat heeft gevoeligheid ermee te maken?'

In de badkamer draait de zigeunerin de douchekraan dicht en begint ze alle miniverpakkingen met zeep en douchemutsen van het hotel open te maken.

'Gevoeligheid is essentieel,' antwoordt Irene. 'Als je niet bereid bent om te voelen... en om te luisteren naar alles wat je zintuigen je vertellen... dan ben je niet bereid om ten volle te leven.'

Fernando snuift. 'Maar je zintuigen hebben toch niks te maken met...' Hij wijst naar de vrouw in de badkamer.

'Juist wel...' glimlacht Irene, die duidelijk geen zin heeft om meer antwoorden te verschaffen. Ze pakt Fernando's hand vast en zegt: 'Ga nu maar.'

Elettra's vader kijkt beschaamd om zich heen. 'Ik weet niet of ik je hier wel alleen kan achterlaten.'

'Ik ben niet alleen. En trouwens...' Irene kijkt op haar horloge. 'Je moet opschieten als je het vliegtuig naar Shanghai nog wilt halen.'

'Ik sta op de wachtlijst,' zegt Fernando.

'Prima, maar nu heb je wel lang genoeg gewacht...' besluit Irene. 'Kom op! Ik ben hier veilig.'

202

'Hoe ging het?' vraagt Quilleran aan mevrouw Miller als hij haar uit het wijkbureau van de politie ziet komen.

De vrouw heeft een aantal ondertekende proces-verbalen in de hand.

'Goed, denk ik.'

Ze heeft zojuist aangifte gedaan van bedreiging door Egon Nose en zijn bende. 'Ze zeiden dat ze het huis in de gaten zouden houden.'

'Mooi zo,' zegt de indiaan. 'Ook al...'

Mevrouw Miller weet al wat hij wil zeggen en knikt. 'Ik ben het met je eens. Ik denk dat ik sowieso niet thuis ga slapen vannacht.'

Quilleran tikt tegen zijn pet. 'Ik ga ook nog langs om te controleren. Voor de zekerheid.'

Mevrouw Miller bladert afwezig door de papieren die ze heeft ondertekend.

'Hebt u uw man gebeld?' vraagt Quilleran nog.

'Ja.'

'Is uw zoon aangekomen?'

'Nog niet,' zegt ze. 'Ik geloof dat zijn vlucht vertraging had.'

De indiaan knikt somber. 'Het komt allemaal wel goed, dat zult u zien.'

'Waarom helpt u ons?' vraagt mevrouw Miller ineens. 'Ik bedoel: werkt u voor iemand?'

De reusachtige indiaan schudt zijn hoofd. 'O nee. Ik werk alleen voor mezelf. En voor mijn stad.'

'Ik snap u niet.'

'Laten we het zo stellen, mevrouw. Er zijn mensen die behoefte hebben aan iemand die hen zegt wat ze moeten

doen. Anderen doen het gewoon uit zichzelf, omdat ze voelen dat het nodig is. Ze weten dat het zo goed is.'

'En u bent een van die mensen.'

'Volgens mij wel.'

'Maar dat verklaart nog niet waarom u ons helpt. Waarom u iets doet voor de familie Miller. En voor mijn zoon.'

'Ik heb jaren gewacht op uw zoon,' zegt Quilleran. 'Uw zoon is een belangrijk iemand.'

Mevrouw Miller kijkt op.

'En er staat iets belangrijks te gebeuren. Voor de hele wereld.'

'Wat dan?'

'Dat weten we niet precies. Maar het is nu dichtbij. Heel dichtbij.'

'We? Wie horen er nog meer bij u?'

'Ik denk dat er in alle steden mensen zijn zoals ik, die houden van de plek waar ze wonen en die het gevoel hebben dat er iets staat te gebeuren.'

'Ik kan u echt niet volgen, meneer Quilleran. Sterker nog: u maakt me bang.'

'U hoeft niet bang te zijn. Ik wilde alleen maar zeggen dat elke plek ter wereld wordt bewaakt door iemand die van die plek houdt. En die die plek wil beschermen. Soms zijn het mensen die er diepe wortels hebben. Andere keren zijn het mensen die nooit wortels hebben gehad. Nomaden. Net zoals wij indianen vroeger. Kijk: ik denk dat al die mensen zijn gewaarschuwd.'

'Gewaarschuwd voor wat?'

'Dat de wereld op het punt staat te veranderen, mevrouw. En dat uw zoon een van degenen is die daarvoor gaat zorgen.'

'Je kunt beter niet van het schip af gaan,' raadt Paul Magareva professor Miller aan.

'Ik moet naar het consulaat,' antwoordt deze kortaf. 'Mijn zoon zat op de avondvlucht van Air China. En hij is nooit aangekomen. Er is hem iets overkomen op de luchthaven. Maar aan de telefoon willen ze me niets vertellen!'

Paul Magareva buigt zich over de reling op de brug en wijst naar de aanlegpier. Een lange betonnen streep waaraan het schip is vastgemaakt met zware kettingen. 'Feit is dat er rare dingen gebeuren in de haven.'

'Wat voor dingen?'

'Mensen die vragen stellen. De kok heeft me verteld dat er mensen zijn geweest die naar jou vroegen.'

'Naar mij? Hoe kan dat nu?'

'Dat weet ik niet. Maar misschien heeft het iets te maken met... je zoon? En met het telefoontje van je vrouw?'

Professor Miller tuurt naar de krioelende mensenmassa in de haven. 'Wie was dat dan, die vragen kwam stellen?'

'Ze hangen daarginds rond...' mompelt Paul Magareva. 'Ze zijn niet van de politie en ook niet van Air China of het immigratiebureau. Ik ben geen deskundige, maar ik vrees dat het geen zuivere types zijn. Het lijkt wel of ze alleen maar wachten tot jij voet aan de grond zet in Shanghai, om...'

'Om me te laten verdwijnen?'

'Of in elk geval om je te dwingen met hen mee te gaan.'

George Miller is woest. 'Wat is hier in vredesnaam aan de hand?'

'Geef mij die papieren voor je zoon. Ik breng ze wel naar het consulaat.'

'En Harvey dan?'

'Hij is een grote jongen. Die redt zich wel.'

26
DE VLUCHT

Vanuit de hemel daalt een warme, dichte, afmattende regen
neer.

Ermete kijkt woedend om zich heen. Hij voelt de druppels
op zijn schedel tikken en overal naar binnen dringen, onder
zijn overhemd, in de omslag van zijn broekspijpen, in zijn
sokken.

Vanuit zijn ooghoek ziet hij Sheng in de richting van het
Century Park rennen. Mistral en Elettra daarentegen rennen
de andere kant op.

'Waar gaan jullie naartoe!?' schreeuwt de ingenieur.

Maar zij kijken ook niet meer om.

Ermete kan ze niet allemaal achterna gaan. Hij moet
kiezen.

Hij denkt maar heel even na en begint dan achter Sheng
aan te rennen. 'Hé, geeloog! Blijf staan!'

De jongen steekt zonder uit te kijken een straat over. Een paar auto's, glanzend van de regen, kunnen hem maar net ontwijken.

Zigzaggend om de plassen heen die zich op het asfalt hebben gevormd rent Ermete achter hem aan en probeert dichterbij te komen. Hij rent de straat over onder luid getoeter. Hij probeert opnieuw te roepen.

Maar Sheng rent door, hij slaat een smal, donker steegje in waar hij niet eens kan zien waar hij zijn voeten moet neerzetten. Bij de ingang van de steeg vormt de regen vergulde waaiers rond de straatlantaarns en onder het neonbord van een rode draak.

'Verdomme!' vloekt de ingenieur woest. 'Zodra ik je te pakken krijg zet ik je dit betaald, Sheng!'

Sheng is de steeg aan de andere kant alweer uit en probeert de drukke vierbaansweg over te steken, die in het midden wordt gescheiden door een groenstrook met een rijtje zieltogende bomen. Aan de overkant is een parkeerplaats verlicht door oranje lantaarns en het gesloten hek van het Century Park.

Sheng steekt de weg over en loopt naar het hek, waar hij besluiteloos blijft staan.

Dan begint hij te klimmen.

'Sheng!' schreeuwt Ermete vanaf de overkant van de weg. 'Ben je gek geworden?' Hij zet een stap naar voren en wordt meteen getroffen door een wit licht en een oorverdovend getoeter. Hij deinst geschrokken achteruit en vloekt in het Italiaans tegen de chauffeur die hem bijna omver had gereden.

Ermete telt tot drie en stort zich dan opnieuw tussen de

auto's. 'Pardon, pardon!' roept hij zonder zich iets aan te trekken van de claxons.

Hij springt op de groenstrook, een moment rust, en neemt dan de andere twee rijbanen. Als hij de parkeerplaats aan de overkant bereikt, heeft hij het gevoel dat hij door een wonder gered is.

'Sheng!' roept hij. 'Als je denkt dat ik over dat hek klim, kun je het wel vergeten!'

Hij is drijfnat. Volkomen drijfnat van die warme, glibberige regen.

'Hoor je me, Sheng?'

Sheng stopt met klimmen en blijft aan de bovenste haken van het hek hangen.

'Kom onmiddellijk omlaag!' roept de ingenieur, terwijl hij zijn best doet om als een boze oom te klinken.

Dan kleurt het hek ineens zwart. Vanuit het park komt een gigantische zwerm insecten opzetten, als een explosie. Een hele golf van vleugeltjes, voelsprieten en pootjes lijkt zich op de jongen te storten en hem op te tillen. Ermete, die op twintig passen van hem af staat, zet grote ogen op en deinst achteruit. De insectengolf overspoelt het hek met Sheng erbij en stroomt dan over de parkeerplaats.

'Aaaaaah!' gilt Ermete. Hij krijgt een, twee, twintig muggen in zijn mond. Hij spuwt ze uit, houdt zijn mond dicht, gooit zich op de grond en laat die afschuwelijke zwerm over zich heen komen en weggaan. Hij hoort de claxons. Remmen, piepende banden op het natte asfalt.

Ermete ligt helemaal ineengerold. Hij kijkt ongelovig om zich heen. Dode insecten op de grond. Nog meer insecten die

liggen te spartelen in de waterplassen. Hij komt wankelend overeind. Sheng is op de grond gevallen.

'Hé!' roept Ermete naar hem. Hij bekijkt zijn kleren en constateert tot zijn verrassing dat hij ongedeerd is. 'Het is voorbij! Ze zijn weg! Hoe gaat het met je? Sheng?'

Hij rent naar hem toe. De regen wordt heviger. Duizenden spelden die op het asfalt roffelen.

'Sheng?'

De jongen opent zijn ogen. Ze zijn weer blauw.

Ermete zucht. 'Alles goed?'

'Mistral...' mompelt Sheng.

'Wat bedoel je?'

Vanaf de grond wijst Sheng naar de wolkenkrabber van Heremit Devil. 'Mistral heeft die insecten opgeroepen...'

De wolkenkrabber van spiegelglas en staal wordt ineens helemaal verlicht, als een kwaadaardige kerstboom. Als een gevarensignaal van vierenzestig verdiepingen hoog.

'O verdorie...' roept Ermete. 'Verdorie, verdorie, verdorie!'

'Neem op,' zegt Jacob Mahler in de werkkamer op de een-na-hoogste verdieping van de wolkenkrabber.

De telefoon van Heremit Devil gaat over.

'Of wil je liever dat ik het doe?'

Heremit staat aan de andere kant van het bureau. Hij schudt zijn hoofd. 'Hoe is het mogelijk dat jij hier bent?'

'Dezelfde codes als vorig jaar. Dan gaan de deuren open...'

'Hoe is het mogelijk dat je hier... levend bent?'

'Ik ben een man vol verrassingen, Heremit.'

De telefoon gaat nog steeds over.

'Neem op.'

De eigenaar van de wolkenkrabber loopt langzaam naar het bureau. 'Je komt hier nooit levend uit,' sist hij dreigend.

Mahler tilt zijn viool op. 'Jij ook niet.'

De hand van Heremit Devil grijpt zonder een trilling de hoorn. 'Devil,' zegt hij, zoals altijd.

Terwijl hij luistert gaat monitor nummer vier aan. Zwart-witbeeld, beveiligingscamera. Ondergrondse verdieping. Gang B. Nik Knife staat voor de monitor. Hij houdt Harvey links van hem vast, met een mes op de keel.

Mahler laat zijn strijkstok langzaam zakken. Heremit daarentegen knijpt zijn ogen boosaardig tot spleetjes. 'Breng hem naar boven,' zegt hij ten slotte.

'Je vriendje is aanbeland in de keuken van de duivel,' fluistert hij tegen Mahler.

Jacob geeft geen antwoord. Hij probeert koortsachtig te bedenken wat hij moet doen. Hij had niet voorzien dat Nik Knife Harvey te pakken zou krijgen.

Beng.

Beng.

Beng.

Iets wat massiever is dan de regen begint tegen de ramen van de wolkenkrabber te beuken.

Het zijn insecten. Hele zwermen razende insecten die zich tegen het glas werpen alsof ze het ooit kapot zouden kunnen krijgen.

Heremit Devil fronst bezorgd zijn wenkbrauwen. Hij zet monitor nummer één aan. Hoofdingang. Er lopen twee meisjes op straat met een zwerm insecten achter zich aan. Hij zoomt in op het gezicht van het voorste meisje. Lang, mager, pagekopje. Ze loopt te zingen.

'Misschien heb je gelijk, Heremit,' fluistert Jacob terwijl hij langzaam overeind komt. 'Maar zo te zien is hij niet alleen gekomen.'

Buiten op straat heft Elettra haar handen op.

En met een steekvlam gaan alle camera's uit.

'Vladimir?'

'Irene! Waar zat je toch? Ik heb geprobeerd je te bellen, maar...'

'Ik ben bij een vriendin. Heb je het gevoeld?'

'Ja. Het was alsof ik... plotseling wakker werd. Door wie kwam het?'

'Ten minste drie van hen. Samen.'

'Drie?'

'Energie, harmonie, herinnering... Elettra, Mistral en Harvey zijn plotseling losgebarsten. Het moment is aangebroken. Het is zover! Ze zijn er klaar voor!'

'We zijn er niet klaar voor! We missen nog... de hoop.'

'Die komt ook nog wel.'

'Het lijkt wel alsof Sheng weigert zijn taak op zich te nemen.'

'Hij had het niet moeten zijn. Hij was er niet klaar voor. En hij had niet zo'n grote gevoeligheid als dat andere jongetje!'

'Misschien moeten we een manier vinden om hem te helpen. Als wij de schok hebben gevoeld, hebben de anderen hem ook gevoeld. Degenen die ervan op de hoogte waren.'

'Dat zou kunnen, ja.'

'We moeten ze waarschuwen. En onze stemmen verenigen om Sheng wakker te schudden.'

27
HET ONTWAKEN

'Sheng! Sheng!' roept Ermete. 'Word toch eens wakker!'

Sheng beweegt zijn hoofd heen en weer op het kussen. Van de ene naar de andere kant. Dan besluit hij zijn ogen open te doen.

Hij ligt in een kamer die hij niet kent. Er brandt een lamp. Er is een neergelaten rolluik waar een vreemd licht doorheen dringt. Ermete staat naast hem.

'Eindelijk!' zegt hij.

'Waar ben ik?'

'Weet ik veel,' antwoordt de ingenieur. 'Ik heb je naar het eerste het beste hotel gedragen. Op mijn rug!'

'Maar...' Sheng komt overeind zitten. 'Hoe laat is het?'

'Halfzeven 's ochtends.'

Sheng schudt zijn hoofd. 'Ik had een rare droom... Er waren heel veel mensen. De antiquair, de tante van Elettra en ook... die zigeunerin uit Rome... en Quilleran de postbode, en de bewaker van het Louvre. En dan was er ook nog een soort monnik met een zwart-witte baard. Ze stonden allemaal tegelijk tegen me te praten. Ik weet alleen niet meer wat ze zeiden.' Sheng denkt na. 'Wacht... nu... weet ik het weer. Ze zeiden: "Vooruit, heb het lef om te zien wat anderen niet kunnen zien." '

Ermete zet zuchtend een paar stappen van het bed af. Hij pakt de broek die over de rugleuning van een stoel hangt en begint hem te drogen met een kleine, zoemende föhn.

'Dat jongetje!' roept Sheng, die ineens weer aan hem moet denken. 'Rende ik achter dat jongetje met dat shirt aan?'

'Ik weet niet wat je aan het doen was.'

'Ik kwam bij het park en toen... toen kwamen die insecten!' Sheng springt uit het bed. 'Mistral! Elettra! Waar zijn ze?'

'Ho even, makker,' zegt Ermete terwijl hij de föhn op hem richt. 'Je kunt nu toch niets doen. En je kunt er ook niet heen.'

'Waarheen?'

De ingenieur trekt het rolluik voor het raam op, zodat er een bleek licht binnenvalt dat door een dik wolkendek schijnt. Een trillende, dichte regen daalt als glazuur uit de hemel neer. En op de achtergrond van dat uitzicht staat een zwarte wolkenkrabber.

De wolkenkrabber van Heremit Devil.

Op straat zijn de blauwe zwaailichten van de politie te zien. In de lucht richten twee helikopters hun schijnwerpers op het spiegelglas terwijl ze om de wolkenkrabber heen

gonzen als dolgedraaide bijen die de ingang van hun bijen-
kort niet meer kunnen vinden.

'Wat is er gebeurd?'

'Zo is het nu al uren,' antwoordt Ermete. 'Hij is helemaal
omsingeld door de politie. Er is niemand in- of uitgegaan.
Niemand neemt zijn mobieltje op. Noch Harvey, noch Mistral,
noch Elettra. Kortom: ik weet het niet. Maar wat er ook is
gebeurd, het is heftig. Ze hadden het er net over op tv. De
enige Engelstalige ondertitels luidden: *Aanslag op wolkenkrabber. Afrekening van de Chinese maffia?'*

'Ik... ik...' stamelt Sheng en dan zwijgt hij. Hij kijkt naar
de wolkenkrabber die wordt bestookt door schijnwerpers en
hij probeert de angst op afstand te houden. 'Ik hoor daar bij
hen te zijn.'

'Goed idee,' schampert Ermete. 'Echt een goed idee.' Hij
zet de haardroger uit en legt hem op de grond. 'Ik weet niet
wat jullie je in je hoofd hebben gehaald, maar volgens mij
zijn jullie nog altijd geen superhelden. Hoe dan ook, je bent
niet bij hen. Je bent hier, bij mij.'

'En wat doen wij hier, jij en ik?'

'Dat kan ik beter aan jou vragen,' antwoordt Ermete sarcastisch. 'Mag ik bijvoorbeeld weten waarom jij ineens als
een idioot naar dat park rende en op dat hek klom?'

Sheng wrijft in zijn ogen en slaat zijn benen over de rand
van het bed. 'Ik werd gek van de hoofdpijn,' zegt hij. 'Het was
onverdraaglijk. En toen ik dat jongetje zag dat vanaf het
trapje voor dat gebouw naar me keek... toen dacht ik dat ik
helemaal gek was geworden. Dus besloot ik met hem te gaan
praten, om duidelijkheid te krijgen.'

'Er was helemaal geen jongetje, Sheng.'

'Jawel, hij was er wel,' protesteert die. 'En toen hij zag dat ik naar hem toe kwam, ging hij ervandoor!'

'Dus gisteren wilde je praten met een jongetje dat alleen jij kunt zien?'

'Precies.'

Ermete schudt zijn hoofd. Hij weet nog heel goed dat hij Sheng zag rennen, maar hij is ervan overtuigd dat er geen enkel jongetje vóór hem rende.

'En toen...' Sheng spreidt zijn armen uit, 'toen ik op het hek van dat park klom... toen verdween hij en... toen kwamen de insecten.'

'Je zei dat het door Mistral kwam,' helpt Ermete hem herinneren.

'Ik dacht dat zij daarvoor gezorgd had. Net zoals ze in Parijs heeft gedaan, toen ze die bijenzwerm opriep.'

Ermete ziet nog levendig voor zich hoe de wolkenkrabber van Heremit Devil vlak na het verschijnen van de insecten op zijn grondvesten had geschud door een hevige explosie. Dat vertelt hij aan Sheng.

'Elettra was woedend. Ze had een telefoontje van Harvey gekregen...' Ermete weet niet precies te vertellen wat Harvey had gezegd. Hij weet alleen dat de twee meisjes meteen daarna op weg gingen naar de wolkenkrabber.

Terwijl de ingenieur praat, blijft Sheng denken aan wat hij gedroomd heeft.

Heb het lef om te zien wat anderen niet kunnen zien.

'En als ik nu eens gewoon lef had gehad?' roept hij.

'Wat?'

218

'Ik zweer je dat ik dat jongetje echt zag. Misschien... had ik het lef om hem te zien.'

'Mistral riep dat je gele ogen had.'

'Net als in Rome!' vervolgt Sheng opgewonden. 'Toen die stroomstoring kwam en alles donker werd. Dat was de eerste keer dat ik gele ogen kreeg. Niemand zag een hand voor ogen, maar ik kon gewoon kijken alsof het dag was.'

'Dat is niet...'

'En daarna in Parijs! In het museum praatte ik... met een bewaker die Mistral ook niet zag. Misschien... zijn het mijn ogen die... Welke kleur zijn ze nu?'

'Blauw.'

'Ze moeten geel worden. Misschien worden ze geel in een gevaarlijke situatie. Of misschien ben ik degene die ze... opdracht moet geven.'

'We zouden het aan de tante van Elettra kunnen vragen.'

Sheng schudt zijn hoofd. 'Daar hebben we geen tijd voor. We moeten erachter komen wat er met de anderen is gebeurd.'

Ermete wijst naar de wolkenkrabber. 'Ga je gang,' zegt hij sarcastisch, 'ga het ze daar zelf maar vragen.'

Sheng begint zich snel aan te kleden. 'We moeten iets voor ze doen! En wel meteen! We hebben geen moment te verliezen!'

'Wil je echt naar die wolkenkrabber toe?'

'Nee. Ik wil het voorwerp van Shanghai zoeken,' zegt de jongen. 'Ik wil de aanwijzingen volgen. Elettra, Harvey en Mistral hebben hun deel gedaan. Nu is het mijn beurt. Ik ben het vierde en laatste element. Water.'

Ermete houdt de natte kleren omhoog. 'Als je water wilt, hoef je alleen maar naar buiten te gaan.'

'Dat is precies wat ik van plan ben.' Sheng heeft zijn vochtige kleren inmiddels aan en onderdrukt een rilling van kou. 'Ga je mee?'

'Waarheen?'

'Waar de tol van het hartje ons naartoe heeft gestuurd.'

Een vochtige dageraad, druipend en stomend, komt op boven de stad.

De lucht is roerloos en wordt doorkliefd door de regen. Op straat steken bonte paraplu's de kop op, waartussen Sheng en Ermete zich een weg moeten zien te banen. Ze zijn net uit de metro gestapt, een paar blokken van de Moskee van de Perziktuin vandaan, waar Sheng woont.

'Alles goed, mama,' zegt de jongen in zijn mobieltje.

Zodra hij de eerste wanhopige kreet hoort hangt hij op.

'De volgende keer kun je haar beter een fax sturen,' oppert de ingenieur.

De Tuin van de Mandarijn Yu is gesloten. Bij de ingang geeft een tweetalig bord aan dat het park om 8.30 uur opengaat.

'Nog een uur,' zegt Ermete.

'We kunnen niet nog een uur wachten,' besluit Sheng terwijl hij langs de omheining van de tuin loopt. Zijn vastberadenheid komt voort uit het enige idee dat hij kan bedenken om Harvey, Elettra en Mistral te helpen: zo vlug mogelijk het voorwerp van Shanghai vinden en het aan Heremit Devil overhandigen in ruil voor zijn vrienden.

Hij bereikt de hoek tussen Anren Lu en Fuyou Lu en daar klimt hij zonder aarzelen op de muur. Het is in een oogwenk gebeurd. Sheng springt er aan de andere kant vanaf, rolt over de grond, staat op terwijl hij onder de modder en de natte bladeren zit en roept tegen Ermete: 'Wacht buiten op me! Ik kan doen alsof ik een Chinese bediende ben, maar jij...'

'Ga maar, succes!' moedigt de ingenieur hem aan. 'Ik zoek intussen een afdakje en een kop koffie.'

De grond in de Tuin van de Mandarijn Yu geeft stoom af die onder de regen blijft hangen als een laag mist. De druppels verbergen de lelijke gevels van de betonnen gebouwen die om het hele park heen staan en vormen kronkelende stroompjes over het terrein. Hoe verder Sheng zich de tuin in waagt, hoe meer de geluiden van de stad lijken te verdwijnen. Sheng loopt over laantjes en houten bruggetjes, langs vijvers waarin reusachtige karpers rondzwemmen. Bossen bamboestengels buigen zich druipend voorover. Lotusbloemen trillen. In de grijze nevel die alles omhult verrijzen alleen de witte muren van de paviljoens en de omtrekken van de houten draken die uit een droom lijken te springen. De torentjes van de pagodes, in roodgelakt hout, hebben golvende, glanzende daken.

Sheng blijft met open mond voor het paviljoen van de Tienduizend Bloemen staan, getroffen door een gevoel van diepe eerbied. Hij stopt bij een boom met een enorm dikke stam, waar het water van de takken af stroomt. Het is net een wijze man van vier eeuwen oud, van wiens gespreide armen parels omlaag druppelen.

221

'De grote boom van de stad...' mompelt Sheng terwijl hij de stam aanraakt. Het is een Ginkgo biloba, net als de boom waarvan ze zaadjes hebben gevonden in de Ster van Steen.

Het is een van de oudste bomen ter wereld, en het zien van deze boom is voor Sheng een bevestiging dat hij op de juiste weg is.

Hij zet het op een rennen, zijn hart klopt steeds sneller.

Het lef hebben om te zien wat anderen niet kunnen zien.

Het paviljoen van het theehuis van de keizer staat midden in het meer, en om er te komen moet je negen bruggen over die zo zijn gebouwd dat ze de boze geesten verjagen. De pagode is nog donker, maar er staat een zijdeurtje op een kier. Sheng glipt naar binnen.

Zonder het gedrang van de toeristen met hun fotocamera's krijgt de oude pagode weer zijn magische glans terug. Hij bestaat uit gebogen hout en uitgesneden draken. De ramen die uitkijken op het groene meer vormen sierlijke krullen van grijs licht op het stille interieur.

Sheng haalt diep adem en concentreert zich: hij zoekt iets wat hij koste wat kost moet vinden. Hij loopt over de krakende vloer en even sluit hij zijn ogen. Het voelt alsof hij eeuwen terug in de tijd is gegaan, toen Shanghai nog maar een vissersdorp was gelegen aan de brede, kronkelende rivier.

Maar dat gevoel duurt slechts een paar tellen.

'Hé! Wat doe jij hier?' klinkt de sissende stem van een oude ober. 'We zijn nog dicht!'

'Ik weet niet,' stamelt Sheng terwijl hij hem aankijkt. De oude ober is vanachter een enorme kandelaar opgedoken. De

regen slaat nog steeds als een razende tegen de ramen, maar voor Sheng klinkt het als een tamboer die de maat van de aanval trommelt. Hij lacht zijn tandvlees bloot. 'Mooi geluid, hè?'

De ober lijkt verrast door die woorden. Hij loopt naar hem toe met lichte tred, alsof zijn voeten de grond niet raken, en glimlacht terug. 'Je hebt me geen antwoord gegeven, jochie.'

'Tja, het enige wat ik weet is dat ik iets moet vinden. En ik ben ervan overtuigd dat het in deze pagode moet liggen. Maar ik weet niet precies wat het is.'

'Heel interessant...' antwoordt de ober in zijn lange zijden gewaad. 'En hoe weet je dan dat het hier ligt?'

'Dat is me voorspeld door een tol,' antwoordt Sheng bedaard. 'En ik heb het ook gedroomd.'

'Een speeltje en een droom. Je wordt geleid door vaste zekerheden...'

'Ik ken geen betere leiders.'

'Volgens mij zijn er ook geen betere.' De man kijkt om zich heen. 'En als datgene inderdaad hier is, wat ben je dan van plan als je het eenmaal hebt herkend?'

'Dan probeer ik erachter te komen waarom het zich heeft laten herkennen.'

De man kijkt op de grote klok achter de balie die de zitruimte van de keuken scheidt. 'En denk je dat je dat allemaal zal lukken binnen één uur?'

Een uur later gaan de hekken van de Tuin van de Mandarijn Yu open. Sheng rent naar buiten, drijfnat. Hij gaat op zoek naar Ermete op de plek waar ze elkaar voor het laatst gezien

hebben, en niet ver daarvandaan treft hij hem aan in een klein cafeetje, bladerend in een exemplaar van de Engelstalige *Shanghai Daily*.

'Hé! Heb je dit gezien?' vraagt de ingenieur terwijl hij de krant onmiddellijk dubbelvouwt om een nieuwsbericht voor Shengs neus te houden. *Schoten en explosies aan Century Boulevard. Zijn de triades teruggekeerd?*

'We moeten opschieten!' roept Sheng, nog koortsachtiger dan eerst. 'Ik heb het gevonden, Ermete!'

'Wat?'

'De aanwijzing! In het theehuis hing een groot Chinees schilderij, precies in het midden van het paviljoen. Het heeft daar altijd gehangen, voor ieders ogen! Op de meest toeristische plek van de stad; maar het is net alsof niemand het ooit gezien heeft!'

'Een schilderij? Wat voor schilderij?'

'Stel je voor: vier kinderen met kleren in verschillende kleuren zitten op de rug van een grote draak. Een waterdraak. Blauw.'

'Bedoel je zo'n reuzenslang zonder vleugels met een paardensnuit die jullie Chinezen "draak" noemen?'

'Ik bedoel de machtigste draak van alle draken, met ons vieren erbovenop!'

'Hoezo, "ons vieren"?'

'Luister! De jongen die op de staart van de draak zit heeft een soort stenen ei in zijn hand. Het meisje vóór hem heeft een spiegel. Het andere meisje draagt een lange witte mantel, versierd met goudschilfers...'

'Steen, spiegel, sluier... en de vierde?'

'De vierde is weer een jongen, hij houdt de teugels van de draak in de hand en laat hem vliegen... naar een stralende ster die boven de zee hangt.'

'Hemeltje lief,' zegt Ermete.

Sheng vervolgt: 'Wacht, ik ben nog niet klaar. Het schilderij is in 1700 geschilderd door een jezuïet.'

'Een jezuïtische monnik? In 1700?'

'Precies! Hij heette Giuseppe Castiglione.'

Ermete spert zijn ogen wijdopen. 'Hoe ben je daar achtergekomen?'

'Dat heeft de ober me verteld.'

'Een zeventiende-eeuwse jezuïet die in China kunstschilder was. Nee maar!'

'De ober zei dat als ik er meer over wil weten, ik het maar aan de jezuïeten van Shanghai moet gaan vragen,' verklaart Sheng. 'Hij zegt dat ze een gigantische bibliotheek hebben. En dat zij ons vast wel kunnen helpen.'

'Weet je waar dat is?'

'We moeten de metro nemen naar Xu Jia Hui. Dat is wel te doen, maar het probleem is er binnen te komen. Volgens de ober is de bibliotheek niet geopend voor publiek. En ze hanteren vreemde openingstijden.'

'Jezuïeten, zei je?' mompelt Ermete. 'Ik heb op school gezeten bij de jezuïeten. Eens even kijken... hoe laat is het nu in Italië?' Hij rekent het snel uit. 'Het is wel vroeg, maar...'

De ingenieur toetst een nummer in zijn telefoon.

'Wat doe je?'

'Ik bel mijn moeder. Kom, wijs jij intussen de weg naar de metro.'

'Ben je helemaal betoeterd? Op dit tijdstip slaapt ze toch nog!'

'Ja, en? Je wilt toch naar binnen bij een jezuïetenbibliotheek? Dan zorg ik dat je binnenkomt in een jezuïetenbibliotheek.' Ermete wacht tot de telefoon overgaat. 'Had ik al verteld dat ik misdienaar ben geweest in alle kerken van Rome? Ik heb contacten... belangrijke contacten. En misschien is dit het moment om daar eens gebruik van te maken!'

28
DE BIBLIOTHEEK

De kerk heet de Sint Ignatius, vernoemd naar de stichter van
de orde der jezuïeten: Sint Ignatius van Loyola.

Het is een indrukwekkende rode kathedraal met twee
spitse torens. Een groot wit Christusbeeld prijkt boven de
ingang, geflankeerd door beelden van de vier evangelisten.
De bibliotheek bevindt zich aan de zijkant van de kerk, in
een oud gebouw dat lijkt te worden beschermd door een
gigantische, eeuwenoude boom.

'Ginkgo biloba,' roept Sheng opnieuw verrukt bij het zien
van die boom. Dit kan geen toeval zijn: hij volgt inderdaad
een spoor dat diep in het verleden wortelt.

Voor de ingang van de bibliotheek staat een kleine monnik. Hij heeft een eivormig gezicht, een bril met een verguld
montuur en een kort zwart-wit baardje.

Ermete en Sheng rennen zo hard mogelijk de binnenplaats

over, in een vergeefse poging voor de regen te schuilen, en staan dan voor de broeder.

'Heel aardig van u om ons binnen te laten!' schreeuwt Ermete bijna terwijl hij het trapje naar de ingang op rent.

'Met alle genoegen, meneer De Panfilis. De kardinaal heeft me zojuist op de hoogte gesteld van uw komst.'

Een handdruk, eenvoudig en hartelijk.

Wanneer de pater zich tot hem wendt, beseft Sheng dat hij hem al eerder gezien heeft; hij is een van de mensen die hem hebben toegesproken tijdens zijn droom vannacht. Samen met de zigeunerin uit Rome, de postbode uit New York en de bewaker van het museum in Parijs.

'Pater Corrado,' stelt de man zich voor.

'Sheng,' antwoordt de jongen terwijl hij hem even harte-lijk de hand reikt. Dit is dus de bewaker van Shanghai, bedenkt hij met een gevoel van dankbaarheid.

'Welkom in de Zi-Ka-Wei bibliotheek...' glimlacht de pater. 'Ook wel bekend als de Reservata Bibliotheca, Missie-bibliotheek, Bibliotheca Major, Xujiahui Tianzhutang Cangs-hulou, of gewoon de Grote Bibliotheek.'

Na de kennismaking gaat pater Corrado hen voor het gebouw binnen. 'De kardinaal zei dat jullie zouden komen voor een onderzoek. Wat hebben jullie precies nodig?'

Ermete kijkt naar Sheng. 'Hij is de expert.'

De jongen geeft een snelle beschrijving van het schilderij, waarbij pater Corrado steeds ernstiger knikt.

'Heel ongewoon, moet ik zeggen. En waar zei je dat je dat schilderij hebt gezien?'

'Het hangt in het theehuis in de Tuin van de Mandarijn Yu.'

'Echt waar?'

'Kent u die Giuseppe Castiglione?' vraagt Ermete.

De jezuïet glimlacht. 'Natuurlijk. Wie zou Giuseppe Castiglione niet kennen?'

'Inderdaad... Wie kent hem niet?' grinnikt Ermete.

'Giuseppe kwam naar Shanghai toen de grote Qianlong keizer was, degene die de tuin en het theehuis heeft laten bouwen. In die tijd hadden de jezuïeten een uitstekende relatie met China, vol culturele uitwisselingen waar beide partijen van profiteerden. Giuseppe was een fantastisch kunstschilder, zodat hij al snel opklom tot hofschilder van de Keizer, die hem verkoos boven veel andere, Chinese kunstenaars. In China veranderde hij zijn oorspronkelijke naam in Lang Shining.'

Onder het praten gaat pater Corrado hen voor in de oude bibliotheek.

'Ik wist niet dat er in China jezuïeten zaten,' zegt Ermete.

'Dat weten maar weinig mensen. Toch waren wij geloof ik de eerste westerlingen die een stevige band kregen met het Keizerrijk. We hadden al vanaf de zeventiende eeuw een delegatie aan het hof. Wij waren degenen die hun kalender aanpasten, en we waren ook degenen die de Chinese taal voor het eerst vertaalden in Europese talen.'

'Dus het is jullie schuld dat elke straat hier vier verschillende naambordjes heeft?' grapt Ermete.

Pater Corrado glimlacht. 'Als u het zo wilt stellen, inderdaad. Hoe dan ook, onze aanwezigheid werd niet altijd op

prijs gesteld. Maar ondanks vele problemen hebben we deze verzameling boeken altijd weten te behouden. Het is nu een van de belangrijkste collecties van het land. Vooral voor mensen die informatie zoeken over kinderen op de rug van een draak, die nergens anders te vinden is.'

De afdeling Chinese boeken die ze hebben betreden heeft roodgelakte planken en beslaat een lange gang met vijf zijkamers, waar de hoogste schappen bereikbaar zijn via een tussenverdieping van wit hout.

'Vroeger waren er zes kamers,' verklaart pater Corrado spijtig. 'En dat aantal was niet toevallig gekozen: deze bibliotheek was een volmaakte kopie van de privé-bibliotheek Tian Yi Ge van de Ming-dynastie, en van het volmaakte evenwicht tussen hemel en aarde. Tussen horizontaal en verticaal. Maar door de werkzaamheden aan de metro moest de zesde kamer plaats maken voor het trottoir buiten.'

'Logisch...' mompelt Ermete, alsof het niet volkomen absurd is wat hij zojuist te horen heeft gekregen.

Pater Corrado blijft staan voor de deur van de vijfde kamer. 'Deze ruimte heet Cang Jing Lou, oftewel...'

'Het gebouw dat boeken huisvest,' vertaalt Sheng.

'En zo te zien zijn het er heel wat,' merkt Ermete bewonderend op. 'Ik zou zeggen toch op zijn minst... honderdduizend?'

'O, ze zijn nooit allemaal gecatalogiseerd. Vooral de Chinese boeken niet. Maar waarschijnlijk zijn het er, inclusief de tijdschriften, meer dan vijfhonderdduizend. Onderverdeeld in zesendertig hoofdcategorieën en tweehonderdzesentachtig subcategorieën. Of misschien kan ik beter zeggen zevenen-

dertig hoofdcategorieën en tweehonderdvijfentachtig subcategorieën.'

Pater Corrado kijkt het tweetal samenzweerderig aan. 'In
dat geval tel ik ook de categorie "boeken die eigenlijk niet
kunnen bestaan" mee. Die bewaren we dan ook op ons...
"niet-bestaande schap".'

Hij haalt twee dikke, in leer gebonden boeken van een
gelakte plank en drukt zachtjes tegen een houten paneel,
waardoor de beschilderde bekleding opzij schuift. Daarachter,
in een kleine nis, liggen enkele oude boeken. Pater Corrado
pakt een leren opschrijfboek, dichtgeknoopt met een leren
veter, en geeft het aan Sheng. Vlug plaatst hij het paneel en
de twee dikke boeken terug en glimlacht. 'Zelfs de mannen
van het Communistische bevrijdingsleger hebben dit niet
gevonden toen ze hierheen kwamen om alle boeken te ver-
branden.'

Sheng houdt de leren bundel in zijn hand.

'Wat ik je heb gegeven is een van de dagboeken van
Giuseppe Castiglione, geschreven in het jaar van zijn komst
naar Shanghai, dat hij heeft nagelaten aan onze missie.'

'Een dagboek?' roept Ermete uit terwijl hij over Shengs
schouder mee gluurt.

De pater gaat hen voor naar een afgezonderd zaaltje. 'Hier
zullen jullie niet gestoord worden. Het kopieerapparaat staat
achterin, mochten jullie dat nodig hebben.'

29
DE WERKKAMER

Twee mannen stijgen op naar de hoogste verdieping van de zwarte wolkenkrabber aan Century Park. Ze zijn door een lange gang vol kindertekeningen gelopen, door een kleine slaapkamer, een trap op en vervolgens door een hermetisch gesloten deur.

De voorste man loopt stijfjes, met de handen op zijn rug. De achterste heeft kort, wit haar en houdt een viool in de hand.

'Je weet niet waar je mee bezig bent...' herhaalt Heremit Devil voortdurend.

Achter hem prikt Jacob Mahler met de strijkstok in zijn rug. 'Het is afgelopen, Heremit. Snap je dat nu nog niet?'

Helikopters ronken langs de ramen en proberen te ontdekken wat er in het gebouw gebeurt. Het nieuws van de invasie van insecten heeft razendsnel de ronde gedaan langs de informatiesystemen, evenals dat van de reeks ontploffingen die heeft plaatsgevonden in de lagergelegen verdiepingen. De wolkenkrabber is doormidden gesneden: vanuit de werkkamer op de een-na-hoogste verdieping kan niet meer gecontroleerd worden wat er beneden gebeurt. De tv-schermen van de beveiligingsinstallatie zijn gesprongen en een voor een gedoofd.

De ruimte op de bovenste verdieping is vrijwel helemaal leeg. Het is een groot kantoor zonder meubels. De vloer wordt volledig in beslag genomen door een schildering van een grote wereldkaart. De twee mannen lopen weldra over de continenten. Voordat de elektriciteit in de wolkenkrabber het begaf, zouden hun voetstappen een reeks tikjes hebben opgeleverd, en zouden er piepkleine lichtjes aan- en uit zijn gegaan in het voorbijgaan.

'Je oude werkkamer,' sist Jacob Mahler. 'Hoelang had je nog gedacht over de wereld te zullen heersen, hm?'

'Waarom heb je me gedwongen naar boven te gaan?'

'Omdat ik weet hoezeer je deze ruimte haat. Hier was je toen ze je het nieuws kwamen vertellen, hè? Wanneer was het? Acht jaar geleden? Zeven?'

Het gezicht van Heremit Devil wordt lijkbleek.

'Dat was een heel zware klap, hè? Zelfs voor iemand zonder hart zoals jij.'

Buiten op straat doen de sirenes en de schijnwerpers denken aan sierlijke kerstverlichting. Als er één ding is waar Heremit Devil niet tegen kan, is het de onzekerheid dat hij niet weet wat er daar beneden gebeurt. En dat hij niet weet wat Mahler van plan is.

'Als je me ook maar aan durft te raken, Jacob, dan zal Nik dat Amerikaanse vriendje van je vermoorden.'

'O ja, hoe komt hij daar dan achter? Wou je hem soms opbellen?'

'Hij is onderweg naar boven.'

'Hij komt aan in je nieuwe werkkamer. Dan zal hij zich afvragen waar je bent gebleven. En tegen de tijd dat hij besluit hierheen te komen... ben ik allang klaar.'

'Klaar met wat, Jacob?'

De huurmoordenaar zet zijn strijkstok op de snaren van de viool. De regen tikt als een razende tegen de ramen. Zwermen muggen drommen tegen het glas om naar binnen te kunnen.

De stok strijkt over de viool en produceert een schelle toon. Heremit Devil deinst geërgerd achteruit. 'Wat doe je?'

De viool produceert een tweede en een derde toon, die als een precisiewapen de onbreekbare wanden van de wolkenkrabber treffen. Op een aantal plaatsen verschijnen er onzichtbare scheurtjes in de normaal gesproken onverwoestbare ramen. Dan worden de scheuren breder, en uiteindelijk knallen ze uit elkaar in een waterval van scherven.

'Het wordt tijd dat hier eens een frisse wind gaat waaien,' fluistert Jacob terwijl de regen, de insecten en de wind de oude werkkamer van de Heremiet-Duivel binnendringen.

Het zijn schoten, die Elettra en Mistral boven hun hoofd horen suizen.

'Liggen!' roept Elettra terwijl ze zich op de grond werpt.

Mistral houdt op met zingen, en op hetzelfde moment verspreiden de insecten zich in alle richtingen, in elk kantoor, elk luchtgat, elk vertrek.

Er klinken kreten. Nog meer schoten. De meisjes liggen plat op de grond, op de eerste verdieping van de wolkenkrabber van Heremit Devil. Zo te zien een gigantisch restaurant.

Tot op dit moment hebben ze vrijwel geen weerstand ondervonden: Elettra heeft alle deuren en camera's die ze op hun pad vonden laten ontploffen, terwijl Mistral paniek en verwarring zaaide met haar invasie van sprinkhanen, muggen, vliegen en libelles.

Ze hebben op alle mogelijke manieren geprobeerd op de ondergrondse verdieping te komen, maar ze hebben geen trap kunnen vinden. Dus hebben ze maar een trap omhoog genomen, al zoekende. En nu, na de eerste verwarring, lijkt de beveiligingsploeg in actie te zijn gekomen.

'Hierheen!' schreeuwt Elettra terwijl ze langs de tafeltjes rent.

'Waar gaan we naartoe?'

Muggen, vliegen, libelles overal om hen heen. Ze vullen de lucht met hun gezoem.

'Naar de liften!'

De meisjes rennen voorovergebogen tussen de tafeltjes door terwijl de kogels over hen heen suizen en enkele aquaria aan gruzelementen knallen.

'Roep de insecten!' schreeuwt Elettra als ze in een lange gang belanden waarin ze geen dekking kunnen zoeken.

Mistral begint weer te zingen, en als bij toverslag verzamelt ze een zwarte, gonzende mantel om hen heen die zich

vervolgens als één lichaam door de gang beweegt.

De twee vriendinnen springen in de eerste de beste lift die opengaat. De enige ondergrondse verdieping is die van de parkeergarage. Elettra drukt op de knop. De lift schiet omlaag.

Ondergrondse parkeergarage. Beton. Auto's met geblindeerde ramen.

Heeft Harvey haar van hieruit opgebeld?

Elettra kijkt koortsachtig om zich heen.

'Eruit!' schreeuwt ze tegen Mistral. Dan legt ze haar handen op de liftknoppen, concentreert zich even en laat haar woede ontploffen.

De gouden lift blijft met een zuigend geluid hangen, halverwege de drieënvijftigste en vierenvijftigste verdieping. Nik Knife drukt een paar keer vergeefs op de knop. Het licht gaat uit en in plaats daarvan gaat er een veiligheidslamp aan.

'Je kunt me maar beter laten gaan,' zegt Harvey naast hem.

Met twee snelle bewegingen tilt Nik Knife een luik in het plafond op, hijst zich uit de cabine en staat balancerend op het dak. Ze hangen op minder dan een meter van de opening van de vierenvijftigste verdieping. Hij springt ernaartoe, grijpt zijn mes en haalt het door de spleet van de gesloten deuren.

Als de opening groot genoeg is om erdoor te kunnen, klimt hij naar buiten en roept dat Harvey achter hem aan moet komen.

'Ik denk er niet aan!' roept de jongen vanuit de liftcabine.

Een suizend geluid.

Harvey krijgt een branderig gevoel in zijn arm en het volgende moment zit de mouw van zijn trui met een mes vastgenageld aan de wand van de lift.

'De volgende keer mik ik óp je arm,' schreeuwt Nik Knife boven hem.

30
De jezuïet

Ermete en Sheng zitten aan een houten tafel vol houtworm-
gaatjes, waarop oude handgeschreven registers liggen. Sheng
maakt de strik van het dagboek los en slaat het boekje vol
penseeltekeningen van de oude jezuïet open.

'De data zouden weleens kunnen kloppen,' mompelt
Ermete, brandend van nieuwsgierigheid. 'In 1700 gingen de
sporen van het Pact in het Oosten verloren.'

'Ja,' knikt Sheng. 'Maar niemand zegt dat we... hierin
een verklaring zullen vinden voor de aanwijzingen die we
hebben: een trommel vol munten en een roodgelakt pasje
met vier zwaarden erop.'

De bladzijden zijn genummerd met een rood, vierkant
stempel, en in het begin bevatten ze helemaal geen tekst.
Alleen maar grote aquareltekeningen en schetsen met zwarte
inkt van een kroontjespen: een vogel met rode veren, twee

paarden, een man met een lange bamboespeer. Dan, op bladzijde vier, beginnen de eerste aantekeningen, en Sheng ontdekt dat hij ze niet kan lezen.

'Volgens mij zijn ze in het Italiaans.'

De ingenieur bestudeert het priegelige handschrift van de jezuïet. 'Meer Latijn dan Italiaans, maar... ik kom er evengoed wel uit. *Tekeningen en aantekeningen van Giuseppe Castiglione, gedurende zijn reis van Zhaoquing naar Xujiahui, in het oude huis van Xu Guangqi, officier aan het keizerlijk hof en christen-broeder.*' Hij slaat de bladzijde om. Er staat een schets van een grote boom met sterke bladeren. 'Sheng, wat zoeken we eigenlijk in dit dagboek?'

'Ik weet het niet precies.'

Op bladzijde zes noteert Giuseppe de etappes van zijn reis, afgewisseld met kleine tekeningetjes die meer weg hebben van geheugensteuntjes of schetsen voor andere tekeningen. Ermete neemt het handschrift vluchtig door en leest hier en daar een paar woorden voor.

'Als we zo doorgaan kan het wel een hele dag duren,' zegt hij een kwartiertje later.

Sheng bekijkt het opschrijfboek met de bonte tekeningen en het nauwkeurige handschrift. 'Geef eens...' Hij begint het snel door te bladeren.

Ineens stopt hij. Hij heeft een miniatuurversie gevonden van het schilderij in het theehuis: de vier kinderen op de rug van de draak en de schitterende ster boven een kobaltkleurige zee.

'Wat staat erbij geschreven?' vraagt hij aan Ermete.

'*De vier Wijzen berijden de zeedraak,*' leest de ingenieur voor.

Op de volgende pagina staat een schets van een vloot schepen die in de richting van diezelfde zee vaart.

'En hier?' vraagt Sheng, wijzend naar een blokje tekst.

'*De vloot van Zheng He verlaat de havens van Chini om de Wijzen van de draak te volgen,*' vertaalt Ermete. 'Daarna is het moeilijk te lezen... hij heeft een regel doorgestreept. Zo te zien staat er: *Hij zal worden vernietigd, want men kan de zeedraak niet volgen zonder... hart.*'

Nerveus slaat Ermete de bladzijde om. De volgende tekening stelt een komeet voor die stralend boven een klein eilandje hangt. De staart van de komeet is blauw, net zoals de draak op de eerste tekening. Naast de komeet is de constellatie van de Grote Beer afgebeeld. Voor het eiland ligt een schip met de draak op de voorsteven. '*Het schip en de zeedraak bereiken het eiland Penglang in de Bohai-zee, verblijfplaats van de acht onsterfelijke Wijzen.*'

Dan leest Ermete met ontroerde stem verder: '*Volgens de legende verrijst het eiland slechts eens in de honderd jaar uit het water...*'

'Ja!' roept Sheng uit. 'En hier,' vraagt hij, wijzend op een regel die in nog kleinere letters is geschreven.

'*Alleen de zeedraak kent de ligging van het eiland. En alleen de vier Wijzen bewaken de geschenken om de draak te wekken.*'

'Volgens mij zijn we er.'

Ermete slaat de bladzijde om en vindt een tekening van twee mannen naast een kruispunt van twee rivieren. Een man wijst naar het water. De tweede staat over een houten instrument gebogen.

'Moet je zien wat die aan het doen is...' mompelt Sheng met ingehouden adem.

'Hij gooit een tol... op de houten kaart!' roept de ingenieur uit. Dan leest hij: *'Men zegt dat de naam "China" is afgeleid van de benaming "Chini" waarmee de oude Chaldeeën deze regionen aanduidden.'*

'Zijn de Chaldeeën hier geweest?'

'Kennelijk,' mompelt Ermete.

De volgende pagina is leeg. Ermete bladert snel terug in het opschrijfboek, tot aan de bladzijde met de vier kinderen op de rug van de draak. De pagina daarvoor is voorzien van een snel portret en een aantekening: *'De legende van Penglang, het eiland der Wijzen, zoals mij verteld door Hsu Kwang-ch'i, onze vriend en leerling, die hem zelf heeft vernomen van de Wijze Chi-Han-Ho, die hem op zijn beurt heeft gehoord van zijn leermeester.'*

'Leermeester... leermeester... leermeester...' mompelt Sheng. 'Dit is dus de informatieketen die hier verloren is gegaan.'

'En nu we dat weten?' vraagt Ermete.

'Dat lijkt me duidelijk: we moeten de zeedraak vinden,' antwoordt Sheng. 'Alleen de vier Wijzen weten hoe ze die moeten wekken.'

'Met de geschenken...'

'Precies. De spiegel, de ster, de sluier en...'

'Als hij eenmaal is gewekt, zal de draak ons wijzen hoe we Penglang kunnen bereiken,' vervolgt Ermete sarcastisch. 'Het eiland dat elke honderd jaar opduikt. Fluitje van een cent.'

'Een draak...' fluistert Sheng.

'Die heel goed boven ons hoofd zou kunnen hangen,' klinkt een stem die hen verrast.

Ermete en Sheng draaien zich met een ruk om. Pater Corrado staat achter hen. 'Sorry dat ik een deel van jullie gesprek heb opgevangen. Maar het zal jullie niet verbazen dat ik de legende van dat eiland wel ken. En volgens mij is het een legende uit de astronomie. De draak waarover het gaat, staat namelijk dicht bij de Grote Beer, kijk maar. Het zou dus de constellatie van de Draak kunnen zijn, die in vroeger tijden de constellatie was waarin de Poolster voorkwam. En die het noorden aanwees.'

Ermete vouwt perplex zijn handen in zijn nek.

Pater Corrado vervolgt: 'Een paar duizend jaar geleden was de Poolster niet onze Polaris, die zich in de staart van de Kleine Beer bevindt, maar de ster Thuban, in het sterrenbeeld Draak. De Draak is een heel uitgestrekt sterrenbeeld dat zich aan de hemel ontvouwt met in de staart alle twaalf de tekens van de dierenriem. De Draak heeft dus met alle tekens van de dierenriem te maken. Voor ons katholieken is het de verleiding van het kwaad, waaraan niemand kan ontsnappen. Maar voor kenners van de astronomie heeft het een andere betekenis: door de bewegingen van de Draak aan de hemel te bestuderen, kunnen zonsverduisteringen of maansverduisteringen worden voorspeld, want die vinden altijd óf op de kop, óf op de staart van de Draak plaats. Daarom bestaat er een populair gezegde onder astronomen, dat luidt: "De draak veroorzaakt verduisteringen". En ook wel: "De draak heeft de zon opgegeten". Jullie hadden het net over de Chaldeeën...'

'Ja,' zegt Sheng. 'We hebben in het dagboek gelezen dat ze vroeger zelfs in Shanghai zijn geweest.'

'Dat is goed mogelijk. Hun Magiërs bezochten een groot deel van de bekende wereld. Hoe dan ook... de Chaldeeën wisten meer dan wie ook over de sterren en verduisteringen. De grote Griekse geleerde Thales van Milete was dankzij hen in staat de zonsverduistering van mei 585 voor Christus te voorspellen, die ook inderdaad op de voorspelde dag plaatsvond.'

Pater Corrado kijkt zijn twee gasten aan, die tamelijk versteld staan om zijn kennis van de astronomie. 'Er is nog één ding wat ik jullie kan vertellen. Het woord draak is afgeleid van het Griekse woord "derkein", wat "zien" betekent. Er is immers heel veel lef voor nodig om een draak te berijden. En om hem te zien.'

De ogen van pater Corrado zijn recht op die van Sheng gericht, wiens mond openvalt van verbazing.

Het lef hebben om te zien wat anderen niet kunnen zien, denkt Sheng. Het lef hebben om de draak te wekken.

En om hem te volgen naar het eiland van de onsterfelijke Wijzen.

Zijn hart gaat als een razende tekeer. Hij heeft eindelijk begrepen wat hem te doen staat. Hij wendt zich tot Ermete en zegt: 'Ik weet waar hij is.'

Zodra Sheng en Ermete weg zijn, bergt pater Corrado peinzend het oude dagboek weer veilig op. Hij heeft het nog nooit aan iemand laten zien. En er is ook nog nooit iemand om komen vragen. Het dagboek is al minstens tweehonderd jaar niet van zijn plek geweest.

Als alles weer in orde is, begeeft pater Corrado zich naar de metro en wringt zich in een overvolle wagon richting Huangpi Nan Lu. Aangekomen op de plaats van bestemming wandelt hij naar de Oude Stad. Twintig minuten later klapt hij zijn paraplu in op het houten terras van het theehuis in de Tuin van de Mandarijn Yu. Hij kijkt nieuwsgierig om zich heen, op zoek naar de oude ober en het schilderij van Giuseppe Castiglione waarover Sheng hem heeft verteld.

Maar natuurlijk is er in het theehuis geen spoor te bekennen, noch van de ober, noch van het schilderij. Pater Corrado knikt, alsof hij bevestiging heeft gekregen voor wat hij al had verwacht. 'De hoop heeft gouden ogen...' mompelt hij.

'Wat zei u?' vraagt een jonge ober.

'Ik zei dat je gouden ogen nodig hebt om andermans dromen duidelijk te kunnen zien. En toch zijn ze hier, voor ieders ogen.'

31
DE AUTO

'*Das vidania! Das vidania!*' zeggen de mensen uit de coupé hartelijk ten afscheid als de trein afremt om te stoppen bij een piepklein stationnetje, eenzaam op de Siberische taiga.

Linda Melodia geeft iedereen een hand en kijkt tevreden om zich heen. In een paar uur tijd heeft ze die smerige coupé van de Russische spoorwegen omgetoverd tot een glanzend juweeltje. Alle kleren liggen netjes opgevouwen in de bagagerekken, de schoenen staan keurig gerangschikt op de grond, glimmend gepoetst. De vloer is grondig gedweild met een in alcohol gedrenkte lap, de rotzooi verzameld in een zak die op het toilet in de prullenbak is gedumpt. Een ware triomf, die Linda zwijgend is aangevangen door de kleren van haar reisgenote netjes op te vouwen, en waaraan langzaam maar zeker iedereen in de coupé zijn steentje ging bijdragen. Aanvankelijk was Linda de enige die bezig was, ze hing hier een jas op en vouwde daar een trui op, maar algauw volgden de andere vrouwen haar voorbeeld, eerst lacherig, maar naarmate de opruimactie vorderde steeds fanatieker en vastberadener. Na het eerste uur gaf Linda leiding aan een ploeg van vijftien Russische dames met paarse wangen, die haar wonderlijk genoeg precies begrepen. En na het tweede uur hadden zelfs de meest sceptische reizigers, die noodgedwongen moesten afzien van hun stinkende sigaren, moeten toegeven dat reizen in zo'n schone coupé net was alsof ze eersteklas reisden.

'O nee, dankuwel, dat kan ik niet aannemen!' zegt Linda nu tegen een van de schakers die erop staat haar zijn halve fles wodka te geven.

Ze heeft ook maar liefst twee huwelijksaanzoeken stellig afgewezen.

Als de trein fluitend tot stilstand komt, pakt mevrouw Melodia haar kleine koffertje, neemt triomfantelijk afscheid en stapt uit de trein. Een kruier heeft even verderop haar grote koffer met wieltjes uitgeladen, maar over de hobbelige stenen krijgt ze die met geen mogelijkheid vooruit.

'O, hemeltje!' roept ze om zich heen kijkend.

Het station, waarvan ze zich nu al niet meer de naam herinnert, is smerig, vol mensen die af en aan lopen, en... paardenkarren. Ze heeft al in geen jaren meer paardenkarren zien rijden.

'Die schoenen!' roept ze als ze een man in haar coupé ziet stappen met zijn schoenen onder de modder. De man kijkt haar niet-begrijpend aan en Linda haalt haar schouders op. Hopelijk zullen haar leerlingen erop toezien dat die lomperik zo niet naar binnen stapt.

Mismoedig pakt Linda haar koffer. Ze overhandigt wat muntjes aan de kruier die nog steeds naar haar staat te kijken en dan sleept ze de koffer het station uit. De kleine kunststof wieltjes veranderen op de onverharde weg naast het trottoir in twee kleine voren, waardoor ze zich een ongeluk moet trekken.

Eenmaal op de troosteloze open plek naast het stationsgebouw haalt Linda hijgend het briefje met haar reisplan uit haar zak. De eerste tien regels ervan heeft ze inmiddels doorgestreept, zodat alleen de laatste nog te lezen is: *Een auto met chauffeur huren om naar Tunguska te rijden.*

'Heel goed,' besluit ze, nog steeds vastberaden om elk probleem zo snel mogelijk op te lossen.

Ze kijkt om zich heen.

Afgezien van het station staat er geen enkel huis. Er is niets dan een platte, mistroostige vlakte van laag gras en struiken waarop paarden staan te grazen.

Terwijl ze staat te bedenken welke richting ze moet nemen, komt er hortend en stotend een zwarte auto aan rijden.

'Mevrouw Melodia?' vraagt een man die van de achterbank stapt. Een beschaafd manspersoon op leeftijd, elegant en goedgekleed.

'Ja,' antwoordt Linda. 'Wie bent u?'

'Mijn naam is Vladimir. Ik ben een vriend van uw zus.'

'Volgens mij vergist u zich. Ik ben er onlangs achtergekomen dat ik geen zussen heb.'

De man glimlacht.

'Daarin vergist u zich. Voor zover ik weet hebt u er ten

minste één. En trouwens, ik zou ook een vriend kunnen zijn van de zus die u niet meer hebt.'

Linda fronst haar voorhoofd. 'U praat mij iets te ingewikkeld, beste meneer.'

'Dat komt door mijn werk. Ik handel in ouderwetse spullen. En ik praat op een ouderwetse manier.'

'Hoe dan ook...' mompelt Linda. 'Waarom bent u hier?'

'Uw zus... of eigenlijk... de persoon van wie u dacht dat ze uw zus was... heeft me op de hoogte gesteld van uw komst, en het leek me aardig als iemand u van het station zou komen afhalen.'

'Heel aardig, inderdaad, maar...'

'Ik wil u graag vergezellen naar iemand die u de dingen kan vertellen die u wilt weten. De dingen waarvoor u helemaal hier naartoe bent gekomen.'

'Volgens mij vergist u zich, meneer. Ik moet naar...'

'Naar Tunguska, dat weet ik.'

'O...' mompelt Linda een beetje onthutst. 'Hoe weet u dat?'

'Soms schieten ook handelaren in ouderwetse spullen helemaal in de roos. Wilt u instappen of blijft u liever hier in de kou staan?' vraagt Vladimir glimlachend.

32
HET PARK

Metrostation Shi Ji Parl.

Groene lijn, nummer twee.

Halte Century Park.

Sheng stapt uit met Ermete in zijn kielzog. Ze hebben twee lichtblauwe plastic regenjassen gekocht, waardoor ze net twee rare, slecht ingepakte vissen lijken.

'Zou je misschien wat duidelijker kunnen zijn?' vraagt Ermete voor de zoveelste keer.

'Ik moet dat jongetje terugvinden,' schreeuwt Sheng.

'En die munten dan? En dat rode pasje?'

'Ik weet het niet!' roept de jongen. 'Maar ik voel dat dat minder belangrijke aanwijzingen zijn dan dat jongetje!'

Ermete reageert niet. Het is inderdaad niet erg duidelijk hoe ze een draak die misschien een sterrenbeeld is zouden moeten vinden met behulp van een koektrommel, wat oude munten en een gelakt pasje. Om nog niet te spreken van de Sluier van Isis en de notitieboekjes van Mistral, die ze al de hele dag met zich meesjouwen in de rugzak.

'En dan?' vraagt hij. 'Stel dat we hem vinden?'

'Stel dat we wát vinden?'

'De draak.'

'Dan ruilen we hem samen met de Sluier van Isis om voor Mistral, Elettra en Harvey,' zegt Sheng. 'Op die manier heeft hij alle vier de voorwerpen. En dan zijn wij gezond en wel, en laten we dit hele gedoe voor eens en voor altijd achter ons. Niemand dwingt ons om tot het einde door te gaan, toch? Onze leermeesters zijn ook niet doorgegaan. En toen is er ook niets ergs gebeurd.'

'Behalve dan een meteorietinslag in Siberië en een aardbeving in Messina,' helpt Ermete hem herinneren.

Sheng bijt op zijn lip en kijkt op. Er vliegt nog steeds een helikopter rond de zwarte wolkenkrabber aan de andere kant van het park.

'En hoe wil je Heremit Devil vertellen dat je wilt ruilen?' vraagt Ermete.

'We gaan terug naar het Grand Hyatt. We zoeken die vent met die schietschijf op zijn hoofd getatoeëerd. En dan doen we hem een voorstel.'

Ze lopen het park in. Aan de linkerkant een groot meer. Rechts een rolschaatsbaan, bankjes. Bomen. En nog meer meertjes.

'Dat kun je niet menen...' zegt Ermete even later.

'Wat niet?'

'Dat is geen goed idee. De voorwerpen afgeven net nu we eindelijk weten waar ze voor dienen.'

'Waarvoor dan?'

'De voorwerpen zijn de geschenken om de zeedraak te wekken, die, bereden door de vier jonge Wijzen, de ligging van het eiland Penglang zal aangeven. Of hoe dat ook moge heten.'

'Heel simpel,' schampert Sheng. 'Alleen jammer dat we niet weten wat die zeedraak eigenlijk is, of hoe die ons de route kan wijzen naar een eiland waarvan we niet eens weten of het bestaat. En bovendien weten we ook niet eens wat er op dat eiland is. Maar om de een of andere mysterieuze reden moeten we er wel naartoe.'

Eigenlijk weet ik het maar al te goed, denkt hij intussen. Want ik droom er al een jaar van: ik droom van het eiland, en dat mijn vrienden moeizaam uit een jungle komen en zich in zee gooien. Dat ze naar het eiland zwemmen. En als ze eenmaal op het strand zijn, worden ze opgewacht door een vrouw wier gezicht schuilgaat achter een sluier.

'Er is maar eens in de honderd jaar de mogelijkheid om het eiland te bereiken...' zegt Ermete. 'En jij bent degene die ons ernaartoe moet brengen.'

'Hoezo?'

'Op de tekening van de jezuïet... zit Harvey op de staart van de draak met de Ster van Steen, en voor hem zaten Elettra en Mistral. En jij... jij hield de teugels van de draak vast! Wat die draak ook moge zijn... jij hebt nu de teugels in handen.'

'Maar waarom moet het allemaal zo ingewikkeld zijn?' moppert Sheng geërgerd. 'Ik... ik snap er niets meer van.'

'Laten we dan eens op een rijtje zetten wat we tot nu toe ontdekt hebben.'

'De kaart van de Chaldeeën,' begint Sheng.

'Een kaart die van hand tot hand is gegaan, van Marco Polo tot Christoffel Columbus, en die is ontworpen om mensen te helpen bij het nemen van beslissingen. En die nu jullie moet helpen om dit mysterie op te lossen.'

'Hoezo "jullie"?'

'De vier uitverkorenen.'

'Uitverkoren door wie?'

'Door de vier Wijzen die vóór jullie zijn gekomen. Degenen die de tollen in hun bezit hadden en die ze hebben geprobeerd te gebruiken de vorige keer dat het eiland uit de golven is opgedoken, maar zonder succes.'

'Hoeveel tollen zijn er in totaal?'

'Wij hebben er zes gehad. De tollen zijn imitaties van de sterren die ronddraaien in het universum. De kaart vertegenwoordigt onze wereld. Elke tol houdt een vraag in. En elke keer als hij wordt gegooid, geeft hij zijn orakel.'

'Waarom is het allemaal in Rome begonnen?'

'Dat weten we niet. Dat was de keuze van Zoë. Misschien omdat je met het vuur moet beginnen.'

'Het vuur: Elettra, Mithra, Prometheus en de Ring van Vuur,' somt Sheng op.

'Elettra gebruikt de energie die haar omringt. Mithra is een godheid van Chaldese oorsprong, die door de Romeinen is herontdekt als de zonnegod. Zijn priesters hielden geheimen verborgen.'

'Net zoals de priesters van de cultus van de godin Isis in Parijs.'

'Isis heeft dezelfde oorsprong als Mithra, ook al is zij een Egyptische godin. Hij is de zon en zij is de maan, die altijd een donkere kant heeft. Ze is dan ook tevens de godin van de natuur, die ervan houdt zich te verstoppen.'

'De sterren: de Grote Beer, de Poolster, de ster van Isis, de Draak,' vervolgt Sheng.

'Dat is simpel. De zon, de maan en de sterren. Met hun baan door het universum geven ze het voortschrijden van de tijd aan, en de richting. Het zijn aanwijzingen voor mensen die ze weten te interpreteren.'

'En de Ster van Steen?'

'Dat was een meteoriet. Een vallende ster.'

'En de dierenriem van Dendera in het Louvre?'

'Een spoor van de draad die de oude religies met elkaar verbindt, de cultus van de natuur en het idee dat de mensen een onfeilbaar verbond hebben gesloten. Wij blijven vragen stellen en de natuur verschaft ons de antwoorden, mits wij de diepere betekenis ervan doorgronden.'

'En denk jij dat die er is, die diepere betekenis?'

'Dat weet ik wel zeker. En volgens mij is het... het gevoel hebben dat je deel uitmaakt van één groot plan.'

'En wat is dan het Pact?'

'Dat is een kans, denk ik. Het is het moment waarop we iets kunnen bereiken wat op andere momenten niet te bereiken is. Misschien is het een eiland dat eens in de honderd jaar uit de golven verrijst.'

'En waarom is dat zo belangrijk?'

Even doet Ermete er het zwijgen toe. Dan zegt hij: 'Om dezelfde reden waarom Heremit Devil er eerder wil zijn dan wij.'

Het tweetal staat te praten in de lanen van Century Park, onder de regen die van geen ophouden weet. Dan lopen ze naar het midden van het park, op zoek naar het geheimzinnige vriendje van Sheng.

Ineens grijpt de Chinese jongen Ermete bij de hand.

'Daar is hij.'

'Wie?'

'Dat jongetje.'

Onder de deken van regen, aan de rand van het kunstmatige meer, staat het jongetje met nummer 89 op zijn shirt. Zijn drijfnatte haar plakt tegen zijn voorhoofd, zijn gezicht is bleek en heeft donkere kringen rond zijn grote ogen.

'Jij kunt hem niet zien, hè?'

Ermete ziet een oud vrouwtje met rode kleren aan, met een hondje aan de lijn dat is voorzien van een jasje in dezelfde kleur; hij ziet een fanatieke hardloper die de plassen op het trottoir ontwijkt, en verder niemand.

'Sheng...' zegt hij. 'Je ogen...'

De jongen gebaart dat hij niets hoeft te zeggen. 'Ik weet het, ik weet het... ze zijn geel geworden.'

Hij zet een stap in de richting van het meertje. Het jongetje blijft roerloos staan langs de kant. Hij kijkt naar hem.

Dan heft Sheng zijn hand op, ter begroeting.

Het jongetje zwaait terug.

'Jij blijft hier,' zegt Sheng tegen Ermete.

'Wat doe je?'

'Ik ga met hem praten.'

De ingenieur schudt zijn hoofd.

Sheng loopt langzaam naar het meertje. Hij probeert zelfs te glimlachen, ook al bonst zijn hart in zijn keel.

Lef hebben. Lef hebben.

Hij is bang dat het jongetje zal schrikken en weg zal rennen, net zoals de vorige avond.

Hij doet er vier ellenlange minuten over om bij het meertje te komen. Dan stapt hij van het trottoir af, loopt over het natte gras en blijft voor het kind staan.

Het jongetje is kletsnat, maar het lijkt alsof de regen door hem heen gaat.

'Hallo,' zegt Sheng.

'Hallo.'

'Het spijt me van gisteren.'

'Mij ook. Ik schrok...'

'Ik wilde alleen maar met je praten. Ik heet Sheng.'

'Dat weet ik,' zegt het jongetje.

'Hoe kun jij dat weten?'

'Ik heb heel lang naar je gezocht.'

'Zoeken... ik zou het eerder achtervolgen noemen.'

'Ik wist niet hoe ik je anders moest... helpen.'

'Wil je me helpen?'

Het jongetje knikt. De regen valt dicht om hen heen, traag en warm. De druppels tekenen kringen in het water. Lijnen die op elkaar breken. Onverwachte rimpelingen, zoals die in de kaart van de Chaldeeën zijn gegroefd.

'En waarmee wil je me helpen?' vraagt Sheng.

'Ik weet waar je naar op zoek bent. Je wilt de Parel van de Zeedraak.'

'De Parel van de Zeedraak...' herhaalt Sheng. 'Ja. Daar ben ik naar op zoek.'

'Ik weet waar die is,' zegt het jongetje met nummer 89 op zijn shirt. Hij wijst naar het kunstmatige meer van Century Park.

'In het meer?'

Het jongetje schudt zijn hoofd. Piepkleine waterdruppels spatten in het rond. Zijn haar is dun en breekbaar.

'Het is donker daar beneden. Maar er is een weg. Je moet je adem inhouden. Heel lang. Dan kun je er komen.'

Sheng knikt. 'Maar ik kan niet zwemmen...'

'Je hoeft niet te kunnen zwemmen. Je hoeft alleen maar achter me aan te komen.'

Sheng heeft het gevoel dat zijn hart elk moment uit zijn borst kan springen. Hij zet een paar stappen in het meer. Het water heeft dezelfde grijze kleur als de hemel en hij kan zijn kuiten al meteen niet meer zien. Niet dat het zo diep is, het is gewoon troebel.

'Wacht,' zegt Sheng. Hij wijst naar Ermete die stilstaat op het heuveltje van het park, met de rugzak om. 'Waar zijn dan die munten voor, en dat pasje met die vier zwaarden... en de andere dingen die we ontdekt hebben?'

'O, dat weet ik niet,' antwoordt het jongetje. 'Ik weet alleen maar waar de Parel van de Zeedraak zich bevindt. En de draak zelf, natuurlijk.'

'Hoe weet jij dat dan?'

'Ik droomde er elke nacht van.'

'Ik heb ook elke nacht dezelfde droom.'

'Dat weet ik, Sheng. Jij droomt van het eiland.'

'Hoe weet jij dat?'

'Omdat ik daar ook van gedroomd heb. Maar niet zo vaak. Ik was niet... gevoelig genoeg.' Het jongetje glijdt met zijn vinger over Shengs voorhoofd. 'Daarom kun jij mij zien. Omdat jij, net als ik, dromen kunt zien.'

'Ben jij een droom?'

'Ik ben Hi-Nau.'

Vanaf het heuveltje ziet Ermete hoe Sheng naar het meer loopt, een paar tellen blijft staan en in zijn richting gebaart. Dan zet hij enkele stappen het water in.

'Hé!' roept de ingenieur. 'Wat doe je nu?' Hij loopt een eindje naar voren. Sheng staat nog steeds stil aan de rand van het meer, alsof hij erin wil duiken.

'Nee. Dat kan toch n...'

Sheng duikt in het meer.

'O, verdorie, nee!' schreeuwt de ingenieur. 'Hij is gek geworden!'

Hij rent naar het meer, glijdt uit over het gladde asfalt en staat weer op. 'Sheng! Sheng!' roept hij. 'Kom onmiddellijk uit dat water!'

Het gaat steeds harder regenen. En op dat moment vliegt er een helikopter met wervelende wieken over het park.

Ermete zwaait met zijn armen. 'Help! Help! Kom hierheen! Hij is in het water gevallen! Sheng is in het water gevallen!'

Maar de helikopter vliegt snel voorbij in de richting van het zwarte silhouet van de wolkenkrabber van Heremit Devil.

Ermete bereikt het meer. Hij kijkt naar het grauwe water, bespikkeld met regendruppels. Hij gooit de rugzak op de grond, trekt snel een schoen uit, dan de tweede, dan zijn plastic regenjas. Hij laat alles op de oever liggen en mompelt: 'Jij met je denkbeeldige jongetje... dat zal ik je betaald zetten! Zowaar ik Ermete De P...'

De woorden besterven op zijn lippen. Ineens verschijnt op een paar meter van hem af het druipend natte silhouet van Sheng uit het midden van het meer.

'Hallo Ermete,' zegt hij opgewekt. 'Je hoeft niet te kunnen zwemmen.' Hij wijst op iets onder het wateroppervlak en adviseert: 'Neem de rugzak mee.'

33
DE GIJZELAAR

Insecten, wind, regen. Glasscherven op de vloer die is beschilderd met de continenten. Het geronk van de helikopters. Op de top van de zwarte wolkenkrabber twee schimmen. Een van hen heeft een viool in de hand.

'Lopen! Vooruit!' schreeuwt Jacob Mahler.

Heremit Devil barst in lachen uit. 'Lopen, Jacob? Waar naartoe?'

Mahler wijst met zijn strijkstok naar de verbrijzelde ramen. 'Je mag kiezen.'

'En dacht je echt dat je mij kon dwingen om naar beneden te springen?'

'Er is toch geen mooiere dood denkbaar voor een bouwer van wolkenkrabbers?'

Aarzelend zet Heremit Devil een stap achteruit. Overal

zwermen muggen rond, hij moet ze met zijn handen van zich af slaan. 'We kunnen praten, Jacob.'

De viool speelt enkele valse tonen. 'Praat jij maar, als je wilt, maar loop intussen door!'

'Ik heb nooit het bevel gegeven om je te vermoorden.'

'O nee? Hoe hebben die meiden van Nose mij dan gevonden?'

Heremit zet nog een stap achteruit. Hij hoort de glasscherven kraken onder zijn schoenen. 'Het was die Italiaan. Die Vinyl... Hij wilde wraak omdat hij een man was kwijtgeraakt, Little Lynx. Hij beweerde dat jij die vermoord had.'

'Dat is niet waar!' schreeuwt Jacob Mahler, zwaaiend met zijn strijkstok. Little Lynx was omgekomen toen het gebouw van professor Van der Berger instortte, hij was bedolven onder het puin en onder zijn eigen gigantische gewicht.

Nu staat Heremit Devil op minder dan een meter van de afgrond. Zijn rug is nat van de regen. 'Wil je me dit echt aandoen, Jacob?' vraagt hij met toenemende paniek.

Hij is de controle kwijt.

Hij heeft niets meer onder controle.

'Ik doe niets,' antwoordt de huurmoordenaar.

'Hou op!' krijst Heremit Devil met schelle stem. Zijn onverstoorbare gezicht verandert plotseling in dat van een verwend ventje dat iets niet mag van zijn ouders.

'Dat kan ik niet, Heremit,' antwoordt Jacob Mahler, gewiegd door zijn viool. 'Dit is niet langer een spelletje.'

Hij dwingt hem nog een stap naar achteren te zetten.

'Ik geef jullie alles!' probeert Heremit nog eens. 'Alles wat ik heb ontdekt! Ik zal de kinderen laten gaan!'

'Ik ben hier niet voor hen.' Jacob Mahler heft de strijkstok van fonkelend metaal op. 'Ik ben hier voor mezelf.'

Dan gebeurt het allemaal in een fractie van een seconde. Mahler spitst zijn oren en duikt aan de kant, snel als een roofvogel. Er suist een mes door de plek waar één tel eerder nog zijn rug was en het flitst op een paar centimeter van Heremits arm de wolkenkrabber uit, verdwijnend in het niets.

Heremit Devil valt op de grond. Jacob rolt twee keer om en staat dan razendsnel weer op.

In de deuropening staat Nik Knife.

En hij is niet alleen.

'Leg die viool neer,' beveelt de messenwerper, terwijl hij Harvey voor zich houdt. 'Dan zal ik hem niet de keel doorsnijden.'

Langzaam doet Jacob Mahler wat hij zegt.

'Heel goed...' Nik Knife zet een stap de kamer in. 'En nu gaan we de meisjes roepen, oké?'

Jacob Mahler denkt: base-jumpen.

34
HET WATER

In het troebele water van het meer is geen hand voor ogen te zien. Het is alsof ze in het grijs drijven. Ze moeten op de tast vooruit lopen.

Eén meter onder het wateroppervlak opent zich een leiding. Een stalen buis, groot genoeg om erin te kunnen kruipen. In de buis is het water niet langer grijs maar zwart, en moeten ze snel verder kruipen, op handen en voeten. Er staat niet echt stroming, het is stilstaand, roerloos water.

Het water is warm, van dezelfde tropische temperatuur als het regenwater. Water dat niet verfrist.

Sheng kruipt voorop. Ermete komt achter hem aan. Ze kruipen als twee reusachtige, onelegante krabben door de leiding en stampen met hun voeten tegen de binnenkant van de buis. In het donker.

Je moet heel veel lef hebben, denkt Sheng, om zoiets te doen.

Je moet knettergek zijn, denkt Ermete en hij probeert er niet bij na te denken.

Want na de eerste dertig seconden in het donker wordt de buis smaller, en terwijl ze eerst nog zwembewegingen konden maken, moeten ze hun armen nu stijf langs hun lichaam houden en kunnen ze zich alleen met hun voeten vooruit duwen.

De rugzak gaat helemaal voorop, aan het hoofd, als een boegbeeld. Of zoals zo'n stormram die vroeger gebruikt werd om kasteelpoorten open te beuken.

Vlak na de versmalling voert de buis ineens ook omlaag, en daardoor krijgt Ermete nog meer het gevoel dat ze in een val lopen. Ze kunnen zich niet omdraaien en ze kunnen niet terug. Alleen maar door kruipen in het donker, en hopen dat ze genoeg adem hebben.

Er is een minuut verstreken.

En op dat moment wordt de buis opnieuw smaller. Nu blijft de rugzak steken en moeten ze hem erdoorheen duwen. Voor Ermete, die achteraan komt, is dat oponthoud afschuwelijk. Doordat hij in paniek raakt, moet hij hoesten.

Doordat hij moet hoesten, krijgt hij water binnen.

Doordat hij water binnen krijgt, wordt zijn paniek nog groter. Maar hij dwingt zichzelf om rustig te blijven, want hij voelt zijn hoofd bonzen en begrijpt dat hij geen zuurstof meer in zijn longen heeft. Sheng gaat niet meer verder. Dus tast hij voor zich uit in het donker, grijpt iets waarvan hij denkt dat het de voet van Sheng is en duwt er uit alle macht tegenaan.

Zijn vriend schiet naar voren en Ermete probeert bij hem te komen. Hij knalt echter tegen een metalen wand aan. Aan elke kant voelt hij alleen maar metaal. De buis houdt op.

Ermete draait zich om zijn as, als een schroef, en kijkt omhoog. Hij ontwaart een donkergrijze cirkel, en in die cirkel ziet hij de omtrek van een hand die zich uitstrekt in het water.

De ingenieur grijpt de hand vast.

En hij laat zich eruit trekken.

Proestend spuwt Ermete een hoop water uit zijn longen.

Naast hem zit Sheng uitgeput op zijn knieën.

De ingenieur rolt over de vloer, hoest nog een paar keer en vraagt dan: 'Waar zijn we?'

'Ik weet het niet,' antwoordt Sheng om zich heen kijkend. 'Het lijkt een soort grot. Maar voor zover ik weet zijn er helemaal geen grotten in Shanghai.'

'We zitten onder het park,' mompelt Ermete en hij heft zijn handen op om te voelen of er een plafond is. Hij voelt een gladde wand, van beton, aan de rand van de buis waar ze uit zijn gekomen. 'Dit is door mensen uitgemaakt.'

Hij zet een paar stappen op de tast om in te schatten hoe groot de ruimte is. Over de vloer stroomt een laagje water. En er klinkt het geluid van kleine watervalletjes, verderop in het donker.

'Het lijkt een soort onderhoudstunnel,' zegt hij.

'Er lopen buizen over het plafond,' voegt Sheng eraan toe. 'Daar valt water uit. Kijk, daarginds.'

'Hoe kun jij dat zien?'

'Ik zie ze gewoon,' antwoordt de jongen. 'Laat mij maar voorop lopen.'

Achter elkaar aan bereiken ze de hoek van de betonnen muur. Nu staat er al minstens tien centimeter water op de vloer. Als ze de hoek om zijn, kan Ermete ook vaag iets van licht onderscheiden. Een kiertje waar daglicht door binnendringt. Of een noodlamp die is achtergelaten door degenen die deze plek hebben gebouwd. Nu ziet ook hij de buizen waar Sheng het over had.

In de buizen zitten kleppen waardoor het regenwater langs de betonnen wanden naar binnen stroomt, zich op de vloer verzamelt en verder loopt tot aan de buis waar zij uit zijn gekomen.

'Een opvangbak voor regenwater, die uitkomt in het meertje,' begrijpt Ermete.

Sheng kijkt omhoog. De ruimte waarin ze zich bevinden is minstens vier meter hoog. 'Waarschijnlijk loopt deze bak helemaal vol tijdens het regenseizoen...'

'Fantastisch! En wanneer is het regenseizoen?'

'Nu,' mompelt Sheng, terwijl hij verder waadt.

Terwijl ze doorlopen in de enige mogelijke richting, begint het steeds koeler te worden in de betonnen ruimte. En het water op de vloer voelt inmiddels ijskoud aan.

'Niets is zo fijn als een tropische verkoudheid,' bromt Ermete al hoestend. 'Mag ik ook weten waar we naartoe gaan?'

'Ik weet het niet, Ermete.'

'Heb je niet een of ander fantasievriendje aan wie je dat kunt vragen?'

268

'Je bent niet grappig.'

'Het is ook niet grappig om in het pikdonker door een opvangstelsel van regenwater te lopen, zonder enige reden.'

'Je mag teruggaan als je wilt.'

'Hé, die is goed! Heb je op dezelfde humorschool gezeten als Harvey? Welkom op aarde: we hebben hier alleen last van zure jongeren.'

Ermete moppert nog een poosje in zichzelf door. Dan vraagt hij: 'Wat gebeurt er nu?'

Voor hem is Sheng ineens blijven staan.

...*nu* ...*nu*, herhaalt een vreemde echo.

'Niet duwen,' fluistert Sheng terwijl hij Ermete laat zien waarom hij gestopt is.

'O, verdorie!' roept de ingenieur uit.

...*orie!* ...*orie!*

Ze staan aan de rand van een enorme ronde watertank, zo groot als een Olympisch zwembad. In het plafond, twintig meter boven hen, zitten twaalf roosters van putdeksels die in een cirkel zijn gerangschikt, als de uren op een wijzerplaat. Door die putdeksels komt het kleine beetje licht binnen en sijpelt het regenwater omlaag. In de ruwe, betonnen wanden van de tank zitten de kleppen van buizen van verschillende afmetingen, gemarkeerd met nummers die in zwarte karakters zijn geschilderd. En met metalen ringen die al jaren niet meer gebruikt lijken te zijn. Door de donkere openingen van de buizen stromen steeds verschillende hoeveelheden water de tank in. Uit sommige buizen sijpelt alleen maar een dun gelig goedje, uit andere komt een veel grotere stroom. Het water in de onderliggende tank is loodgrijs, rimpelig en woelig doordat

269

het voortdurend van alle kanten wordt bijgevuld.

Het waterniveau staat op een paar centimeter onder dat van de gang waar ze uit zijn gekomen.

'Nee maar,' mompelt Ermete. 'Hoe moeten we hier nu uit zien te komen?'

'Ik betwijfel of we er wel uit moeten...' antwoordt Sheng rondkijkend. Hij tuurt naar de openingen van de buizen, de getallen, het grijze, afbrokkelende beton, de vreemde ijzeren ringen, de putdeksels in het plafond, en ten slotte naar de treden van een stalen ladder, aan de overkant van de tank, die omhoog leidt.

'We moeten daarheen!' wijst hij.

'Omhoog over die ladder?'

'Nee.' Sheng wijst naar een tamelijk grote buisopening naast de ladder, een halve meter boven het wateroppervlak. Hij is gemarkeerd met een tweecijferig getal. 'We moeten in die buis kruipen.'

'Waarom precies in die?'

'Omdat dat buis nummer 89 is,' antwoordt Sheng, alsof dat zo klaar als een klontje is.

'Ik tel tot drie!' schreeuwt Ermete in de ondergrondse tank. Hij houdt de rechtervoet van Sheng in zijn handen en telt: 'Eén... twee... drie!'

Uit alle macht duwt hij Sheng omhoog. Die vliegt uit het water, grijpt de onderste rand van buis nummer 89 en blijft daaraan hangen.

Ermete is intussen in de woelige tank onder water verdwenen en hij probeert snel weer omhoog te zwemmen. Als hij

weer boven water komt, heeft Sheng zich al in de buis gehesen en zich omgedraaid om hem de hand te reiken.

Ermete grijpt zijn hand vast.

'Ik tel tot drie! Eén... twee... drie!'

Ermete zet zich zo goed als het kan af, en op hetzelfde moment voelt hij dat hij omhoog wordt getrokken. Met zijn vrije hand grijpt hij de rand van de buis vast en hijst hij zich omhoog, tot hij naast Sheng kan kruipen.

De Chinese jongen gaat hem voor.

Buis nummer 89 is ongeveer een halve meter hoog, net genoeg om te kunnen kruipen. Hij helt licht omhoog en is redelijk droog. Ook al is hij niet vochtig, hij is wel koud. IJskoud.

Na een paar minuten verdwijnt het licht van de putdeksels. En daar gaat het tweetal weer in het donker.

'Hier houdt het op,' zegt Sheng na een meter of tien.

'Hoe bedoel je, hier houdt het op?' vraagt Ermete die achter hem gehurkt zit.

'Er is een rooster.'

'Maak open.'

Bonk! Bonk! Bonk!

'Het kan niet open.'

'Laten we het samen proberen. Ga aan de kant.'

'Dat is makkelijk gezegd.'

'Geef me de rugzak eens.'

Sheng drukt zich plat tegen de wand van de buis en probeert Ermete erlangs te laten. Binnen een paar tellen zitten ze klem, met hun neuzen tegen elkaar aan geperst.

'Kijk toch eens... in wat voor... situatie we zijn beland...'

moppert de ingenieur in Shengs gezicht. Dan grijpt hij het rooster met beide handen vast en probeert er beweging in te krijgen. Sheng, naast hem, doet hetzelfde.

Bonk! Bonk! Tonk!

'Het gaat lukken...' steunt de ingenieur verheugd bij het horen van dat laatste geluid. 'Kom op!'

Nog een paar klappen en het rooster begeeft het, het valt met een doffe metalige klap naar de andere kant.

Ermete rolt als eerste in een soort onderaardse ruimte, verlicht door een reeks tl-lampen in de verte. Sheng komt achter hem aan.

Ze zijn doorweekt, smerig en vies.

'De eerste optie,' zegt Ermete, die de ruimte waarin ze zich bevinden probeert te duiden, 'is dat we in de diepvries van een reus zitten.'

'En de tweede?'

'Dat we in een filmstudio zijn beland, in het decor van een rampenfilm, iets over Pompeji of de belegering van Troje...'

Ze lopen voorzichtig verder de vreemde ruimte in, met het gevoel dat ze in een archeologische opgraving staan. Naarmate ze verder komen zien ze ijzeren loopbruggen die omhoog en omlaag voeren boven een oude stenen vloer; de resten van kleine en grotere muren die de onderaardse ruimte in een heleboel kleinere vertrekken verdelen; een aantal bouwvallige zuilen en achterin een grote wand bedekt met duizenden blauwe mozaïeksteentjes.

Voor die wand staan de restanten van twee grote standbeelden die met het gezicht naar elkaar toe staan, beide met menselijke trekken. Het linkerbeeld, dat het best bewaard is

gebleven, is zo te zien een vrouw met haar arm voor zich uitgestrekt, alsof ze een zegening geeft. Het andere beeld, dat
vanaf de knieën is afgebroken, is waarschijnlijk een man. Tussen de twee beelden in is een derde figuur uitgehakt,
donker, ineengedoken, met een vreemd geschulpt en getand
silhouet.

Ermete en Sheng, die de rugzak om heeft, lopen naar de
bijzondere beeldengroep. De overgebleven muren om hen
heen tonen overblijfselen van aparte maskers die doen denken
aan de waterspuwers van gotische kerken, maar dan veel
ouder. Klauwen, snavels en monsterkoppen gluren omlaag
van een plafond dat de tand des tijds slechts gedeeltelijk
heeft doorstaan. In de vloer van losliggende stenen zitten
enkele ronde gaten, als kleine putjes. Nu ze dichterbij komen,
ziet Sheng dat het beeld aan de linkerkant inderdaad een
vrouw is, met een sluier voor haar gezicht.

'Dit kan niet waar zijn...' mompelt hij, en er gaat een
rilling door hem heen.

De vrouw draagt een lang kleed, een tuniek waarop alle
dieren van de wereld zijn getekend. Ze houdt wat er over is
van haar rechterarm voor zich uitgestrekt.

'Isis...' mompelt Ermete die druipend naast hem staat. 'De
godin van de natuur.'

Van het beeld tegenover haar is alleen nog maar een
mannelijke voet en een onderbeen over, die rechtstreeks uit
de rots zijn gehakt.

'En ik durf te wedden dat dit Mithra is, die uit de rots
geboren wordt.'

Maar als ze het derde beeld in het midden bekijken, staan ze allebei met de mond vol tanden: van achteren gezien lijkt het een monster dat ineengedoken zit, klaar voor de aanval.

'En dit?' vraagt Ermete.

'Dit is vast... de Zeedraak,' antwoordt Sheng, en zijn ogen zijn nu helemaal van goud.

35

DE ZIENERES

Tunguska is de naam van een vrijwel onbewoonde vallei. Het kleine dorpje waar Linda Melodia door Vladimir mee naartoe wordt genomen, is een samenraapsel van lage huisjes die dicht tegen elkaar aan staan, alsof ze elkaar willen beschermen tegen de kou. Ze hebben houten puntdaken.

Rondom het dorpje liggen hellingen die geleidelijk steeds steiler en ruiger worden, met hier en daar groepjes naaldbomen en drassige plekken.

'Deze kant op...' zegt Vladimir terwijl hij Linda Melodia over de enige weg van het dorp leidt; een kronkelige slang van aangestampte aarde waarop de deuren van de verschillende woningen uitkomen.

Onder de bijna witte hemel zijn de enige kleuren van het dorp het grijs van de stenen en het donkerbruin van de boomstammen van de daken.

De oude antiquair uit New York blijft staan voor het laatste huis van het dorp, dat witgekalkt is. Rond de deur zijn dierfiguren geschilderd in zwart en rood. Vladimir wacht tot Linda bij hem is, dan klopt hij aan, bukt zijn lange lijf en gaat naar binnen.

Vanbinnen doet het huis denken aan een tent: de muren zijn heel dik, bijna veertig centimeter, en vormen één ronde kamer waarin alle meubels rond zijn gerangschikt. Een bed, een oude veldkeuken, een buffet, twee gordijntjes die een armzalige wastafel afschermen. Op de grond staan bakken in alle soorten en maten, vazen, blikken, zakken, gevlochten manden, rugzakken. De vloer is bedekt met tapijten die over elkaar heen zijn gelegd. De bedompte, benauwde lucht geurt naar kardamom en wierook.

'Kom maar... kom binnen...' zegt de oude vrouw die in kleermakerszit in een poel van amberkleurig licht zit, midden in de kamer.

Vladimir gebaart naar Linda dat ze, voor ze op de tapijten stapt, haar schoenen moet uitdoen en ze moet neerzetten in een nis in de muur. Terwijl ze dat doet snuift ze de geur op en kijkt vol afschuw om zich heen. Niettemin loopt ze achter de antiquair aan over de tapijten.

Verwonderd bekijkt ze de kleurige lappen die trillend aan het spitse plafond hangen, als draden van veelkleurige algen. Gedurende één lang ogenblik heeft ze het idee dat ze aan het zwemmen is, in die dikke lucht doordrenkt met herinneringen.

Bij elke stap die ze op de zachte tapijten zet, lijkt het alsof de kriskras opgestapelde spullen overal om haar heen meer

betekenis krijgen, alsof het mogelijk is om uit die wanorde een exact schema, een idee, een geschiedenis te distilleren.

Er hangen vreemde houten maskers die haar aanstaren vanuit de schaduw, edelmetalen sieraden, met de hand bewerkt op reeds lang vergeten aambeelden. Er zijn zijdedraden waaraan zilveren snuisterijen zijn opgehangen, ritueel schoeisel beschilderd in felle kleuren. Er zijn bladzijden uit kruidenboeken met bloemen die al eeuwen verdwenen zijn en ruwe malachietkristallen die glinsteren als stille kolen. Er is een goudklomp die lijkt op een verboden vrucht, een stuk kanten franje dat lijkt op een borduurwerk van ijs. En midden in die betoverende verzameling zit een vrouw met een perkamentachtig gelaat, de huid vol rimpels, genoeg om twee gezichten te bedekken. In die wirwar van lijnen zitten twee amberkleurige ogen weggedoken, waarvan er één duidelijk scheel is. Het gezicht van de vrouw is verre van mooi, maar wel op een vreemde manier geruststellend. En als Linda haar voor het eerst aankijkt, krijgt ze alleen maar een gevoel van absolute vrede over zich.

'Welkom, Linda,' zegt de zieneres terwijl ze haar hand uitsteekt, die is gekromd van ouderdom.

Linda schudt haar voorzichtig de hand.

'Ga toch zitten,' vervolgt het oudje. 'Jij ook, Vladimir. Je mag gerust bij ons blijven.'

Als Linda naast haar gaat zitten, heeft ze het gevoel dat ze zich in het middelpunt van de wereld bevindt. Ze voelt dat alle belangrijke dingen aanwezig zijn tussen hen, of binnen korte tijd staan te gebeuren.

Het is een bijzondere gewaarwording daar in dat afgelegen

dorpje in Siberië, dat niet eens op de landkaarten staat aangegeven.

'Ik weet dat je een lange reis hebt gemaakt, Linda...' zegt de
zieneres, terwijl ze haar handen in haar schoot vouwt.

Elettra's tante knikt. 'Inderdaad. Ik heb er vele weken over
gedaan om te beslissen of ik zou gaan. Eerst moest ik genoeg
moed verzamelen. Ik had nog nooit eerder alleen gereisd.' Ze
glimlacht, alsof ze het volkomen natuurlijk vindt om dit aan
een onbekende toe te vertrouwen.

Linda zoekt de juiste woorden om uit te drukken wat ze
heeft ervaren. Nadat ze een leven lang bezig is geweest het
leven van anderen op orde te stellen, voor haar twee zussen
te zorgen en later alleen nog voor Irene toen Elettra's moeder
was overleden, en voor Fernando en voor het hotel, is deze
treinreis door half Europa en half Azië een angstaanjagende
en tegelijkertijd fantastische ervaring geweest. Ze heeft er het
gevoel door gekregen dat ze leeft. Zo levend heeft ze zich al in
geen jaren meer gevoeld.

'En het is geweldig,' zegt ze opgelucht tegen de zieneres.

Dan kijkt ze verbijsterd om zich heen. Ze slaat een hand
voor haar mond, want nu pas beseft ze dat ze steeds Italiaans
heeft gesproken. 'Maar... jullie verstaan mij! En ik versta
jullie!'

Vladimir glimlacht en de zieneres maakt een vaag gebaar
met haar handen. De twee werpen elkaar een blik toe en
laten Linda nog iets langer in het ongewisse.

Dan begint de oude vrouw te vertellen: 'Ze noemen mij de
zieneres vanwege mijn oog, dit oog... en omdat ik inmiddels

heel oud ben. Ik ben al tweehonderdtwaalf. Maar ik heb nooit echt een gevoeligheid voor waarzeggen gehad. Anderen hebben dat veel sterker dan ik. Mijn gevoeligheid ligt meer bij de woorden. Ik heb altijd met iedereen kunnen praten en me verstaanbaar kunnen maken. Ongeacht of ik iemand kende of in welk deel van de wereld we ons bevonden. We hoefden alleen maar te praten.'

Linda verstijft, heel even maar.

'Mijn leermeester was degene die me leerde mijn gevoeligheid te ontdekken. Voordat ik hem kende was ik nog nooit uit mijn dorp weggeweest en kon ik niet eens bedenken dat er nog andere talen bestonden dan ons dialect. Maar toen mijn leermeester hier kwam, leerde hij me vele dingen. Hij was toen al heel oud. Hij kwam uit de Stad van de Wind: een plek aan de andere kant van de steppen en de bergen en de troosteloze graanvlaktes. Hij heette Nicholas. Maar iedereen noemde hem de Alchemist. Hij was degene die mij de tollen bracht. En hij vertelde me over een reeks Wijzen die van de Oudheid tot aan onze dagen reikte en die gevoeligheden zoals de mijne gemeen had. Het was in 1802 toen ik hem leerde kennen, en algauw leerde ik de tollen te gebruiken om antwoord te krijgen op de vragen die hij onbeantwoord had gelaten.'

Linda wil eigenlijk een vraag stellen, maar ze besluit te wachten.

'Natuurlijk vond ik niet de antwoorden die ik zocht. Maar ik ontdekte dat ik over een andere gave beschikte, die de natuur me had gegeven: terwijl de andere vrouwen zienderogen ouder werden, bleef ik veel langer jong dan zij. En

omdat mijn uiterlijk niet veranderde, begonnen de andere mensen te denken dat ik een soort tovenares was. Of een soort heks. Wat ik natuurlijk ook gedeeltelijk was.' De zieneres is even stil, en praat dan verder. 'In 1906, honderd jaar nadat ik mijn leermeester had leren kennen en de tollen had ontvangen, verliet ik mijn dorp om te doen wat de Alchemist me had gevraagd: op zoek gaan naar mijn opvolgers. Ik had alleen vage instructies gekregen en geen enkele weet van de wereld om me heen. Net als jij. Een van de personen die ik moest zien te vinden was een meisje uit Messina, op Sicilië. Ze heette Irene.'

De zieneres steekt haar handen op, alsof ze een eventuele onderbreking van Linda wil afweren. Dus blijft Linda luisteren naar de kalme, afgemeten stem van de vrouw die vertelt hoe het Pact werd overgedragen op vier kinderen uit 1907, die vanaf dat moment veel langzamer oud werden.

'Een paar maanden later veranderde hier alles. Een vallei niet ver van deze plek werd weggevaagd door een ongekende explosie waarbij alles werd verwoest; de bomen waaiden om en de aarde verbrandde. Men dacht dat het het einde van de wereld was. Maar gelukkig bleef de wereld bestaan. Ik keerde naar huis terug, met het idee dat die ramp om de een of andere reden mijn schuld was. Jaren later kreeg ik bezoek van de vier kinderen die ik had gevonden in evenzoveel steden in de wereld. Ze kwamen hierheen, net zoals nu...' De zieneres wijst op Vladimir. 'Om me vragen te stellen waarop ik geen antwoorden had.'

'Waar ik benieuwd naar ben...' komt Linda tussenbeide, 'is de reden waarom ik hierheen ben gekomen.'

'Ik weet precies wat jij wilt weten,' valt de zieneres haar in de rede. 'En als je geen tijd hebt om het hele verhaal af te luisteren, zal ik je meteen antwoord geven: jij en je zus zijn mijn kleinkinderen. Dochters van mijn dochter.'

De eenvoud en de directheid van die woorden treffen Linda als een zweepslag. Ze kan alleen maar haar hand opheffen en stamelen: 'Dus jij bent... mijn grootmoeder?'

'Toen Irene de tweede keer terugkwam, na de oorlog, was het dorp ten einde raad. Elke provincie van Siberië leed hongersnood; overal waren soldaten. En behalve de soldaten waren er krankzinnige staatslieden. Politici die dachten dat ze alles konden organiseren volgens de ideeën van hun onbekende gecentraliseerde staat, die mijlen ver weg was. Ik zal je niet de hele geschiedenis van de naoorlogse Sovjet-Unie vertellen. Wat ik je wil vertellen, is dat mijn dochter in die tijd twee prachtige dochtertjes had. Een van hen, een jaar ouder dan de ander, heette Linda.'

Linda Melodia wrijft snel met haar hand over haar ogen en merkt dat ze nat zijn van de tranen. 'Hoe... hoe heette mijn moeder?'

'Olga,' antwoordt de zieneres. 'Toen Irene hierheen kwam, samen met Vladimir en Alfred – Zoë had namelijk geen visum gekregen voor de reis en was in Europa gebleven – smeekte je moeder haar om de zorg voor de kinderen op zich te nemen. Ze was bang dat ze hier in het dorp geen toekomst zouden hebben. Vooral de kleinste niet, die voortdurend moest hoesten.'

Linda knikt, in tranen. 'Haar longen zijn altijd haar zwakke plek geweest.'

'We dachten allemaal dat het beter voor haar zou zijn om in Italië te gaan wonen. En dus deden we het zo.'

Linda huilt nu hartverscheurend. Vladimir wil haar een zakdoekje geven, maar de zieneres houdt hem tegen. 'Laat haar maar even uithuilen, nu ze alles gehoord heeft.'

'En nu?' vraagt Linda als ze ophoudt met huilen. 'Wat moet ik nu doen?'

De zieneres glimlacht en pakt haar hand vast. 'Wat iedereen hier moet doen.' Ze pakt ook Vladimirs hand en legt beide handen op haar schoot. 'We moeten een draak wakker zien te krijgen.'

36
DE DRAAK

De Zeedraak is minstens vijf meter lang en twee meter hoog.

Het is een indrukwekkende slang van hout, donker als de nacht. Zijn lijf zit vol schubben, die doen denken aan schelpen. Zittend op zijn achterpoten houdt hij zijn voorpoten ingetrokken, als een katachtige die elk moment kan uithalen. In de vierkante kop zitten sterke tanden en ronde ogen, met uitstekende wenkbrauwen en twee lange, spiraalvormige voeldraden. Een van de ogen is hol, maar in het andere zit nog een betoverende saffier gevat. Op de rug van de draak zit een tweede edelsteen, tussen de schouderbladen onder aan de nek. Het is een grote grijze parel.

Het dier is vastgelegd op het moment vlak voordat het naar de achterwand bedekt met blauwe mozaïeksteentjes zou springen. Ermete en Sheng lopen om de draak heen en bekijken hem van alle kanten. Tevergeefs proberen ze betekenis te geven aan de opstelling van de verschillende elementen in die opmerkelijke ruimte: de laan met de ronde gaten in de vloer, de twee standbeelden, de houten draak tussen hen in, de wand met blauwe mozaïeksteentjes zoals in de oude tempels van Babylon.

Sheng gaat op de grond zitten, zijn hoofd tolt en zijn ogen zitten vastgezogen aan de loensende blik van de draak. Shengs pupillen worden omringd door fonkelende gouden spikkels.

'De gouden letters...' mompelt hij op een gegeven moment.

Ermete, die nat is tot op het merg, krijgt een rilling van kou. 'Wat zei je, Sheng?'

'Mistral vertelde dat er vreemde gouden letters in de stof van de Sluier van Isis geweven waren...'

'Inderdaad ja, zoiets zei ze. Haar moeder zei dat het tijdens een röntgenonderzoek net Chinese tekens leken. Of letters van het spijkerschrift. Maar wat het ook waren, we hebben niet de kans gekregen om ze te ontcijferen.' Hij slaat zijn armen om zich heen in een vergeefse poging om het warm te krijgen en hij roept: 'Het lijkt hier wel de Noordpool. Volgens mij wordt er ijskoude lucht naar binnen gepompt. Hoor je dat geluid niet?'

Sheng, naast hem op de grond, barst ineens in lachen uit.

'Wat valt er te lachen?' moppert Ermete. 'Voel jij dan niet hoe koud het hier is?'

Sheng geeft echter geen antwoord. Hij kan niet ophouden met lachen, en steekt verontschuldigend een hand op. 'Hao! Ermete, ik lach niet om jou. Sorry! En het is hier inderdaad ijskoud, ja.'

'Waarom lach je dan?'

'Omdat ik het ineens door heb!' zegt Sheng terwijl hij overeind krabbelt. 'Het is zo'n soort voorstelling als mijn vader vroeger voor me maakte...'

Ermete niest. 'Wat heb je door?' vraagt hij snuivend.

'Het zijn gewoon... Chinese schimmen,' vervolgt de jongen. 'De voorwerpen... de geschenken aan de Zeedraak... Kijk!'

Sheng gaat evenwijdig aan het eerste gat in de vloer staan. Hij richt zijn blik en zegt: 'Stel je voor dat we de Ster van Steen in een van die gaten stoppen.'

'En dan?'

Sheng glimlacht. 'Dan prop je hem vol papier en maak je er een vuurtje in.' Hij kijkt omhoog. 'Zie je die akelige kop aan het plafond?'

'Ga door.'

'Die lijkt speciaal gemaakt om er een touw aan op te hangen. Je bindt een touw aan die snavel vast en je hangt de Ring van Vuur boven het vuur. De spiegel weerkaatst het licht... aan deze kant.'

Nu staat Sheng in de ruimte tussen het beeld van Isis en dat van Mithra.

'Kijk naar die uitgestoken arm van Isis. Laten we ervan uitgaan dat het andere beeld ook zijn arm had uitgestoken. Alsof ze iets moesten... vasthouden. Als je nu de Sluier van Isis tussen hen in spant, wat heb je dan?'

'Een gordijn,' antwoordt Ermete. En dan roept hij: 'Nee! Dan heb je een projectie gemaakt! Het licht van het vuur valt langs de draak en dan op het doek... en wordt geprojecteerd op die blauwe mozaïekwand...'

'Chinese schimmen,' besluit Sheng.

Ermete kijkt naar de wand van blauwe steentjes en weet ineens wat het laatste stuk van het raadsel is: 'Die wand is geen wand... het is de zee!'

'Precies,' knikt Sheng. 'En ik ben ervan overtuigd dat de letters op de Sluier van Isis, samen met de schim van de draak die op de zee wordt geprojecteerd, zullen aangeven waar...'

'Het eiland ligt.'

Hierna volgt er een lange, heel lange stilte, waarin ze allebei het belang van wat ze hebben ontdekt tot zich door laten dringen.

Dan weerklinkt er ineens een applaus in de ruimte. Het laffe, wrede geluid galmt door de ijskoude onderaardse ruimte. Ermete en Sheng kijken op en ontwaren een man die van bovenaf vergenoegd naar hen staat te kijken.

Het is Heremit Devil.

'Mijn complimenten,' sist de man, nog steeds klappend. 'Waarlijk mijn complimenten.'

Dan voegt hij er sadistisch aan toe: 'En welkom in mijn huis.'

286

37

HI-NAU

Heremit Devil komt langzaam omlaag over een trap die is uitgehakt aan de donkere kant van de onderaardse ruimte. Intussen praat hij verder: 'Uitstekend, jongen. Echt knap werk...'

Achter hem verschijnt de Chinees met de kale kop die Sheng en Ermete in het Grand Hyatt hotel hebben gezien. En hij is niet alleen: hij voert een hele ploeg beveiligings-agenten aan, in zwarte uniformen.

Wanneer Heremit bij hen is, speelt er nog steeds een glim-lachje om zijn lippen. 'Eindelijk kan ik jou een gezicht geven, Sheng,' sist hij, al blijft hij wel een eind van hen af staan. 'Je moest eens weten hoelang ik naar jou heb gezocht! Ik kwam er maar niet achter hoe je heette. En dat was geen toeval, meen ik nu te begrijpen.'

'Laat ons gaan, meneer Devil,' zegt Sheng met toegeknepen stem van teleurstelling. 'Dan beloof ik dat je nooit meer iets van mij zult horen!'

'En geldt dat ook voor je... vrienden?'

Met een handgebaar geeft Heremit Devil het bevel om Harvey, Elettra en Mistral de trap af te voeren, vastgebonden en gekneveld. En na hen wordt Jacob Mahler omlaag gedragen, bewusteloos.

'Wat heb je ze aangedaan?' schreeuwt Sheng zowat als hij ze de trap af ziet wankelen. Harveys oren zitten dichtgestopt met was. Mistrals mond zit strak dichtgeplakt zodat ze haar lippen niet eens kan bewegen. Elettra zit in een pak van blauwe kunststof gewikkeld zodat ze nauwelijks kan lopen.

Heremit Devil wacht tot ze bij hem staan en legt uit: 'Wat ik ze heb aangedaan? Niets. Dit is pure zelfverdediging. Je Amerikaanse vriendje zei dat hij rare stemmen hoorde, dus wilde ik hem van zijn... last ontdoen. Die mooie Française kunnen we beter niet laten zingen, gezien haar onaangename gewoonte om walgelijke insecten op te roepen met haar stem, en wat je elektriserende vriendinnetje uit Rome betreft, leek het me een goed idee om haar levendigheid in bedwang te houden met een pak van polyester en porselein.'

'Je hebt een condensator van haar gemaakt!' roept Ermete als hij beseft dat Elettra elektrisch geïsoleerd is.

Heremit Devil werpt hem een vernietigende blik toe. 'U laat ook nooit een kans voorbij gaan om te zwijgen, hè, meneer De Panfilis?'

Ermete kijkt naar het bewusteloze lichaam van Jacob Mahler dat voor hun voeten op de grond is gegooid. Maar aan de

288

huurmoordenaar spendeert Heremit Devil geen woord van uitleg. Hij kijkt Sheng weer aan en praat verder: 'Je vrienden hebben geprobeerd me aan te vallen, Sheng. Maar hun aanval is mislukt, zoals je ziet. Ik ben heel boos op ze. Maar met jou... ligt het heel anders. Jij hebt me de beste verklaring gegeven over de functie van deze zaal van de Draak. De archeologe heeft hem onderzocht, centimeter voor centimeter. Verspilde tijd. Terwijl jij, jochie, binnen een paar minuten alles begreep wat er te begrijpen viel.'

Sheng kijkt naar zijn vrienden en klemt zijn kaken op elkaar, niet wetend wat hij moet doen.

Heremit Devil neemt langzaam zijn bril af. 'En dat is echt opmerkelijk, gezien het feit dat jij hier helemaal niet hoort te zijn. Gezien het feit dat je niet een van de vier... uitverkorenen bent.'

'Wat zeg je?'

Heremit maakt een gebaar en Nik Knife, achter hem, trekt met één ruk Elettra's knevel los.

'Je moet hem niet geloven!' roept ze meteen. ''Je moet geen woord geloven van wat hij zegt!'

'Toe dan...' moedigt Heremit Devil haar aan. 'Waarom vertel je Sheng niet dat de ware uitverkorene op het laatste moment is vervangen?'

Sheng voelt zijn lip trillen. 'Wie heeft dat gezegd?'

'Hij liegt!' schreeuwt Elettra weer. 'Hij staat te liegen! Jij bent uitgekozen, net zo goed als wij!'

'De uitverkorene van Shanghai was een jongetje genaamd Hi-Nau,' legt Heremit Devil daarentegen met kille stem uit. 'Een jongetje met een buitengewone gevoeligheid. Een

jongetje dat dingen zag waar anderen geen idee van hadden. Hij zag de dromen van andere mensen die als echte mensen om hem heen liepen. Maar Hi-Nau was ook een gekweld kind. Want de dromen die hij dagelijks had waren vaak vreselijk. De dromen bleven maar met hem praten en ze waren vreselijk, want het waren de dromen van zijn vader. En dus ging Hi-Nau op een dag naar zijn vader en vroeg hem waarom hij dat soort dromen had. Hij vroeg hem of hij echt een man was die andere mensen vermoordde.'

Sheng zwijgt, hij staat als versteend.

'En de vader antwoordde van ja, dat hij inderdaad een man was die andere mensen vermoordde. En op die manier raakte de vader hem kwijt.' Heremit Devil draait zich met een ruk naar de grote zwarte draak die elk moment tegen de blauwe mozaïekwand kan springen. 'Hi-Nau ontdekte deze plek. Hij droomde ervan de nacht voordat hij stierf en hij noemde hem "De zaal van de Magiërs". Hij was negen jaar.'

Een ijzige stilte daalt neer over de zaal van de Magiërs. Het enige geluid dat klinkt is de pomp van de airconditioning die voortdurend ijskoude lucht onder de grond blaast.

'Hi-Nau was mijn zoon,' besluit Heremit Devil na een eindeloos lijkende stilte. 'En hij heeft het niet gered. Hij was altijd heel ziek, maar ik ging ervan uit dat hij het op de een of andere manier wel langer zou volhouden. Ik dacht dat zijn "kracht" hem zou redden. Maar hij werd er juist door verteerd. Hij stierf in zijn slaap, op de een-na-hoogste verdieping van deze wolkenkrabber, aan het eind van de gang die hij helemaal had volgetekend. Hij had zijn lievelingsshirt nog aan. Toen het gebeurde zat ik op de bovenste verdieping,

vanwaar ik destijds mijn zaken regelde. En waar ik vrijwel nooit meer ben teruggekeerd.' De Heremiet-Duivel balt zijn vuisten tot de knokkels wit wegtrekken. 'Vanaf die avond wilde ik begrijpen wat er verborgen lag onder deze wolkenkrabber. Wat deze ruimte te betekenen had. En waarom mijn zoon de gave had om die dingen te kunnen zien. De gave waardoor ik hem voorgoed was kwijtgeraakt.'

'Nummer 89,' zegt Sheng.

Heremit Devil draait zich met een ruk om. 'Wat?'

'Het lievelingsshirt van je zoon was het shirt met nummer 89 erop.'

'Hoe kun jij dat...'

'Hij is degene die me hierheen gebracht heeft. Ik kan hem zien. Ook ik zie de dromen van andere mensen. En jij droomt elke nacht van hem.'

Heremit Devil kijkt Sheng met toegeknepen ogen aan en balt zijn vuisten. Dan loopt hij weg.

Hij geeft het bevel om ook Sheng en Ermete vast te binden en te knevelen. En om alle voorwerpen naar beneden te brengen die weer uit Harveys rugzak waren gehaald en waren teruggelegd op zijn bureau.

Het is tijd om de Draak te wekken.

De Ster van Vuur wordt in het vierde van de zeven zichtbare gaten in de vloer gezet. Het gat wordt gevuld met in alcohol gedrenkt papier om er een vuurtje in te maken. Boven de Ster van Steen wordt de Ring van Vuur bevestigd. De Sluier van Isis wordt voor de mozaïekwand gespannen, en dan wordt er een reeks vormen en gouden schimmen op de muur gepro-

jecteerd die zich samenvoegen met vormen op de wand zodat de omtrek van een kust verschijnt en een zin die onmiddellijk te lezen is.

De Sluier van Isis, die door het vuur vergroot wordt weergegeven op de mozaïekwand, is zowel een tijdkaart als een landkaart. De tekst geeft exact het jaartal, de maand en de dag aan waarop het eiland Penglang uit de wateren van de oceaan zal verrijzen. De vergulde lijnen aan de onderkant vormen het profiel van een kust. En de schaduw van de Draak lijkt van daaruit te vertrekken en uit te komen op een exact punt: de positie van de Parel van de Zee.

Dit alles wordt langzaam maar zeker ontdekt door het legertje mannen van Heremit Devil. De kinderen kijken met onbewogen gezicht naar de interpretatie van de kalender en de precieze plaatsing van het eiland. Ermete volgt alle fases terwijl zijn lippen bewegen, alsof ook hij eraan meewerkt. Heremit Devil houdt zich afzijdig en wacht af, hij zit weggedoken in een zwijgzaamheid zonder hoop. Zijn kille verschijning wordt alleen zo nu en dan verstoord door een ongecontroleerde trilling van zijn linkerooglid. Hij hoopt maar dat niemand het razende bonzen van zijn hart kan horen.

Op het laatst, als de code is ontrafeld, wordt het vuur gedoofd, de spiegel bedekt, de sluier als een gewaad om het beeld van Isis gedrapeerd, de parel weggenomen van de schouderbladen van de draak. Ten slotte worden de vier voorwerpen aan Heremit Devil overhandigd.

Nik Knife vat samen: 'Volgens onze berekeningen, meneer, zou het eiland nu al zichtbaar moeten zijn. Het ligt vierhonderdtachtig kilometer ten noordoosten van hier, in de rich-

ting noord-noordoost. Als we nu vertrekken kunnen we er in minder dan twee uur zijn.'

De trilling van het linkerooglid van Heremit Devil wordt heviger. 'Laat de helikopter klaarmaken.'

Nik Knife maakt een lichte buiging voor hij wegloopt.

Heremit Devil bijt even op zijn tanden voor hij weet uit te brengen: 'Laat ook mijn plek klaarmaken.'

Nik Knife aarzelt maar heel even. Hij denkt even dat hij het verkeerd verstaan heeft. In al die jaren dat hij voor Heremit Devil werkt, heeft zijn baas nog nooit de wolken-krabber verlaten.

Zijn aarzeling duurt echter maar heel even. 'Heel goed, meneer,' fluistert hij, terwijl hij in het duister verdwijnt.

38

DE GEVANGENEN

Fantastisch, dit is echt fantastisch, denkt Ermete een uur later. Precies de manier waarop ik altijd al heb willen doodgaan.

Met zijn tong duwt hij tegen de tape die over zijn mond geplakt zit. De lijm bijt in zijn lippen. Hij kijkt om zich heen. Hij is vastgebonden aan de wand van de watertank die als opvangbak voor regenwater dient, dezelfde waar hij een paar uur geleden nog met Sheng doorheen is gekomen. Hoog boven hem ziet hij, door de gaatjes in de putdeksels, het grijze licht van de hemel boven Shanghai naar binnen druppelen. Onder hem het troebele water dat wordt aangevuld vanuit de vele buizen.

Hij probeert zich los te wringen uit de touwen waarmee hij zit vastgebonden aan de metalen ringen in de betonnen wand. Maar hij kan geen kant op. De mannen van Heremit

Devil hebben uitstekend werk verricht. Zijn handen, armen en schouders zijn verankerd aan de ijzeren ringen, zodat hij zich totaal niet kan verroeren. Het touw is talloze keren om hem heen gewikkeld, hij lijkt net een zijdepop. Maar hij zal niet veranderen in een vlinder. Hij zal eerder eindigen als een verzopen rat, met al dat smerige water dat langzaam maar zeker omhoog komt bij zijn voeten.

De ingenieur hoort iets bewegen naast hem. Hij probeert te kijken.

Jacob Mahler is rechts van hem vastgebonden, maar verroert zich niet. Zijn gezicht is tot bloedens toe geslagen. Zijn hoofd bungelt slap omlaag en zijn lichaam hangt in het tuig van touw en tape dat hem gevangen houdt. Links van hem daarentegen hangt de gigantische Mademoiselle Cybel. Een netwerk van touwen die twee keer zo dik zijn als die van Ermete houdt haar gevangen boven het wateroppervlak.

De Française draagt nog steeds dezelfde jurk die ze aanhad toen ze de werkkamer van Heremit Devil verliet. Zij is degene die al minstens een halfuur bezig is met pogingen om zich los te worstelen. Het lijkt net een olifant die verstrikt zit in een walvisnet.

Ik denk dat die betonnen wand nog eerder helemaal instort, denkt Ermete, dan dat die vrouw ooit loskomt uit de touwen.

Hij kijkt weer omhoog, naar de putdeksels. Kon hij maar om hulp roepen!

Rondom hem storten luidruchtige watervallen van modderig water omlaag. Als het zo blijft regenen, zal Jacob al binnen een uur onder water verdwijnen. Daarna zal Ermete

aan de beurt zijn, en vervolgens Mademoiselle Cybel. Zo niet, dan zullen ze een langzamere dood sterven, van honger en dorst.

De ingenieur blijft met zijn tong tegen de tape duwen, in de ijdele hoop om die los te krijgen van zijn mond.

Als er een enorme trilling door de wanden van de watertank gaat, stopt hij even.

Ze zijn vertrokken, denkt Ermete.

Een gigantische schaduw scheert rakelings over de putdeksels. Het is de schaduw van een Sikorsky S-61, een tweemotorige reddingshelikopter voor op zee. Ermete heeft hem tientallen keren gebruikt tijdens rollenspelen met vrienden. Acht ton oorlogshelikopter, met een dubbele turbine van General Electric T58-GE-10, een vijfbladige rotor, met een lengte van 16,69 meter bij een hoogte van 5,13 meter, en een actieradius van 1000 kilometer met een maximale snelheid van 267 km/uur.

De Sea King, de zeekoning.

Het geronk van de Sikorsky sterft algauw weg, en het is weer stil in de watertank. Ermete hoort opnieuw iets bewegen naast zich, en deze keer gaat het gepaard met een zompend geluid van bewegend vlees. Het is ongelooflijk, maar Mademoiselle Cybel is erin geslaagd haar gigantische rechterbeen los te krijgen uit de touwen. Nu gaat ze door met wrikken en wroeten om ook het linker te kunnen bevrijden.

IJdele hoop, denkt Ermete.

Totaal zinloos.

Dan wordt de ingenieur ineens ergens door geraakt. De voet van Mademoiselle Cybel, met paarsgelakte nagels, treft

hem vol in zijn gezicht. De vrouw rekt haar hals naar hem uit en draait met haar ogen alsof ze hem iets duidelijk wil maken.

Dan haalt de voet weer naar hem uit, en weer rolt Cybel met haar ogen. Ermete probeert te begrijpen wat ze van plan is.

Ze wappert met haar lange, gelakte teennagels voor zijn neus en wrijft dan met haar vingers over de touwen waarmee ze zit vastgebonden.

Ermete begint te begrijpen wat ze bedoelt. Die scherpe nagels... Mademoiselle Cybel wil ze gebruiken om de tape van zijn mond los te rukken! Zodat hij kan proberen iemand te roepen door de putdeksels.

Het is een absurd plan, onbegonnen werk, je reinste waanzin. Maar het is misschien ook de enige kans die ze hebben om hier levend uit te komen. Ermete knikt. Hij rekt zijn hals uit in de richting van de vrouw en laat zich weer een keiharde trap verkopen, waardoor hij met zijn achterhoofd tegen de betonnen wand knalt.

Deze keer voelt hij de binnenkant van zijn lip branden. Hij duwt met zijn tong tegen de tape en krijgt het gevoel dat zijn knevel al ietsje losser is geraakt.

Hij rekt zijn hals uit.

En nog eens.

En nog eens.

En intussen blijft het water onder hem maar stijgen.

Nik Knife zit aan het stuur van de Sikorsky S-61. De co-piloot zit naast hem en houdt de boordinstrumenten in de gaten.

Achter hen, op een zwartleren stoel, zit een ijzige Heremit Devil die een donkergrijs reddingsvest heeft aangetrokken over zijn onberispelijke Koreaanse jasje. De man houdt zich stijfjes vast aan een handgreep. De veiligheidsriem loopt over zijn borst. Door de raampjes is alleen de uitgestrekte vlakte van de oceaan te zien. Een kolkende plaat leisteen. Een en al grijs, afgezien van de lange witte koppen van de golven.

'Mist op 12-6-6,' zegt Nik Knife in de microfoon die is verbonden met de koptelefoon van de co-piloot.

Door het lawaai aan boord en de trillingen van de tussenschotten is er geen enkele andere vorm van communicatie mogelijk. De messenwerper laat het toerental zakken en gaat lager vliegen. Nu wordt de monotone vlakte onder de buik van de helikopter helderder, en zijn de glanzende ruggen van scholen zilveren vissen te zien. Een prachtig schouwspel dat zich met een snelheid van tweehonderdtwaalf kilometer per uur afspeelt voor de ogen van Sheng, Harvey, Elettra en Mistral.

De vier kinderen zitten naast elkaar, als parachutisten klaar voor de sprong. Ze weten niet wat er met hen zal gebeuren. En ze weten ook niet wat er met Ermete is gebeurd.

'Het spijt me,' zei Sheng tegen de anderen toen ze aan boord werden geduwd.

'Het is niet jouw schuld,' antwoordde Harvey.

De Amerikaanse jongen keek zijn twee geknevelde vriendinnen aan. Elettra in haar pak van isolatiemateriaal en

Mistral, met een oppervlakkige snee in haar hals. Tekens van een vergeefs gevecht.

'Ze waren met te veel,' mompelde hij. Hij zag opnieuw de bovenste verdieping van het gebouw voor zich, waar vlagen regen en wind binnendrongen door de kapotte ramen. Het straatgeluid in de verte. Het geschreeuw van het beveiligings-personeel. De elektrische circuits die in een reeks ontploffin-gen sprongen. De geblokkeerde liften. De printers die bergen papier uitspuwden, de dolgedraaide bubbelbaden, overver-hitte elektrische ovens. En overal insecten, in je ogen, in je oren, in elke kamer. Vergeefs.

Alles vergeefs.

'Ik had erbij moeten zijn,' prevelde Sheng toen hij de vei-ligheidsriemen om kreeg.

'We hadden er geen van allen moeten zijn,' had Harvey tegengeworpen terwijl ze opstegen en Shanghai achter zich lieten.

Ineens verdwijnt de zee uit beeld. De helikopter vliegt een dichte mistbank binnen. De mistlampen worden ontstoken. En ze zien geen hand voor ogen meer.

'Vaart minderen,' zegt Nik Knife in de microfoon. 'We gaan twintig meter zakken.'

Zo vliegen ze verder, terwijl de trillingen en het razende ronddraaien van de turbines de mist aan flarden lijken te scheuren.

Heremit Devil staart recht voor zich uit. Dan kijkt hij even naar de vier uitverkorenen en laat zijn blik rusten op Sheng, alsof hij hem iets wil vragen.

Maar hij doet het niet.

'Ik zie het. Op één uur,' zegt Nik Knife een halfuur later. Hij wijst naar een punt op de radar dat plotseling groen knippert. Rondom hem is nog steeds alleen maar mist te zien. Een dichte, massieve, bovennatuurlijke mist. 'Nog twaalf kilometer. We komen dichterbij. Nog tien.'

Heremit Devil buigt zich naar voren en leunt met zijn hand op de stoel van de piloot. 'Hoe groot is het?' vraagt hij.

'Zo te zien is het een atol. Zevenhonderd, achthonderd meter doorsnee, meer niet. We dalen.'

De neus van de Sikorsky buigt naar voren en daalt tot vlak boven de zee. Terwijl hij naar buiten kijkt heeft Sheng het gevoel dat hij de zuiging van de golven bijna kan voelen. Hier trekt de mist wat op, zodat er weer een spleet helderheid is. Het is net een kleine doorgang tussen twee stukken muur: grijze mist erboven, troebel water eronder.

'Die kant op,' zegt Nik Knife en hij wijst naar rechts.

Boven de horizon in de verte pakt de mist zich samen tot een storm. Een grauw gordijn geeft aan waar de regen valt en lijkt het uitzicht overal rondom af te sluiten. Plotselinge bliksemflitsen storten uit de hemel in zee neer. En midden in die woeste zee, tussen hemel en aarde, ligt de donkerdere lijn van het eiland.

Penglang.

Het eiland van de acht onsterfelijken.

Binnen een paar minuten bereiken ze het eiland en ze vliegen er eerst een keer overheen met de helikopter: het is klein,

niet veel groter dan een voetbalstadion, van harde zwarte rots, bedekt met kalkachtige begroeiing bestaande uit modderige algen en schelpen. Er staan brakke plassen donker water vanwaar glimmende stroompjes over de rotsen teruglopen naar zee. De golven van de oceaan slaan schuimend tegen de ruige oevers. Het eiland doet denken aan de rug van een grote schildpad die uit zee is opgedoken. Op het schild zitten vreemde, spitse rotsen die er als harpoenen in lijken te steken.

'Meneer,' mompelt de co-piloot, wijzend op de boordinstrumenten. 'Het kompas is dolgedraaid.'

Nik Knife vliegt voor de tweede keer over de atol en zakt nog lager.

Iedereen vraagt zich hetzelfde af: hoe is het mogelijk dat dit eiland elke honderd jaar uit de golven opduikt en daarna weer onder water verdwijnt? Het is een zeldzaam fenomeen, maar niet onmogelijk. De vader van Harvey zou hen kunnen vertellen dat in 1963, op open zee voor de kust van IJsland, door een reeks vulkanische uitbarstingen het eiland Surtsey uit het niets is opgedoken, dat nu nog steeds bestaat. Of wat te denken van Ferdinandea, een eiland dat in een paar dagen tijd opdook tussen Sicilië en Pantelleria, in 1831, en een paar maanden later weer verdween? In de lagune van Venetië verschijnen en verdwijnen de eilanden Caltrazio, Centranica en Ammianella afhankelijk van de getijden. Maar geen van die spookeilanden had dezelfde primitieve oerkracht als Penglang: magnetische rots, waardoor de kompasnaalden van helikopters van slag raakten. Vulkanisch, woest, verwrongen. Er zijn geen vogels te zien, noch andere dieren; alleen enkele

vissen die spartelend proberen te ontsnappen uit de waterplassen waarin ze zijn achtergebleven.

Als ze voor de derde keer over het eiland vliegen laten
de rotorbladen het schuim opvliegen. En de vreemde rotsfor-
maties die doen denken aan harpoenen blijken iets heel anders te zijn, iets veel verontrustenders.

Het zijn beelden. Eeuwenoude profielen van godheden,
vorsten, koninginnen, helden, titanen, godinnen die reeds
lang zijn uitgewist door het water, begroeid met mosselschel-
pen, uitgedost met stola's of mantels van algen. Beelden die
rechtstreeks uit de rotsen van het eiland zijn gehouwen en
die nu, eeuwen later, glanzen onder de zon, zwijgend en aangetast.

Maar ze staan nog wel overeind. De beelden van de onsterfelijke bewoners van Penglang.

'Landen!' roept Heremit Devil plotseling tegen zijn piloot,
koortsachtig wijzend op de zwarte rots van het eiland.

De man met de negen vingers schudt heftig zijn hoofd. 'Er
is geen plaats!' antwoordt hij. 'En er hangt een heel sterk
magnetisch veld op het eiland! De rotor reageert niet zoals
het hoort...'

'Doe dan de schuifdeur open! Laat me zakken!'

'Meneer, dat is gevaarlijk...'

'Ik zei: Laat me zakken!'

Nik Knife wijst op de brandstofmeter van de helikopter,
die aangeeft dat de tank bijna voor de helft leeg is. 'Een
andere keer, meneer. We kunnen een keer op ons gemak
terugkomen! We hebben te weinig brandstof, we kunnen niet

zo heel lang in de lucht blijven. Voor de terugkeer naar Shanghai...'

'De terugkeer naar Shanghai interesseert me niet! Ik wil landen op dit vervloekte eiland!'

Nik Knife overlegt met de co-piloot. 'Dertig minuten, meneer!' roept die laatste. 'Maximaal dertig minuten. Daarna moeten we weer terug, anders halen we het niet.'

'Dertig minuten,' herhaalt Heremit Devil. 'Goed.'

De heer van de zwarte wolkenkrabber maakt met trillende handen zijn veiligheidsriem los. Zijn linkerooglid zit inmiddels bijna constant dicht.

Nik Knife laat het stuur aan de co-piloot over, doet de rugzak om waarin alle voorwerpen zitten die de kinderen hebben gevonden en loopt naar het achterste gedeelte van de helikopter. Hij bindt een veiligheidshaak aan het reddingsvest van Heremit Devil, waar hij de bovenkant van een lier doorheen haalt die aan de buik van de Sikorsky is bevestigd.

'Dan gaan we nu zakken, meneer!' schreeuwt hij om boven het geluid van de rotors uit te komen. 'Weet u het zeker?'

'Doe die schuifdeur open!'

Een vlaag ijskoude wind vol waterspetters treft de flank van de helikopter. De co-piloot corrigeert de koers en vliegt voor de vierde keer boven het eiland.

'Nu laat ik u zakken!' legt Nik Knife uit. 'Als u op de grond bent, moet u dit en dit loshaken!'

De ogen van Heremit Devil vullen zich steeds meer met het mysterie van die vulkanische rots. Hij voelt een meedogenloze euforie door zijn aderen vloeien, waardoor zijn slapen bonzen en zijn handen tintelen. Een mengeling van

paniek en angst, van almachtigheid en grootsheid. Met lood-
zware benen zet Heremit Devil de drie stappen die hem van
de schuifdeur scheiden.

'Zij ook!' brult hij vlak voordat hij zich aan het touw
omlaag laat zakken. 'Ik wil dat zij ook omlaag komen!'

Nik Knife probeert te protesteren, maar daar geeft Devil
hem de kans niet voor. Zijn vierde stap is in het niets. De lier
laat hem langzaam zakken, naar de plek waar hij zes jaar lang
verwoed naar heeft gespeurd.

De plek die andere mensen zesduizend jaar lang verborgen
hebben gehouden.

Zodra ze in de lucht hangt, met haar handen vrij, rukt Mistral
de knevel van haar mond. Ze ademt de vochtige, zoutige lucht
in. Harvey en Sheng staan al op de grond, zes meter onder
haar. Elettra staat in de schuifdeur van de helikopter, naast
Nik Knife. Mistral haalt gretig adem, terwijl de wind haar
haren door de war gooit. Als ze nog maar één meter boven de
grond is helpen Harvey en Sheng haar, ze maken de haak los
zodat de lier hem weer kan ophijsen naar de helikopter.

'Het is prachtig!' roept Sheng met een vreemde verrukking
in zijn stem. 'Het is een prachtig eiland!'

Mistral kijkt om zich heen en denkt juist het tegenover-
gestelde. Penglang is zwart, ruw en glibberig, en wordt aan
alle kanten overspoeld door de golven. Op sommige plekken
lijkt de bodem te zijn weggeslagen en is er enkel een poel
zwart water te zien.

Heremit Devil staat op een paar passen van hen af, met
zijn haar door elkaar gewaaid. Zijn linkeroog zit potdicht.

Hij heeft zijn handen in de zakken gestoken en beweegt zich houterig.

Hij is bang, denkt Mistral terwijl ze naar hem kijkt. Een man die nog nooit uit zijn wolkenkrabber is gekomen kan de aanblik van dit woeste eiland helemaal niet verdragen.

Met haar hand boven haar ogen kijkt Mistral toe hoe Elettra omlaag wordt gelaten. Na een paar tellen staat ook zij op de grond en haakt ze zich los. De kinderen omhelzen elkaar. Ze zijn weer allemaal samen.

Nik Knife komt als laatste naar beneden, en zodra hij op de grond staat kijkt hij op zijn horloge. 'Achttien minuten!' schreeuwt hij tegen zijn baas, terwijl de helikopter wegvliegt naar open zee.

Het lawaai van de draaiende rotorbladen sterft weg.

Nu zijn alleen de wind en de zee over.

En een verlaten eiland van zwarte rots.

'Dus dit is het doel van die hele toestand?' schreeuwt de man die al die tijd achter hen aan heeft gejaagd. 'Een rots? Laat me zien waarnaar we op zoek zijn.'

'Wij weten niet waarnaar we op zoek zijn,' antwoordt Harvey, met de andere drie achter hem. De vier kinderen staan dicht tegen elkaar aan, als een muur. Ze zijn hier samen gekomen, en ze zullen samen blijven tot het einde.

Heremit Devil lacht. Maar het is een zenuwachtige lach die niet echt gemeend klinkt. 'Ik geloof er niets van!' roept hij. 'Ik geloof niet dat jullie leermeesters niet hebben verteld wat er op dit eiland is!'

'Zeg jij het maar,' antwoordt Elettra. De wind blaast haar haren alle kanten op.

'De archeologe wist het niet!' schreeuwt Heremit Devil.

Nik Knife loopt naar een van de beelden die uit de rots steken. Zo te zien een man, met blote benen en sandalen.

'Ze wisten het geen van allen,' zegt Mistral. Ze kijkt de anderen aan ter bevestiging. 'Wij zijn de eersten die tot hier zijn gekomen.'

'Ik eis een verklaring!' dreigt Heremit. 'We zijn niet voor niets hierheen gekomen! Ik wil weten waar de kracht van mijn zoon uit voortkwam!'

Bij die woorden zet Sheng een stap naar voren, met zijn hand geruststellend opgestoken. 'De waarheid is dat niemand van ons weet waarom hij hier is, Heremit. Maar... misschien... is er een reden waarom we hier allemaal zijn.'

Sheng heeft gelijk. De kinderen voelen dat ze zinderen op dit eiland. Hun hart voelt ineens groter. Hun hoofd voelt ontvankelijker. Hun ogen alert, hun oren gespitst, hun neus en keel gevoeliger dan ooit.

Heremit Devil kijkt wantrouwig om zich heen. Hij voelt helemaal niets zinderen. Hij wil alleen per se snappen wat er speelt. Hij moet en zal iets vinden, en dat wil hij dan meenemen.

'Jullie hebben een kwartier,' zegt hij terwijl hij opzij gaat. 'Geef me het antwoord dat ik zoek. En anders... laat ik jullie hier achter.'

De kinderen lopen over de rotsen.

Afgezien van de beelden vertoont het eiland geen andere tekenen van menselijke bemoeienis.

Harvey legt zijn handen op de grond en luistert.

'Wat hoor je?'

'De zee. En zwakke stemmen. Ver weg. Heel ver weg. Ik... ik kan er geen woord van verstaan.'

Mistral blijft naar Heremit kijken. Hij is tot aan de klippen gelopen, waar hij zich laat natsproeien door het zeewater. Naast hem kijkt Nik Knife voortdurend op zijn horloge.

'Laten we eens goed nadenken,' zegt Elettra. 'Sinds wanneer is er niemand meer op dit eiland geweest?'

'Onze meesters zijn nooit tot hier gekomen.'

'En degenen vóór hen ook niet.'

'Wat er dáárvoor gebeurd is, weten we niet. Maar we kunnen er wel van uitgaan dat hier al minstens... tweehonderd jaar niemand geweest is.'

'Een, twee, drie...' telt Elettra. '... en zeven. Zeven beelden. Net als...'

'De dagen van de week,' zegt Harvey.

'De tollen,' zegt Mistral.

'De jezuïet had het over acht onsterfelijken,' herinnert Sheng zich.

De beelden zijn figuren zonder gelaatstrekken, verweerd en aangetast.

Sheng kijkt hoe ze zijn opgesteld. 'Deze vier... vormen een soort vierkant.'

'Met een steel... die wordt gevormd door die andere drie beelden,' volgt Elettra zijn redenering.

'Zeven beelden, zeven sterren,' besluit Harvey. 'Ja. Jullie hebben gelijk. De beelden staan gerangschikt zoals de sterren in de Grote Beer!'

'Waar staat de Grote Beer voor?' redeneert Elettra verder.

'De Grote Beer draait altijd om de Poolster heen.'

'Zesduizend jaar geleden wees de Poolster niet naar het noorden,' weet Sheng. 'Zesduizend jaar geleden werd het noorden aangegeven door een ster uit het sterrenbeeld Draak...'

'Om de Poolster te vinden moet je drie keer de korte kant van de kar nemen... die kant op. Een... twee...' Harvey been met grote stappen tussen de rotsen door.

Als hij de kinderen ziet weglopen, draait Heremit Devil zich om en gebaart naar Nik Knife.

'Elf... en twaalf!' roept Harvey terwijl hij blijft staan tussen de zwarte, glibberige stenen van het eiland.

'Niets gevonden?'

De jongen kijkt rond. Rotsen, rotsen, rotsen. En een poel brak water. Hij doopt zijn handen in het ijskoude water. En dan merkt hij dat er onder water een steen zit die anders aanvoelt.

'Kom eens helpen!' roept hij naar de anderen.

Nik Knife zet het op een rennen.

De vier kinderen knielen om de poel heen en gooien het water eruit. Met twee handen tegelijk.

Als al het water eruit is, wordt er een ronde steen zichtbaar die doet denken aan het voetstuk van een standbeeld. De steen heeft doorsnee van één meter en hij is dertig centimeter dik. De buitenste ring van het voetstuk wordt

beschermd door een koperen ring, die Harvey optilt door zijn
voet als hefboom te gebruiken. Eronder zitten zeven ronde
gaten die eveneens een kring vormen.

'Het lijkt net een luik van een onderzeeboot,' mompelt
Elettra.

'Een deur?' oppert Harvey.

Sheng gaat zitten. 'Natuurlijk. Maar hoe gaat hij open?'

Dan wijst hij naar de zeven gaten in een kring. Hij glimlacht flauwtjes en wenkt Nik Knife, die op een paar meter
afstand staat, om dichterbij te komen.

'Waarom roep je hem erbij?' vraagt Elettra bits.

'Omdat ik de tollen nodig heb,' antwoordt Sheng.

Ook Heremit Devil komt erbij, en Nik Knife wijst hem op
het vreemde ronde voetstuk. De man knikt, en een voor een
worden de houten tollen uit de rugzak gehaald. Als ze in de
ronde gaten worden gestopt, glijden de tollen op hun plek,
waarbij de metalen punt precies in een eeuwenoud mechanisme past. Heremit stopt persoonlijk zijn eigen tol, die met
de schedel, in het laatste gat.

Dan probeert Harvey tegen het voetstuk te duwen, maar er
komt geen beweging in. Hij vraagt de anderen om hulp. Ook
Nik Knife.

'Kom op!'

'Hij beweegt!'

Krakend schuift het stenen voetstuk opzij en onthult een
ingewikkeld getand mechanisme waardoor het hermetisch in
de omliggende rotsen gevat zat.

Het was inderdaad een primitief luik.

En nu is er een trap die omlaag voert, het donker in.

De messenwerper kijkt op zijn horloge en dan naar de horizon, waar de helikopter niet meer dan een puntje is.

'Nog tien minuten!' roept hij bezorgd.

39
BENEDEN

'Cécile?' klinkt de stem van Fernando Melodia aarzelend door de vergulde telefoon van het Grand Hyatt.

'Fernando?' antwoordt de moeder van Mistral verrast.

Ze heeft de hele nacht vol spanning zitten wachten op enig bericht van haar dochter. Ze had iets geruststellenders verwacht dan het simpele sms-je dat ze heeft ontvangen nadat ze uit het hotel waren weggevlucht.

In de tussentijd heeft Cécile de instructies opgevolgd van de man met het baseballpetje. Die Jacob Mahler die ze in Parijs ook al had ontmoet. Ze heeft geen oog meer dichtgedaan, in het besef dat wat hier gebeurt heel wat meer is dan een simpele speurtocht.

Er zat iemand in de hal van het hotel die hen in de gaten hield.

'Je moet naar de hal gaan, met elegante kleren aan,' had Jacob Mahler haar opgedragen. 'Zorg dat je opvalt en kijk niemand aan. Bestel een maaltijd voor drie personen op de kamer. Praat extra hard, zodat iedereen je goed hoort. Spreek Frans.'

Cécile moest de man die hen in de gaten hield het idee geven dat ze de hele avond op haar kamer wilde doorbrengen. Daarna zette ze de tv aan op Elettra's kamer, met het volume flink hard zodat het op de gang te horen was, en nam ze de afstandsbediening mee naar haar eigen kamer. Af en toe hield ze de afstandsbediening tegen de muur en zapte naar een andere zender in Elettra's kamer. In Shanghai heb je overal dunne muren, zelfs in een vijfsterrenhotel.

Zonder te slapen heeft Cécile de hele nacht afgewacht. De volgende dag zette ze haar toneelstukje voort: ontbijt voor drie personen op de kamer. Lunch. Ze ging naar de hal om te bestellen, en terwijl ze weer naar boven ging probeerde ze door de liftdeuren te gluren naar de andere gasten die de krant zaten te lezen, om erachter te komen wie van hen die mysterieuze spion zou kunnen zijn die ze moesten zien te ontwijken.

Al die dingen malen door Céciles hoofd op het moment dat ze de stem van Fernando herkent.

'Gaat het goed met je, Cécile?' vraagt de vader van Elettra.

'Ja hoor, prima. Waar ben je?'

'Onder je.'

Er trekt een vlaag van opluchting over het gezicht van de parfumontwerpster.

'Ik ben in de hal,' preciseert de man.

Fernando is daar, in Shanghai, een paar verdiepingen van haar af. 'Wat doe jij in de hal?'

'Ik kom jullie helpen. Hoe gaat het allemaal? Hoe is het met de kinderen?'

'Kom naar boven. Kamer 405.'

Een paar minuten later staan Cécile Blanchard en Fernando Melodia tot hun eigen verbazing in een innige omhelzing. Fernando vertelt dat hij de vergissing heeft begaan om de snelste trein ter wereld te nemen, zodat hij er bijna twee uur over heeft gedaan om het Grand Hyatt te bereiken. Hij heeft niet gereserveerd en er zijn geen kamers vrij. Maar hij is van plan om bij Elettra op de kamer te slapen.

'Er zijn wat problemen geweest...' zegt Cécile. Ze vertelt hem over de man genaamd Jacob Mahler, en hoe die met de meisjes is gevlucht.

'Een man die ongeveer zo lang is... met wit haar?' vraagt Fernando, terwijl hij zich steeds minder geneert om Cécile zo vast te houden.

'Ken je hem?'

'Ik heb met hem gevochten,' schept hij op, om begrijpelijke redenen.

Dat antwoord heeft onmiddellijk effect: Cécile voelt dat ze in de armen van een echte man staat en begraaft haar gezicht nog dieper in zijn trui.

'Al sinds de moeder van Elettra er niet meer is...' zegt Fernando ineens, 'heb ik nooit meer iemand op deze manier vastgehouden.'

Ook die zin heeft onmiddellijk effect: Cécile mompelt wat onzinnige smoesjes en onnodige excuses en maakt zich meteen

van hem los. 'O, sorry, Fernando, ik... ik wilde niet... maar... ik weet niet precies wat...'

Dan zet ze grote ogen op.

Fernando Melodia kust haar.

Daarna vertellen ze elkaar alles wat er te vertellen valt, van de ontdekkingen van het gouddraad in de Sluier van Isis tot de rol die tante Irene in het hele verhaal heeft gespeeld. Als de zon vandaag al aan de hemel mocht hebben gestaan, gaat hij nu alweer onder aan de overkant van de rivier, en de regen neemt geleidelijk af.

De beide ouders controleren hun mobieltjes. Geen gemiste oproep. Geen bericht.

'Misschien kunnen we beter naar buiten gaan,' oppert Fernando.

Dat durft ze eigenlijk niet. 'En als de kinderen bellen?'

'Die kunnen evengoed bellen. Het heet niet voor niets een mobiele telefoon.'

'Mahler zei dat we in de gaten worden gehouden. En dat we misschien achtervolgd zullen worden.'

Fernando pakt Céciles handen in de zijne en geeft er een kneepje in. 'Kom op, dan laten we ons achtervolgen.'

Na talloze bedenkingen besluiten Fernando en Cécile uiteindelijk om te voet op pad te gaan.

Ze trotseren de natte trottoirs op het moment dat er hele slierten lantaarnpalen en reclameborden aan floepen. Ze lopen langs de rivier, over de winkelpromenade, en nemen dan een dwarsstraat tussen de wolkenkrabbers door terwijl ze

voortdurend omhoog turen. Ze turen naar enkele helikopters die met grote witte schijnwerpers de straten beschijnen. Er komen politiewagens voorbij razen met zwaailicht en gillende sirenes. Met het hart in de keel en een zwaar gevoel in hun buik besluiten ze dezelfde kant op te lopen.

Om kwart voor acht lopen ze Century Park binnen, een kwartier voor sluitingstijd.

De helikopters vliegen aan de andere kant van het park, rond een wolkenkrabber van staal en zwart glas, en een gebouw even verderop waarvan de bovenste verdieping in een rookwolk gehuld is.

'Daar is brand. Of het is een gaswolk,' oppert Fernando, terwijl hij zonder het te weten naar de voormalige woning van Jacob Mahler staart.

Hij kan natuurlijk niet weten dat iemand van het beveiligingspersoneel van Heremit Devil een deur heeft opengedaan die hij beter dicht had kunnen laten.

Het tweetal blijft langdurig naar de schijnwerpers en de wiekende rotorbladen staan kijken.

'Wat zei je?' vraagt Cécile ineens.

'Ik zei niets.'

Ze kijkt om zich heen en vraagt: 'Hier beneden?'

'Wat, hier beneden?'

'Zei jij niet: "hier beneden"?'

'Ik zei helemaal niets.'

Dan hoort ook Fernando iemand schreeuwen. Het is een stem die ver weg klinkt, maar toch heel dichtbij. En hij vraagt om hulp. In het Italiaans, nota bene.

'Help! Hoort iemand mij? Help! Ik ben hier beneden! Hier

beneden!' klinkt de onbekende weer, met wanhopige stem.

Fernando en Cécile gaan op het geluid af en komen bij een speeltuintje met een kring van putdeksels eromheen. Daar komt de stem vandaan.

Fernando gaat op zijn knieën zitten en drukt zijn gezicht tegen het metalen rooster, maar hij ziet niets.

Dan klinkt de stem van onder het putdeksel: 'Fernando?'

'Ermete?' antwoordt de vader van Elettra verbluft. 'Ben jij het?'

'Kom snel, we verdrinken bijna!' schreeuwt de ingenieur, bij wie Mademoiselle Cybel de knevel van zijn mond heeft weten te rukken.

40
HET GEHEIM

De eerste die de trap af gaat is Harvey. Het zijn maar twaalf treden, die leiden naar een grote ruimte met een laag plafond, uitgehouwen in de rots, met een hellende vloer.

'Het is hier droog,' zegt hij.

'Wat zie je?'

De enige lichtbron is de nauwe ingang waar hij net doorheen is gekomen.

'Niets,' antwoordt hij.

'Aan de kant jullie,' zegt Heremit Devil achter hen.

Hij loopt de trap af en gaat naast Harvey staan. Hij doet een zaklamp aan en schijnt om zich heen. Sheng, Mistral en Elettra komen achter hem aan, onder begeleiding van Nik Knife.

'Dus dit is het?' mompelt Heremit. 'Is dit het geheim?'

Het zwakke schijnsel verlicht wanden vol teksten, gegraveerde stenen panelen, een metalen krukje dat doet denken aan een fakkelhouder en nog meer stenen platen die op de grond zijn gerangschikt.

'Wat heeft dit allemaal te betekenen?'

Nik Knife kijkt op zijn horloge. Nog negen minuten voordat de helikopter komt.

Elettra voelt dat ze zindert van energie, ondanks het isolerende pak dat ze nog steeds aan heeft. Ze spreidt haar handen uit. 'Licht,' zegt ze.

En twaalf metalen fakkels gaan plotseling aan.

Als het licht aangaat staat Heremit Devil angstig te wankelen.

'Hoe deed je dat?' krijst hij. Verbluft kijkt hij om zich heen. Nu lijkt de ruimte veel groter dan eerst. Hij is bijna drie meter hoog en de hellende vloer vormt een soort lange, spiraalvormige gang die in de rotsen verdwijnt. Om de zoveel meter staan er fakkels en grote potten beschilderd met gestileerde bomen. In de potten zitten handenvol zaadjes, dezelfde als die ze hebben gevonden onder de grond in New York. Op de grond staan stenen platen vol inkervingen, die tegen de nog lege wanden aan leunen. Als ze echter verder de gang in lopen, zijn de wanden bedekt met een dicht mozaïek van stenen en inkervingen. Platen van verschillende materialen, vol teksten, waarvan de meest recente in westerse letters en in een volkomen onverwachte taal zijn opgesteld.

'Spaans?' vraagt Heremit Devil zich af, terwijl hij naar het meest recente paneel toe loopt om te lezen wat er staat.

Juan Caboto, per encàrrec de la corona anglesa, desembarca a Terranova (1499).

'Catalaans,' zegt Elettra.

Het paneel ernaast is in het Chinees. Er wordt op verhaald over de vloot van Zheng He die de haven van Chini verlaat om de wereld te ontdekken, vele jaren voor de ontdekking van Amerika door Christoffel Columbus.

Terwijl ze alles vluchtig bekijken en lezen, dringt het gezelschap verder door in het ondergrondse, steeds dieper in de spiraalvormige gang. Heremit Devil met ingehouden pas, de kinderen bijna rennend. Hoe lager ze komen, hoe ouder de stenen platen zijn. En de talen veranderen voortdurend, van Arabisch naar Chinees, van Hebreeuws naar Russisch.

Ze dalen verder af.

Latijn. Grieks.

Ze dalen nog verder.

Hiëroglyfen. Spijkerschrift.

Het is alsof ze teruggaan in de geschiedenis van alle talen van de wereld. Heremit Devil kijkt verbijsterd om zich heen.

Na de zoveelste draaiing eindigt de ruimte bij een wand die volledig is bedekt met een dicht mozaïek. Het middelpunt van het mozaïek is de zon. En de elf cirkels die eromheen draaien staan voor de regelmatige banen van de planeten in het zonnestelsel. Een twaalfde planeet heeft een totaal afwijkende baan vergeleken met de rest: een uitgerekte ellips die aan de uiteinden ineen wordt gedrukt.

Voor de wand, op een altaartje op de grond, staat een ruw uitgehouwen steen.

Terwijl de anderen rondkijken in een poging de betekenis van deze plek te doorgronden, kijkt Sheng om zich heen alsof de kamer vol mensen staat. En voor hem is dat ook zo: voor die stenen platen ziet hij personen staan van alle nationaliteiten en uit alle tijden. Zeelui, mandarijnen, ridders, hoffunctionarissen, priesters, legioensoldaten, klerken, woestijnbewoners, primitieve sjamanen. Voor zijn gouden ogen trekken geweren, speren, rijwielen, struisvogels en oorlogspaarden langs. Hij ziet ideeën en dromen uit verschillende tijden en landen, die daar zijn achtergebleven zodat de ruimte werd gevuld met beelden voor degene die in staat is ze te zien.

'Dit zijn onze... voorouders...' mompelt Sheng, omringd door die werveling van beelden. Hij loopt naar de muren en streelt eroverheen. 'En dit is hun dagboek.'

In al die platen staan de ideeën, de ondernemingen en de ontdekkingstochten van de mensen gekerfd. Het is een stenen dagboek, dat om de honderd jaar wordt aangevuld door verschillende mensen met verschillende alfabetten, in diezelfde langgerekte, spiraalvormige ruimte.

Wankelend streelt Sheng de stenen platen van duizenden jaren oud. 'Dit is het werk van de Wijzen die vóór ons zijn gekomen,' zegt hij.

'De woorden van de Wijzen?' schreeuwt Heremit Devil. 'Is dat het enige wat op dit eiland verborgen ligt? Een paar ouwe teksten?'

'Snap je het dan niet?' roept Sheng.

'Wat moet ik snappen?'

'Hier staat alles!' zegt Sheng nog steeds in zijn visioen, terwijl zijn hand over de hiëroglyfen naast hem strijkt. 'Kijk

dan! Hier vertellen ze over de bouw van de eerste piramide! Het was geen graf! En ze gebruikten helemaal geen slaven! Maar... maar natuurlijk, het was heel eenvoudig!'

Heremit rukt aan zijn shirt: 'Wat is heel eenvoudig?'

Sheng doet zijn gouden ogen dicht, maar als hij ze weer opent zijn ze blauw. Alles is verdwenen. Zijn dromen zijn verdreven. 'Je hebt ze... weggejaagd...' mompelt hij.

Heremit laat hem woest los. Hij ziet Nik Knife achter de twee meisjes staan, en Harvey die zich over de steen voor de mozaïekwand buigt. 'En wat is dat?'

'Weg jij!' houdt Elettra hem tegen, terwijl ze tussen hem en haar vriendje in gaat staan.

'Heb je het tegen mij?' stamelt Heremit, want hij kan niet geloven dat zo'n kind hem bevelen durft te geven.

Elettra klauwt door de lucht als een gewonde kat, en dat gebaar is zo onverwacht dat Heremit Devil achteruit deinst. Nik Knife brengt zijn handen naar de messen aan zijn riem, maar Heremit gebaart dat hij moet wachten. Dan trekt hij zich woedend terug in de schaduw en kijkt alleen maar toe. 'Wat is dat?' vraagt hij opnieuw.

'Het zou een antwoord kunnen zijn,' zegt Harvey terwijl hij hem aankijkt.

Harvey legt beide handen op de steen en luistert.

Hij zwijgt langdurig en wordt dan langzaam heel kalm.

'Deze steen is hier neer gevallen toen er nog geen mensen op de Aarde waren,' zegt hij. 'Hij stortte neer tegelijk met duizenden andere meteorieten. Hij was afkomstig uit de baan van een planeet genaamd Nibiru, die duizenden jaren

geleden hier vlak langs kwam en een regen aan sterren-materiaal achterliet. Sommige stenen verbrandden in de atmosfeer. Andere vielen in de zeeën. Weer anderen knalden tegen de rotsen. En één, die te groot was om te vallen, bleef aan de Aarde verbonden en werd haar enige satelliet: de Maan. De dolende planeet kwam nog heel vaak langs onze planeet. Tijdens een van de laatste keren dat hij langskwam, waren er mensen die hem opwachtten. Mensen die tegen anderen hadden gezegd dat hij langs zou komen. Mensen die geloofden dat ze van hem afstamden: als engelen die uit de hemel waren geregend. De mensen die Nibiru voor de laatste keer zagen passeren, geloofden dat ze de vrucht van zijn eindeloze komen en gaan waren. Ze dachten dat ze sterren-zaadjes waren die op deze aardbol waren neergevallen.'

'Wanneer was dat?' vraagt Mistral, neerhurkend bij Harvey.

'Ik weet het niet precies...' mompelt hij, terwijl hij zijn handen losmaakt van de steen. 'Heel lang geleden.'

'In de tijd van de Chaldeeën,' zegt Sheng ineens, kijkend naar iets, of iemand, midden in de kamer. 'Zij waren de mensen die wachtten tot de planeet langskwam.'

'Hoe weet jij dat?' vraagt Elettra.

'Geen idee,' antwoordt Sheng, wijzend op het niets voor hem. 'Maar ik zie het.'

'Wat zie je, Sheng?'

De Chinese jongen heeft weer gouden ogen. 'Het is een man. Hij heeft een baard en allemaal kleine vlechtjes in zijn haar. Op zijn rug draagt hij een koker vol pijlen, en op zijn kleren zijn de sterren getekend.'

'Waar staat hij?' vraagt Harvey.

'Hij staat voor jou. Naast het mozaïek. En hij kijkt mij aan.'

Harvey staat op en legt beide handen tegen de wand. 'Hij zegt dat hij een van de eerste Magiërs is...' begint hij dan. 'En dat hij is gekomen toen de Aarde nog heel anders was dan nu. De Noordpool en de Zuidpool waren omgekeerd. De zon kwam op in het westen en ging onder in het oosten.'

Sheng naast hem knikt en beschrijft aan de anderen wat hij ziet: 'Hij maakt een gebaar van een bal die wordt omgekeerd. En hij wijst naar de vreemde baan op het mozaïek. De baan die afwijkt van die van de andere planeten in het zonnestelsel. Dat is de baan van Nibiru.'

'Hij zegt dat Nibiru, toen hij de laatste keer passeerde...' vervolgt Harvey, 'een hele reeks catastrofes zonder weerga veroorzaakte. De Aarde draaide zich om en werd overstroomd door de wateren. Alle volkeren van de wereld kennen een zondvloed.'

Sheng en Harvey zijn even stil. In de schaduw glinsteren de ogen van Heremit Devil als gloeiende kolen.

'Wat zegt hij nu?' fluistert Mistral.

'Hij vertelt dat de Magiërs de baan van Nibiru bestudeerden en dat ze berekenden hoelang het zou duren voordat hij weer terugkeerde,' antwoordt Harvey. 'Ze wilden voorkomen dat hun berekeningen en hun ontdekking verloren gingen, en daarom vertrouwden ze een kleine groep geleerden de taak toe om het geheim van generatie op generatie over te leveren, zodat het geheim van de dwalende planeet altijd bewaard zou blijven, en zodat de mensen zich op zijn terugkeer konden voorbereiden.'

'Het Pact?' mompelt Mistral, de anderen aankijkend.

'De Magiërs gaven het geheim van de dwalende planeet door, tegelijk met het allergrootste geheim: dat het hele universum leeft. En dat het vier fundamentele wetten volgt.'

'Welke zijn dat?' mompelt Elettra.

'Hij zegt dat ze gelden voor elk element in het universum, zowel voor het grote als voor het kleine. Andere mensen hebben ze bestudeerd en hebben er namen aan gegeven zoals mathematica, genetica, fysica, kwantummechanica... maar in feite zijn het vier heel eenvoudige zaken: harmonie, energie, herinnering en hoop of, om een ander woord te gebruiken: droom.'

In de ondergrondse ruimte klinkt nu het geluid van de zee. Nik Knife fluistert iets tegen Heremit Devil. Dan loopt hij een eindje weg.

Sheng merkt het op, want hij wordt gewaarschuwd door de man die alleen hij kan zien. 'Zo te zien is hij bang,' zegt hij.

Harvey knikt. 'Dat is hij ook. Nibiru is weer onderweg. Hij komt op ons af. Maar dit is geen goed moment om terug te keren. Op Aarde zijn de vier wetten hevig op de proef gesteld. De planeet is gewond in zijn harmonie, beroofd van zijn energie, en zijn herinnering van diamanten is geslonken.'

'Wacht eens!' roept Elettra. 'Bedoel je dat diamanten de herinnering van de Aarde vormen?'

Harvey knikt. 'Dat zegt hij. Maar... hij zegt ook dat het ergste is dat we haar dromen uitwissen.'

'Kan onze planeet dromen?' stamelt Mistral verbaasd.

'Hij zegt dat ze voortdurend droomt,' vervolgt Harvey. 'Ze droomt van dieren die in de bossen voorkomen. Ze droomt van mensen die onderzoek doen naar haar mysteries. Ze

droomt van liederen die ze aan de wind toevertrouwt. Ze droomt van nieuwe talen van ijs en stiltes vol ideeën. En ze wacht af.'

'Waar wacht ze op?'

'Ze wacht tot Nibiru terugkeert in het zonnestelsel en weer langs haar heen komt.'

Nu begint Harvey bijna te trillen: 'En als Nibiru langskomt, zal de Aarde haar energie gebruiken om met hem te praten. Haar herinnering om hem te vertellen wat er is gebeurd. En ze zal hem zeggen of de droom nog mogelijk is.'

'En...'

'Als de droom nog mogelijk is, zal Nibiru verder gaan en in het universum verdwijnen met zijn vurige staart van asteroïden, om pas over duizenden jaren weer terug te keren. Maar als de droom niet meer mogelijk is...'

Harvey aarzelt.

Elettra loopt naar hem toe. 'Wat gebeurt er dan?'

'Dan zal Nibiru een nieuwe harmonie vestigen. Hij zal de Noordpool en de Zuidpool opnieuw omdraaien, en het oosten met het westen verwisselen, en alle mensen wegvagen met een zondvloed, of een meteorietenregen. Om weer opnieuw te beginnen. Zoals in het verleden al eerder gebeurd is, en zoals in de toekomst opnieuw zal gebeuren.'

'En zegt hij ook... wanneer dat zal gebeuren?'

Harvey wacht een paar tellen, dan haalt hij zijn handen van de muur alsof hij een schok heeft gekregen, en klemt zich vast aan Elettra.

'Hou op!' schreeuwt Heremit Devil terwijl hij tussen hen in rent. 'Hou op met die flauwekul!' Hij schopt de steen om,

zodat die tegen de mozaïekwand rolt. 'Ik heb al veel te lang geluisterd naar dat gewauwel van jullie! Jullie houden me gewoon voor de gek! Er staat hier helemaal geen ouwe vent te praten!'

Hij duikt op Elettra af. 'Ik heb zes jaar gewacht om hier naartoe te kunnen! En nu wil ik macht! Ik wil jouw energie, meisje! En ik wil dieren kunnen oproepen!' schreeuwt hij terwijl hij Mistral tegen de grond duwt. 'Waar ligt de kracht van dat grote geheim?' vervolgt hij. 'Waar is het geheim? Ik zie niets! Ik voel niets! Ik wil iets concreets hebben!'

Hij geeft een harde klap tegen een stenen plaat en hijgt moeizaam.

'Ik wil niks weten van een niet-bestaande planeet en de dromen van de Aarde. Ik wil niet weten hoeveel duizenden jaren geleden dit allemaal is opgeschreven. Ik geloof jullie niet. Ik zal jullie nooit geloven. Wat jullie zeggen kan helemaal niet. Maar... ik heb wel gezien dat die fakkels aan gingen. En ik heb de zwermen insecten gezien. Dus ik weet dat er iets is... en dat wil ik ook hebben!'

Vanuit de schaduw van de gang die omhoog voert, waarschuwt Nik Knife: 'De helikopter is terug! We moeten weg hier! Nu meteen!'

Maar niemand verroert zich.

In de ondergrondse ruimte staan vijf mensen elkaar aan te kijken. Nik Knife, achter hen, begint hardop te tellen: 'Negenenvijftig... achtenvijftig...'

'Zeg op,' beveelt Heremit Devil.

'We hebben niets te zeggen,' antwoordt Elettra.

'Zeg op! Anders laat ik jullie hier achter!'

'Negenenveertig... achtenveertig...' telt Nik Knife onverstoorbaar verder.

'Je laat ons hier evengoed wel achter,' zegt Harvey, leunend tegen de mozaïekwand. 'Het maakt niet uit wat we doen.'

'Dit wordt je dood! Het eiland zakt weer terug in de oceaan!'

'Ja. Dat kan,' knikt Harvey. 'Wat maakt dat uit?'

'Wat heeft het dan voor zin gehad dat jullie tot hier zijn gekomen? En jullie krachten? En die van mijn zoon?'

'Ik heb geen kracht,' antwoordt Harvey terwijl hij de man recht in de ogen kijkt. Dan besluit hij alles op alles te zetten en beweert: 'Ik heb alles verzonnen.'

'Dat is niet waar! Jij hebt iets... gehoord!'

'Wat dan? Het geluid van die steen?'

Heremit Devil tast koortsachtig tussen zijn kleren. Hij haalt een pistool tevoorschijn en richt het op de kinderen.

'De waarheid! Ik wil de waarheid! Waarom jullie? En wat is er voor kracht op dit eiland?'

'De grootste kracht van allemaal,' antwoordt Sheng. 'Die van het weten.'

Harvey zet een stap in de richting van Heremit. 'Waar we vandaan komen, wie we zijn, waar we naartoe gaan en waarom... dat zijn de antwoorden waar je naar op zoek was. We komen uit de herinnering, we zijn harmonie, we gaan naar de hoop en... dit alles omdat het hele universum pure energie is.'

'Maar wat hebben jullie... dat mijn zoon niet had? Waarom is hij niet hier? Waarom heeft hij het niet gered? Waarom... voel ik niets?'

'Nog dertig seconden, meneer,' zegt Nik Knife.

Mistral leunt tegen de muur en laat zich op de grond glijden. Haar ogen staan vol tranen en ze schudt zachtjes haar hoofd. 'Ik wist wel dat het zo zou aflopen...'

Heremit Devil kijkt hen een voor een aan, heel traag. 'Wil iemand mij antwoord geven?'

'Twintig... negentien... achttien...'

'Waarom voel ik niets?' vraagt de man weer.

Harvey en Elettra omhelzen elkaar voor zijn ogen, zonder iets te zeggen.

'Wil iemand mij... antwoord geven?'

'Twaalf... elf... tien...'

De heer van de zwarte wolkenkrabber richt zijn pistool eerst op Harvey, dan op Elettra. Op Sheng, op Mistral. Zijn arm is stijf, gespannen. Zijn hand trilt. Zes jaar wachten. Een reis over de oceaan. Een onbegrijpelijk eiland. En nog steeds niets, geen enkel antwoord. Vier woorden die niets te betekenen hebben. Energie, harmonie, herinnering en hoop. Dat zijn geen antwoorden. Zijn handen jeuken. Zijn hoofd bonst. Er is te veel werkelijkheid, daar beneden. Te veel buitenwereld. En geen enkele kracht. Niets van wat hij had gedacht te zullen vinden. Na jaren van isolement, van gezuiverde lucht, van beveiligingsploegen, begint Heremit Devil nu, in deze totale onzekerheid, in de onbegrijpelijkheid van de wereld om hem heen, helemaal door te draaien. Hij heeft het idee dat hij een stem hoort fluisteren, in zijn hoofd. Een stem

die woorden zonder betekenis opdreunt. Als een knagende pijn die maar blijft zeuren.

'Acht... zeven... zes... we moeten gaan, meneer... vijf... vier...'

Vier. Vier. Vier.

Bij dat getal heft Heremit Devil geërgerd het pistool op. Zijn onmenselijke gebrul vult de hele ondergrondse ruimte: 'Néééé! Hou op!'

Hij draait zich met een ruk om naar Nik Knife en haalt de trekker over.

Als hij het pistoolschot hoort, denkt Sheng dat hij dood is.

Maar als hij zijn ogen opendoet, ziet hij Heremit Devil die met de rug naar hem toe staat en het lichaam van de messen- werper dat levenloos op de grond neerzijgt. Een dun sliertje rook komt uit de loop van Heremits pistool.

Mistral zit naast hem op de grond en knijpt in zijn knie.

Elettra heeft haar gezicht verborgen in de handen van Harvey, die roerloos bij het mozaïek staat. De sterrensteen is op de grond gerold. Buiten de grot horen ze de zee brullen. En het geluid van de helikopter dat steeds verder weg klinkt.

'Een beetje... stilte...' stamelt Heremit Devil, terwijl hij zich weer naar de kinderen wendt. Zijn gezicht is nu een grijnzend masker: het linkerooglid is weer woest aan het knipperen; de wang is opgetrokken en beeft; zijn mond staat zo wijd open dat zijn tandvlees te zien is.

Weer zwaait hij met zijn pistool. 'Waar... hadden we het over?'

Harvey, Elettra, Sheng en Mistral gaan dicht tegen elkaar aan staan, in de hoop dat ze door die aanraking tot rust zullen komen. Hun vingers zoeken de andere vingers op, ze knijpen elkaar, ze verstrengelen in elkaar. Als ze dit alles alleen maar hebben gedaan om dood te gaan in deze grot, bedenken ze, kunnen ze maar beter samen doodgaan.

De bewegingen van hun handen is het ene alerte oog van Heremit Devil niet ontgaan.

Zwaaiend met zijn pistool sneert hij: 'Jullie zijn vier zielige kindjes. Je leeft eenzaam. En je sterft nog eenzamer. Dat is wel wat anders dan... hoop.'

Hij komt een stap dichterbij en herhaalt, met een gruwelijk vertrokken gezicht: 'Waar... hadden we het over?'

Achter hem beweegt iets. Tussen de vier vingers van de messenwerper verschijnt een metalige glinstering. Liggend op de grond, met zijn laatste krachten, gooit Nik Knife een mes. Het lemmet zoeft fonkelend door de lucht. Een doffe klap, als van een appel die doormidden wordt gespleten.

Heremit Devil schokt, en zijn ogen sperren zich open in een uitdrukking van ongeloof. Hij verstijft, probeert nog een halve stap naar voren te zetten. Maar zijn handen zijn als verlamd en het pistool valt op de grond.

Harvey schopt het zo ver mogelijk weg.

Heremit Devil hoest. Onder zijn opgetrokken bovenlip kleuren zijn helderwitte tanden rood. Hij zet nog een halve stap naar voren. 'O ja... nu weet... ik het weer...' prevelt hij en hij wankelt tot aan Harvey. 'We... hadden het... erover dat ik... niets... voel. Ik heb nooit... iets gevoeld.'

Hij valt in de sterke armen van de jongen en blijft hem aanstaren.

'Misschien is dat het antwoord dat je zocht,' zegt Harvey, terwijl hij hem moeiteloos vasthoudt. Het lichaam van Heremit Devil is zo licht als dat van een kind. Het is fragiel, het heeft niets meegemaakt, geen krassen, geen schaafwonden. Een lichaam dat nooit iets heeft aangeraakt. Dat niet is gegeseld door de regen. Door de ijskoude winterse wind. Een lichaam dat nooit in de zon heeft gelegen, of bedekt is geweest met het zout van de zee. Het heeft nooit gezweet. Het is nooit gelikt door een hond, gekrabd door een kat, uit het zadel geworpen door een paard. Het heeft nooit gedanst, gesprongen, gejubeld. Het heeft nooit iets gevoeld.

'Ja,' fluistert de heer van de zwarte wolkenkrabber nog. 'Dat is het antwoord.'

En dan sterft hij, met een vreemde, tevreden glimlach om zijn mond.

Vier figuren beklimmen de twaalf treden naar de ingang van de grot en stappen naar buiten. Ze kijken om zich heen, zien het lege schild van zwarte rots dat het eiland om hen heen is. De helikopter is een wit puntje, een vlieg aan de blauwe horizon.

De zee beukt tegen de klippen.

En afgezien van de donderende golven en de brullende stroming is er niets en niemand.

Enkel een grote stilte. Die ze helemaal kunnen voelen.

41
HET SCHIP

Als het telefoontje komt, zit professor Miller gebogen over de papieren die hij al maanden bestudeert. Volgens de gegevens van de sterrenwacht van Pasadena over de hypothetische Planeet X, die op weg zou zijn naar ons zonnestelsel, was de meest pessimistische theorie dat hij ergens tussen 2050 en 2110 verwacht kon worden. Dat duurt nog lang genoeg om niet meer zijn probleem te hoeven zijn, denkt professor Miller, maar het is wel dichtbij genoeg om zich er toch serieus mee bezig te houden.

Bij elk telefoontje dat hij heeft gepleegd met zijn verschillende collega's op het gebied van de astronomie, heeft George Miller echter alleen maar ironische, vage of geïrriteerde reacties gekregen. Niemand wilde geloven dat die absurde gegevens die op de Atlantische Oceaan zijn verzameld veroorzaakt zouden kunnen zijn door een abnormale aantrekkingskracht. Bijvoorbeeld van een groot zwart lichaam dat van buiten het zonnestelsel in aantocht was. In aantocht, maar waar naartoe dan?

Professor Miller heeft berekend dat de hoek tussen de baan van die Planeet X en de baan van de aarde ongeveer 17 graden is, oftewel hetzelfde als de hoek met de baan van de planeet Pluto, de buitenste planeet van het zonnestelsel. En waarom berekent hij dat allemaal? Om iets te bewijzen aan zijn collega's? Bijvoorbeeld dat de vreemde klimaatverschijnselen van tegenwoordig nog niets zijn vergeleken met wat hen te wachten staat?

Een planeet die in staat is de getijden van de Stille Oceaan te beïnvloeden terwijl hij nog zo'n zestig jaar van de Aarde verwijderd is, zou een ware ramp kunnen veroorzaken als hij uiteindelijk bij de Aarde zou aankomen.

'Aankomen of terugkomen?' vraagt professor Miller zich af, terwijl hij zijn pen in zijn mond steekt.

Terwijl hij zit te peinzen over mogelijke waarnemingen van deze planeet door wetenschappers uit de oudheid, hoort professor Miller iemand op de deur kloppen.

Het is Paul Magareva, zijn collega van het Polynesisch Instituut voor Oceanografie, zoals altijd in opperbeste stemming. 'En als het nu eens een eiland is?' vraagt hij vanuit de deuropening.

'Als wat een eiland is?'

'Een eiland dat plotseling is opgedoken midden in de Gele Zee, oftewel de Bohai-zee?'

'Een vulkaanuitbarsting?'

'Misschien.'

'Zou kunnen. Dan moet het wel een behoorlijk eiland zijn.'

'Maar dan zouden de gegevens wel kloppen. Geen planeet van buiten, geen astronomisch fenomeen.'

Professor Miller laat zich tegen de rugleuning van zijn stoel zakken. Een boeiende theorie. Maar... 'Wat voor bodem heb je daar, in het gebied waar je het over had?'

'Een bodem waar volgens mij helemaal geen eiland uit kan opduiken.'

George Miller kijkt zijn collega grijnzend aan. 'Waarom zeg je het dan?'

'Misschien omdat ik wil dat je je minder zorgen maakt over de komst van een of andere spookplaneet...' glimlacht Paul. 'Of misschien omdat er een vent aan de telefoon is die Engels spreekt met een vreselijk accent... Hij zegt dat hij jou wil spreken.'

Professor Miller fronst zijn wenkbrauwen.

'Hij zegt dat hij een vriend van je zoon is,' voegt Paul Magareva eraan toe.

De naam Harvey heeft het effect van een zweepslag op professor Miller. Hij wacht nu al twee dagen op zijn zoon.

'Harvey? Eindelijk!' roept hij terwijl hij de hoorn opneemt. 'We hebben de consulaten van de halve wereld al gewaarschuwd!'

'Ik ben niet Harvey!' antwoordt iemand aan de andere kant van de lijn.

'Maar wie bent u dan? Met wie spreek ik?'

'Professor Miller! Ik ben Ermete De Panfilis!'

De naam klinkt bijna volkomen onbekend voor de analytische geest van professor Miller. Bíjna volkomen. De man

kijkt zijn collega aan, die nog steeds in de deuropening staat. 'Help me even herinneren...'

'Bent u nog in Shanghai? Op het schip?'

'Ja. Waarom vraagt u dat?'

'Dan moet u absoluut koers zetten naar de Gele Zee, meneer! U hebt geen minuut te verliezen! U moet uw zoon gaan ophalen! Ik zal u onderweg alles uitleggen.'

42
DE ZOEN

'Misschien stelt onze bijdrage niet zo heel veel voor...' mompelt Mistral tegen de anderen, kijkend naar haar schetsboeken die op de grond gerangschikt zijn, vlak naast het laatste paneel waarin de tekst van Juan Caboto gegraveerd staat. 'Ze zijn niet in steen geschreven, maar... beter dan niets.'

Nadat ze de schetsboeken van Mistral hebben achtergelaten liepen ze heel kalm de ruimte uit. Ze hebben de sterrensteen weer op zijn plaats gezet en de lichamen van Nik Knife en Heremit Devil naar buiten gesleept. Die hebben ze op de rotsen neergelegd, in een bekken zodat ze ze niet de hele tijd hoeven te zien als ze om zich heen kijken. Sheng wilde ze in zee gooien, maar Elettra weigerde dat pertinent. 'Als het eiland weer gaat zakken... pakt de zee ze vanzelf wel.'

Voordat ze naar buiten gingen heeft Harvey vier zaadjes gepakt uit een van de potten versierd met gestileerde bomen.

Hij bedacht dat hij de twee zaadjes die hij over heeft nog moet planten: een in Shanghai en een in Rome. En deze vier zaadjes heeft hij nodig om het volgende Pact te organiseren.

Als ze tenminste ooit een manier vinden om van dit eiland af te komen.

Vervolgens sloten de kinderen het voetstuk dat toegang verschaft tot de ondergrondse ruimte weer af en verzamelden de zeven tollen, waarbij ze een vluchtige blik wierpen op de tol met de schedel, die eerst van Hi-Nau was geweest en later van Heremit Devil. Vervolgens legden ze de koperen ring op zijn plaats om het oude slot te beschermen.

Pas daarna zijn ze buiten gaan zitten, zwijgend.

Hun eerste gedachte gaat naar Ermete.

'Wie weet wat hem is overkomen...' mompelt Elettra.

'Ik geloof niet dat ze hem vermoord hebben,' antwoordt Sheng vol vertrouwen. 'En nu Heremit dood is...'

Het is een mooie gedachte, maar niemand gelooft erin.

Harvey haalt wat te eten uit de rugzak van Nik Knife en deelt het uit. Niemand heeft honger, maar ze dwingen zichzelf om toch wat te eten. Dan leggen ze de Ring van Vuur, de Ster van Steen, de Sluier van Isis en de Parel van de Zeedraak voor zich neer. Ze geven de voorwerpen aan elkaar door.

Bij het zien van de Ring van Vuur moet Sheng lachen.

'Wat valt er te lachen?'

'Niks...' antwoordt hij. 'Ik moest ineens denken aan Ermete, de eerste keer dat we bij hem aanbelden. Weten jullie nog?'

Het beeld van het verbijsterde gezicht van de ingenieur en eigenaar van Lagers & Lopers verschijnt levendig in hun

340

herinnering. Alleen Mistral blijft zwijgend naar hen zitten kijken. Zij was er niet bij op dat moment.

'En die vermommingen van hem!'

Nu kan er ook bij Mistral een lachje af.

Ze lachen, maar het is een bittere, droevige lach. Dan staat Sheng op, grijpt een niet-bestaand stuur vast en vraagt aan Elettra: 'Wie ben ik? Broem... broem... broem... broem!'

Elettra geeft hem een klap tegen zijn kuiten. 'Hou op!' En vervolgens tegen de anderen: 'Wisten jullie al dat Sheng nog nooit van zijn leven op een brommer heeft gereden?'

Ze praten over onbenullige dingen, maar ze denken aan de pijnlijke dingen: Ermete, het eiland dat vroeg of laat zal ondergaan, het geheim van de planeet die vroeg of laat zal terugkeren in het zonnestelsel.

'Harvey?' zegt Elettra.

'Wat?'

'Daar beneden, toen je je hand van de muur haalde...' vervolgt ze. 'Toen hadden we gevraagd wanneer die mysterieuze planeet zal terugkeren...'

Harvey knikt. 'Klopt.'

'Wanneer keert hij terug?'

'Binnenkort,' antwoordt hij.

'En dat wil zeggen?' mengt Sheng zich in het gesprek.

Harvey haalt zijn schouders op. 'Hij komt hier langs wanneer wij onze opvolgers moeten kiezen.'

'Bedoel je over honderd jaar?'

'Zoiets, ja.'

Sheng wendt zich naar Mistral en zegt: 'Dus we hebben maar honderd jaar om de Aarde weer aan het dromen te krijgen...'

Dan merkt hij dat Mistral niet meer naast hem zit.

Het Franse meisje is geluidloos opgestaan en naar de zwarte rand van de rotsen gelopen.

Sheng mompelt wat en loopt dan achter haar aan.

Hij hoort dat ze zachtjes staat te zingen en gaat langzamer lopen. Mistral merkt dat hij eraan komt en stopt met zingen.

'Ik wilde je niet storen...' mompelt Sheng verlegen.

'Je stoort me niet.'

'Ga door met zingen...' moedigt hij haar aan. 'Als het mag, wil ik graag naar je luisteren. Want daarginds, ach... je weet hoe het is.'

Ze draaien zich om. Elettra en Harvey zitten te zoenen.

'Nee,' glimlacht Mistral en ze kijkt Sheng ongewoon brutaal aan. 'Eerlijk gezegd weet ik niet hoe het is.'

'Bedoel je...? Euh...'

'Ik bedoel dat wij misschien ook zouden kunnen zoenen,' beaamt Mistral.

Sheng gaat rechtop naast haar staan. Zelfs als hij zich uitstrekt komt hij amper tot haar schouders. Mistral doet haar ogen dicht. Sheng daarentegen houdt ze open, een paar centimeter van haar gezicht af. Wijdopen. Hij kijkt naar het mooie, sierlijke gezicht van het Franse meisje. Haar kleine spitse neusje, haar verwaaide pagekopje, haar lange kattenwimpers, haar dunne lippen. Als hij al ooit heeft getwijfeld of hij de dromen van andere mensen kon zien, is Sheng er

nu zeker van: voor hem staat zijn meest concrete droom. In levenden lijve.

Maar net voordat hij Mistrals lippen kan beroeren met de zijne, blijft Sheng ineens als verlamd staan. Doordat hij zijn ogen openhield, heeft hij aan de horizon iets zien bewegen. Een puntje. Een puntje dat rook uitblaast.

'Hao!' fluistert hij.

Mistral doet teleurgesteld haar ogen open. 'Hoezo "hao", Sheng?'

Hij pakt haar hand vast, draait haar om en wijst naar het puntje. 'Daarginds kom een schip aan varen.'

43
HET FEEST

Het is een vreemde oktobermaand in Rome. Het heeft nog niet één dag geregend.

Onvoorziene klimaatveranderingen, gevolgen van het broeikaseffect, of gewoon toeval? Na die sneeuwbui op oude-jaarsavond, toen sommige journalisten het over de mogelijk-heid van een nieuwe ijstijd hadden, weet niemand meer wat hij ervan moet denken.

Onderuitgezakt in zijn leren leunstoel die hij op een inter-netveiling heeft aangeschaft, zet Ermete De Panfilis vol afschuw de televisie uit. Al die mensen die maar praten zon-der iets te doen, hangen hem zo langzamerhand de keel uit.

Er is daadkracht nodig, als ze echt iets willen veranderen.

Lagers & Lopers is dicht. Het rolluik is omlaag. De plastic tafeltjes staan nog steeds vol bordspelen met allemaal kleu-rige pionnen.

Ermete geeuwt. Dan ziet hij dat het tijd is om te gaan. Hij rekt zich uit, pakt de sleutels van zijn motor met zijspan en haast zich naar buiten.

Het feit dat het in oktober niet regent is voor Ermete een grote bron van vreugde. De motor raast door de warme herfstlucht op zijn maximale snelheid van negentig kilometer per uur; hij laat de hoofdstad achter zich en gaat dan omhoog, over de grote ringweg, in de richting van de luchthaven Fiumicino.

Als hij stiekem op het trottoir bij de internationale aankomsthal heeft geparkeerd, ziet hij dat de vlucht uit Shanghai stipt op tijd is geland.

'Dit is niet te geloven,' roept Ermete terwijl hij een reservehelm uit het kleine bagagevak haalt.

Als hij weer opkijkt ziet hij Sheng al aan komen lopen, met een spijkerbroek, een trui en sportschoenen aan. De jongen heeft een hele stapel wapperende papieren in de hand.

'Ze hebben mijn koffers kwijtgemaakt!' roept hij woedend.

Ermete lijkt gerustgesteld. 'Gelukkig maar,' zegt hij terwijl hij de reservehelm aan Sheng geeft. 'Dan weet ik tenminste zeker dat we nog in Rome zijn.'

Een gesprek voeren op een motor met zijspan te midden van het verkeer van de Italiaanse hoofdstad is beslist niet makkelijk, maar dat is nog geen reden om het niet te proberen.

'Nieuws van thuis?' vraagt Ermete, gebogen over het stuur van zijn oude bolide.

'Niets opzienbarends. Behalve dan dat ze eindelijk de hand hebben weten te leggen op de boekhouding van de familie Devil.'

'Geweldig! En?'

'De boekhouder heeft bedragen en bewijzen verschaft waarmee allerlei vuile zaakjes aan het licht zijn gekomen,' grinnikt Sheng. 'En waarmee andere functionarissen konden worden gearresteerd. Corrupte figuren, op elk niveau. Sommigen hadden eraan meegewerkt om de verdachte herkomst van het fortuin van de familie te verdoezelen. En je zult het niet geloven, maar door alle ophef is uiteindelijk ook ontdekt hoe Heremit Devil in het echt heette. Zijn ware naam was John Smith.'

Ermete kijkt Sheng aan. 'Dat meen je niet.'

'Jawel, ik zweer het je. Zo heette hij. John Smith. Gemengde familie van Chinese en Engelse afkomst, zoals Mahler ons al vertelde. De duivel verschool zich achter de meest banale naam die er bestaat.'

'En nu zijn imperium aan het afbrokkelen is?'

'Nu wordt er veel beter opgelet. En misschien zullen ze er nu wel twee keer over nadenken voor ze een vergunning afgeven voor de bouw van een negenbaans snelweg die de hele stad verpest.'

Ermete glimlacht. 'Harmonie,' mompelt hij, terwijl hij de afslag naar het centrum van de stad neemt.

Voor de deur van het Domus Quintilia hangen kleurige papieren slingers. Ermete parkeert zijn motor met zijspan op de Piazza in Piscinula, en als het geronk van de Ural-motor ophoudt horen Sheng en hij dat er muziek klinkt vanaf de binnenplaats.

'Zo te horen is het feest al begonnen...'

'Hao!' roept de Chinese jongen en hij lacht zijn tandvlees bloot. 'Kom op dan!'

Op de binnenplaats van het hotel staan al heel veel genodigden: nieuwe gezichten prijken tussen oude bekenden. Een sliert knipperende witte lampjes slingert helemaal over alle bogen heen en zakt dan omlaag tot aan de put in het midden. Aan de overkant van de ingang is een tafel gedekt met een rood/wit-geblokt tafelkleed, die vol staat met lekkere dingen en net ontkurkte flessen.

Ermete wijst Sheng op een aantal obers met een zwarte smoking en een vlinderdas, die de genodigden bedienen. 'Weet je waar het eten voor het feest vandaan komt?'

'Nee. Waarvan dan?'

Ermete wijst op iets wat in eerste instantie doet denken aan een bloemetjesgordijn, maar dan blijkt het een reusachtige vrouw in een jurk van ruisende zijde te zijn.

'Mademoiselle Cybel uit Parijs.'

'Is dat niet gevaarlijk?'

'Sinds we samen zijn ontsnapt uit die watertank, Sheng...' helpt Ermete hem herinneren, 'kun je wel zeggen dat we goede vrienden zijn geworden.'

'Sheng!' roept Harvey die een eindje voor hen staat. 'Hoe gaat het?'

De New Yorkse jongen heeft een vreemde pleister op zijn neus en hij leunt met zijn schouder tegen een zuil.

'Hao! Harvey!' glimlacht Sheng, terwijl hij hem de hand schudt. 'Heel goed, dank je. Ik bedoel, afgezien van mijn bagage. En met jou?'

De ander voelt aan zijn neus. 'Afgezien van mijn neus... alles prima.'

'Wat is er gebeurd?'

'Hij is gebroken. Eindelijk.'

'Eindelijk?'

'Als je aan boksen doet, moet het vroeg of laat gebeuren. Nu hoef ik me er tenminste niet meer druk om te maken.'

'En hoe hebben je ouders erop gereageerd?'

'Laten we zeggen dat we een compromis hebben gesloten: als ik wil doorgaan met boksen, moet ik me wel inschrijven aan de universiteit die mijn vader wil...'

'En ben je daarmee akkoord gegaan?'

Als antwoord wijst Harvey naar een hoek van de binnenplaats, waar Olympia en twee andere mensen van de boksschool staan.

'Ben je al lang hier?' vraagt Sheng.

'Ik ben gisteren aangekomen. Ik heb mijn laatste zaadje hier in Rome geplant.'

'Waar?'

Harvey legt geheimzinnig een vinger op zijn lippen. 'Dat vertel ik je als het is uitgegroeid tot een boom.'

'Weet jij het?' vraagt Sheng aan Ermete, maar dan ontdekt hij dat de ingenieur zonder iets te zeggen is weggewandeld. Dus herneemt hij: 'En vertel je me ook waar je die van Shanghai hebt geplant?'

'Beloofd.'

Sheng ziet mevrouw Miller aan de overkant van de binnenplaats, druk in gesprek met Vladimir Askenazy.

'Kom mee,' zegt Harvey en hij duwt zijn vriend naar hen toe. 'Dan kun je ze gedag zeggen.'

'Harvey!' roept zijn moeder uit, alsof ze haar zoon al in geen jaren meer heeft gezien. 'Ik wist niet dat jij een vriend als Vladimir had! Wat een geweldige man. Hij heeft een zeer verfijnde smaak!'

De jongen glimlacht zwakjes. 'O, dat geldt ook voor mijn vriend Sheng,' grapt hij.

Vladimir geeft Sheng een hand en heet hem welkom. Harvey en Sheng laten hem achter in het gezelschap van mevrouw Miller en lopen naar de tafel met de drankjes.

'En de rest?'

'Mijn vader staat daar te praten met die andere professoren,' legt Harvey uit. 'Hij bezorgt iedereen een gezonde portie milieubewustzijn... Zonder te overdrijven, natuurlijk.'

'Bijvoorbeeld door te vertellen dat er over honderd jaar een planeet komt die ons allemaal van het aardoppervlak vaagt?'

'Bijvoorbeeld.'

Onder de vele vrolijke gezichten op de binnenplaats herkent Sheng Cécile Blanchard, Mistrals moeder, in het gezelschap van Parijse vrienden uit de modewereld en van Madame Cocot, in een opzichtige jurk met pauwenveren. De muzieklerares heeft een fiere heer met een arrogant gezicht in een hoekje gedrukt: François Ganglof van het Conservatorium van Parijs.

Terwijl Sheng naar hen staat te kijken komt ook Fernando Melodia aanlopen met twee glazen champagne. Hij overhandigt er een aan Cécile.

'Hmm... hoe gaat het tussen die twee?' vraagt Sheng.

'Mistral en Elettra zeggen er niets over, maar zo te zien kunnen ze het goed met elkaar vinden,' antwoordt Harvey.

'Hé hallo, nééfje van Alfred,' zegt Agata op dat moment, terwijl ze achter Sheng opduikt. 'Hoe gaat het met je?'

'Hao! Mevrouw Agata!' Sheng is echt verrast om de bejaarde actrice uit New York te zien, die lange tijd heeft samengewoond met professor Van der Berger. 'Wat leuk om u te zien! Ik had niet gedacht dat u zou komen...'

'O, ik had een geweldige reisgenoot bij me.'

En dan staat Sheng ineens een enorme hand te schudden, die toebehoort aan een al even ontzagwekkende man. Even aarzelt hij, maar dan zegt hij glimlachend: 'Ik had je bijna niet herkend zonder je postbode-uniform.'

Quilleran geeft hem een knipoog, en als Agata kennelijk ruikt dat er nieuwe hapjes zijn geserveerd loopt hij achter haar aan, alsof hij haar lijfwacht is.

Op dat moment moet Sheng aan Egon Nose denken en hij vraagt Harvey hoe het is afgelopen met de eigenaar van de Lucifer.

'Het probleem is opgelost,' antwoordt Harvey. 'Een van zijn chauffeuses heeft een auto-ongeluk veroorzaakt terwijl ze over Broadway reden. Zij was ongedeerd, maar Egon...'

'Ik kan niet zeggen dat ik het betreur, ook al... hoe is het gebeurd?'

Harvey kijkt hem doordringend aan. 'Schijnbaar heeft een raaf haar de weg afgesneden.'

Het feest is al in volle gang, maar waar Sheng ook kijkt, hij ziet geen spoor van Elettra of Mistral. Hij heeft wel de andere Seneca-indianen gezien, de vrienden van Quilleran, en de zigeunerin met de gouden oorbel, ze heeft een vrolijk bloemetjesschort voor en een dienblad vol warme ravioli in de hand.

'Waar zijn de meisjes?' vraagt hij ten slotte aan Harvey, als hij het beu is om doelloos rond te zwerven.

'Verdwenen,' beaamt Harvey terwijl hij in een toastje hapt.

Sheng leunt tegen een zuil aan.

'Dag zoon,' zegt zijn vader dan, die ineens opduikt. 'Heb je een goede reis gehad?'

'Ik wel, pa. Mooi pak,' zegt Sheng, doelend op zijn vaders tenue van erwtgroene zijde. 'Je maakt kans op de prijs voor de vreselijkste kleren van de avond.'

Zijn vader grinnikt. 'Maar ik zou ook tweede kunnen worden...'

Inderdaad, de man die zich afzijdig houdt in een donkere hoek van de binnenplaats draagt een broek en een jasje van twee verschillende krijtstreeppakken, met streepjes in verschillende tinten. Sheng heeft geen idee wie dat ook alweer zou moeten zijn, dus neemt hij zijn toevlucht tot Ermete, die langs hem heen loopt met een blondine.

'Dat is die Siberiër die ons in Parijs de tol met het hartje kwam brengen,' legt de ingenieur uit. 'Hij spreekt geen woord Frans, Engels of Italiaans. Maar volgens mij vermaakt hij zich wel.'

Als Sheng een onmiskenbaar helder lachje hoort, draait hij zich met een ruk om naar de voordeur van hotel Domus Quintilia, en op slag stroomt zijn hart over.

Daar is Mistral, in een kort rood met wit jurkje boven haar eindeloos lange zwarte panty's waarin een bloemmotief is verwerkt. Haar lach gaat vooraf aan de langverwachte entree van de drie vrouwen des huizes: de drie dames Melodia, een en al glitter. De bejaarde Irene, in haar rolstoel, draagt een lichtgrijze jurk, oorbellen van Australische grijze parels en een sjaal over haar knieën. Links van haar staat Linda, met een kort kapsel, lange oorbellen van edelsteen en een sierlijke armband in de vorm van een slang. Elettra, die rechts van Irene staat, heeft haar woeste zwarte krullen los laten hangen en draagt een nauwsluitende lila jurk, paarse schoentjes en panty's.

Hun verschijning is niet heel erg theatraal, maar toch opzichtig genoeg om een applaus te ontlokken aan alle aanwezigen. Elettra, Linda en Irene kijken als filmdiva's in het rond en spelen het spelletje vrolijk mee. Als ze in het midden van de binnenplaats zijn aangekomen, verspreiden ze zich tussen de gasten.

'Dag schat van me!' zegt Elettra lief tegen Harvey.

Haar paarse oogschaduw glinstert, net als haar mond waar lipgloss op zit.

'Brengt de kleur paars geen ongeluk?' vraagt Harvey.

Hij wil het navragen aan Sheng, maar die staat niet meer naast hem. Hij is met twee glazen tussen de gasten door geglipt en onverwachts achter Mistral opgedoken, die een voor een de hand schudt van de vrienden van haar moeder, professor Ganglof en de andere mensen van de Parijse delegatie.

'Ha Sheng!' roept ze tegen hem.

Maar hij krijgt nog geen kans om haar het glas aan te geven, want ze stelt hem al voor aan een donkerblond figuur waar Sheng meteen een hekel aan heeft. 'Ken je Michèl nog?'

'Eerlijk gezegd niet, nee,' zegt hij met een geforceerde glimlach.

'Ach, kom! De organist van de Saint Germain des Prés in Parijs!'

'O ja!' roept Sheng. 'Maar ik kan hem moeilijk de hand schudden...' voegt hij eraan toe, doelend op de twee glazen.

Mistral neemt een champagneglas aan, zodat Sheng niet anders kan dan het tweede glas aan Michèl te geven.

De Chinese jongen ziet iets in Mistrals ogen wat hij nooit eerder heeft gezien. Een vreemd soort energie...

Wat het ook is, nu wordt hun aandacht ineens getrokken door een applausje. Een aantal mensen probeert Irene over te halen om een speech te houden.

Uiteindelijk geeft de oude dame toe. 'O, goed dan!' roept ze. 'Als jullie willen dat ik iets zeg, dan zal ik iets zeggen: Allemaal bedankt dat jullie zijn gekomen!'

Na die woorden doet ze alsof ze wil wegrijden in haar rolstoel. Door het gelach van de gasten die de grap doorhebben blijft ze glimlachend stilstaan. Haar grijze parels weerkaatsen een metalig schijnsel.

'Nee, echt!' roept ze. 'Ik heb jullie verder niet veel te vertellen. Ik zie alle mensen om me heen die me het dierbaarst zijn. En nog meer mensen, die ik niet kende en die ik vanavond heb leren kennen. Ik weet dat iedereen die hier is... er is omdat ze allemaal verbonden zijn via een gemeenschappelijke vriendschap... voor een heel bijzonder iemand.'

354

Er valt een ijle stilte over de binnenplaats. Ongemerkt zet Fernando de muziek wat zachter.

'Een heel bijzonder iemand, die heel veel heeft gereisd, gestudeerd en gelezen... om zijn grote droom na te jagen: ervoor te zorgen dat wij meer te weten kwamen van de wereld waarin we leven.'

Sheng kijkt naar Irene en probeert niet op Mistral en die blonde jongen uit Parijs te letten.

'Ik wil dus zeggen... Dankjewel, Alfred! Als God het wil zou het mooi zijn als we af en toe weer allemaal samen kunnen zijn, net zoals vanavond, om te herdenken wat jij gedaan hebt, en dat je ervoor gezorgd hebt dat wij elkaar allemaal leerden kennen. En wie weet ook om te proberen tenminste een klein beetje verandering te brengen in de zaken die niet goed gaan op de wereld.'

'Op Alfred!' roept Fernando terwijl hij zijn glas heft.

'Op Alfred!' herhalen de anderen al applaudisserend.

Sheng maakt zich als een haas uit de voeten, om niet te hoeven zien hoe Mistral en die blonde Fransman proosten, en gekwetst verschuilt hij zich onder de donkere bogen bij de poort.

Even heeft hij het idee dat hij de oude professor Van der Berger voor de poort langs ziet lopen, als een vriend die even een kijkje komt nemen. Het beeld is zo levendig dat Sheng nog eens extra aandachtig kijkt, maar dan komt hij tot de slotsom dat hij zich vergist moet hebben. De muziek wordt weer harder gezet en het feest gaat door, maar op de binnenplaats is nu iets wat hem irriteert en waardoor hij liever een poosje alleen is.

Hij loopt de straat op.

En daar ontmoet hij een andere persoon, die rechtop naast de deur staat.

'Dag Sheng.'

Het is een harde, onbuigzame stem. De stem van een schim.

'Jacob...' fluistert Sheng.

Jacob Mahler draagt een elegante zwart-witte overjas met visgraatmotief en een bontkraag. Hij heeft de viool bij zich waarmee hij professor Van der Berger van het leven beroofd heeft, hier vlakbij. Het is een vreemd moment, dat waarop de huurmoordenaar en de vriend van de professor tegenover elkaar staan, elk op zijn eigen manier met een ongemakkelijk gevoel.

'Er is iets wat ik nog wil doen,' verbreekt Jacob Mahler de stilte. 'Maar daarvoor heb ik jouw hulp nodig.'

Sheng knikt, en zonder een woord te zeggen luistert hij naar wat de schim hem te zeggen heeft.

'Goed,' zegt hij tenslotte. Hij pakt de partituur aan van de violist, draait zich om naar de poort om weer de binnenplaats op te lopen, maar blijft nog even staan. Het is immers een soort laatste afscheid, realiseert hij zich. En hij heeft Jacob Mahler niet eens gedag gezegd.

Als hij zich omdraait, is Mahler echter alweer verdwenen.

Sheng loopt vastberaden tussen de gasten door.

Hij gaat recht op Mistral af en probeert haar aandacht te trekken , maar ze is druk in gesprek met de Franse organist. Hij moet haar een paar keer roepen, en uiteindelijk rukt hij haar gewoon mee.

'Sheng! Is het nu echt nodig om zo lomp te doen?'

'Ik vind van wel,' antwoordt hij en hij geeft haar de partituur die Jacob Mahler hem gegeven heeft. 'Ik wil dat jij dit zingt.'

Mistral werpt een snelle blik op de partituur. 'Wat? O nee, je bent gek! Dat durf ik niet!'

'Je moet het doen.'

'Sheng, hou op! Wat is dit? De solozang van de tweede symfonie, genaamd "Verrijzenis", van Gustav Mahler. Dit heb ik nog nooit van mijn leven gezongen!'

'De noten staan erbij,' dringt Sheng aan. 'Kom op, zing het.'

Als hij ziet dat Mistral aarzelt, roept hij luidkeels: 'Even uw aandacht, alstublieft! We hebben een bijzondere verrassing! Mistral Blanchard wil een lied voor ons zingen.'

'Sheng!' protesteert Mistral. 'Ben je helemaal gek?'

Maar hij kijkt haar niet eens aan en herhaalt zijn aankondiging terwijl hij met een lepel tegen een glas tikt om de laatste mensen die het nog niet gehoord hebben tot stilte te manen. Hij vraagt Fernando om de muziek uit te zetten, wendt zich tot Mistral en kijkt haar recht in de ogen.

'Alsjeblieft,' fluistert hij. 'Vertrouw me.'

Mistral kijkt naar de gezichten van alle feestgangers. In het bijzonder die van Madame Cocot en professor Ganglof, die zo te zien branden van nieuwsgierigheid. Blozend houdt ze de partituur vast en in de twee tellen daarna zou ze het liefst willen dat ze een toverspreuk kende om in het niets op te lossen.

'Bravo!' roepen Harvey en Elettra aanmoedigend.

Mistral glimlacht, ze zoekt hen tussen al die gezichten maar kan hen niet vinden. Maar de spanning is eraf.

Ze slaat de partituur open en begint te zingen, terwijl haar stem langzaamaan steeds intenser klinkt. Zo ontdekt ze een heel tedere melodie, die sierlijk en krachtig tussen de schaduwen op de binnenplaats en de knipperende lampjes door glijdt, omhoog klimt naar het houten balkon en de ramen van de bovenverdiepingen, tot aan de vier beelden die als bewakers over de binnenplaats uitkijken.

Mistral zingt een eenvoudige, volmaakte harmonie en terwijl ze naar haar luisteren hebben alle aanwezigen het gevoel dat ze dat lied al kennen, ook al is het de eerste keer dat ze het horen. En terwijl de stem van het meisje deze betovering vormgeeft, horen de luisteraars geleidelijk aan hoe de smartelijke klanken van een viool zich met het lied vermengen. Hoezeer ze echter ook hun best doen om de geheimzinnige violist in hun midden te ontwaren, ze zien niemand die staat te spelen. Zelfs geen schim, noch de glans van zijn witte haar.

Mistral laat zich doordringen van de klanken van de viool, en ook al wordt ze verrast door het bekende geluid, ze laat de rillingen komen en put er juist energie uit die ze omzet in zang. Ze blijft zingen, vervuld van hoop. En terwijl ze zingt komt diep in haar hart de gedachte op dat het nog niet te laat is. Dat het nog kan veranderen. Alles kan veranderen. Hetzelfde instrument dat kan worden gebruikt om kwaad te doen, kan ook worden gebruikt om goed te doen. Dat hangt af van de bedoelingen van degene die het gebruikt.

Mistral zingt, begeleid door de viool van Jacob Mahler. En enige ogenblikken lang lijkt alles volmaakt.

Wanneer het lied is afgelopen, is de stilte die erop volgt zo intens dat je de lampjes kunt horen knipperen. Sheng merkt dat hij tranen in zijn ogen heeft. Hij verroert zich als eerste, en loopt opnieuw de binnenplaats van het Domus Quintilia af.

Daar vindt hij een onverwacht cadeau op de grond.

Een koffer.

Met een viool.

En de vlijmscherpe strijkstok.

Ze zullen nooit meer gebruikt worden.

Epiloog

Later die avond, als het feest ter ere van Alfred van der Berger is afgelopen en de obers van Cybel de tafels afruimen, zijn er zes personen bijeen in de geheime kamer onder de binnenplaats.

Door het raam van de put kunnen ze de voetstappen en de stemmen van het personeel horen, maar ze weten dat de keldermuren dik genoeg zijn om te kunnen praten zonder te worden afgeluisterd.

'Nu moeten jullie beslissen,' begint tante Irene, de vier kinderen aankijkend. 'Zeg ik het goed, Vladimir?'

De antiquair knikt. 'Ja. Nu moeten jullie beslissen of je het wel of niet wilt doen.'

'Ik wil wel,' antwoordt Elettra vastberaden. 'Het lijkt me wel wat om langzamer oud te worden dan andere mensen.'

'Elke vier jaar tellen als één jaar,' zegt Sheng. 'Niet gek om op

29 *februari geboren te zijn! Als ik mijn best doe haal ik misschien*
wel de vierhonderd jaar!'

'*Dat is niet automatisch zo,'* legt Irene uit. '*Het vermogen om*
langzamer oud te worden hangt ervan af hoe groot je gevoeligheid
is. En hoezeer de natuur in staat is je te helpen de weg voor te
bereiden voor degenen die na jullie komen.'

'*Moet je zien wat er van mij is geworden na amper honderdtien*
jaar...' grapt Vladimir en hij gaat op de rand van de tafel zitten.

Het groepje lacht.

'*Het is natuurlijk geen gemakkelijke taak die we op ons nemen...'*
merkt Mistral op.

En als iedereen haar aankijkt, voegt ze eraan toe: '*We moeten*
de vier voorwerpen weer in vier steden verstoppen, we moeten
onze opvolgers kiezen...'

'*Hao!'* valt Sheng haar in de rede. '*Dat is iets wat ik jullie altijd*
al heb willen vragen: toen jullie vieren ons hebben gekozen... ik
bedoel... hún...'

'*Sheng...'*

De Chinese jongen glimlacht: '*Oké, wat ik vragen wil: hebben*
jullie eerst de vier steden gekozen, of eerst ons?'

'*De steden waren al gekozen door onze meesters en door hun*
meesters vóór hen,' antwoordt Vladimir.

'*Dus?'*

'*Dus, als het zover is... zullen jullie wel weten wat je te doen*
staat. Daarvoor hebben jullie de tollen.'

'*Honderd jaar,'* fluistert Harvey tegen de anderen. '*Ik weet niet*
of we dat wel goed beseffen...'

'*Jullie zullen zien dat honderd jaar niet zo lang is,'* zegt tante
Irene met een glimlach. '*Vooral niet als we de gedachten van de*

mensen willen veranderen. En erin willen slagen om onze planeet weer aan het dromen te krijgen.'

'Maar... jullie laten ons toch niet alleen?' vraagt Sheng, die een soort afscheid voelt aankomen.

'Theoretisch gezien is het beter dat de leermeesters een stap opzij doen wanneer de leerlingen hen voorbij zijn gestreefd,' antwoordt Vladimir.

'Maar er zijn nog duizenden dingen die we niet weten!' protesteert Elettra.

'Mithra, Isis, al die godheden...' somt Mistral op.

'En dat verhaal van die Egyptische dierenriem...' voegt Sheng eraan toe. 'Met dat ene absurde jaar waarin er vier zonsverduisteringen waren...'

'En dan hebben we het nog niet eens over die krankzinnige planeet Nibiru...' besluit Harvey. 'Die over een jaar of honderd weer naar ons toe komt.'

De twee wijze oude mensen kijken elkaar aarzelend aan.

'En?' dringt Elettra aan. 'Als wij het Pact accepteren, helpen jullie ons dan of niet?'

'Het zou geweldig zijn als Alfred er nog was...' mompelt Vladimir terwijl hij bijna boos van de tafel springt. 'Hij had het Pact het beste bestudeerd van ons allemaal. Hij begreep het verband met de sterren, en de legendes van de oude Chaldeeën...'

'Daar hebben we Ermete voor,' komt Sheng tussenbeide. 'Wat? Waarom staan jullie me nu zo raar aan te staren? Hij is misschien niet een van de uitverkorenen of een van de leermeesters, maar... hij weet meer krankzinnige feiten dan wij allemaal bij elkaar.'

'Sheng heeft gelijk,' zegt Mistral. 'Zonder zijn hulp hadden we niets kunnen beginnen.'

'En zonder jouw moeder, niet te vergeten,' zegt Elettra tegen Mistral.

'En zonder mijn vader,' valt Harvey haar bij. 'Nu hij er eenmaal van overtuigd is dat hij iets moet doen om de gezondheid van onze planeet te verbeteren, staat hij volledig aan onze kant. Zolang we hem maar niet lastigvallen met iets wat ook maar in de verte... bovennatuurlijk is.'

'Mijn vader heeft een heleboel tegoedbonnen voor reizen en hotels overal,' voegt Sheng eraan toe. 'Als we de hele wereld over moeten reizen om een Ring van Vuur of een Sluier van Isis te verstoppen, kan dat ons altijd van pas komen...'

De anderen knikken vol overtuiging.

Ze zijn een goed team. Misschien dan wel een onsamenhangend, wisselvallig team... of misschien gewoon verrassend en geniaal.

Sheng geeuwt luidruchtig. 'Dames en heren... ik ga nu echt naar bed.'

'Ik ook,' zegt Mistral.

'Ben je moe van al dat geklets met je vriendje de organist?'

'Zeg, Sheng!' komt Elettra tussenbeide. 'Je bent toch niet toevallig... jaloers?'

De Chinese jongen doet alsof hij opnieuw moet geeuwen en staat op van zijn stoel.

'Heel even nog,' zegt Irene. 'Voordat jullie weggaan is het beter dat elk van jullie zijn eigen voorwerp in bewaring neemt.'

'Moet dat nu?' sputtert Elettra tegen. 'Kan dat niet morgen, tante?'

'Het is beter om het meteen te doen. Waar liggen ze?'

'We hebben ze hierin bewaard,' antwoordt Elettra, terwijl ze de rugzak van Nik Knife van de grond pakt.

De Ring van Vuur, de Ster van Steen en de Parel van de Zee-draak worden snel op tafel gelegd.

'En de Sluier van Isis?' vraagt Mistral als ze merkt dat 'haar' voorwerp ontbreekt.

Elettra voelt onder in de rugzak. 'Ik snap het niet...' mompelt ze. 'Ik weet zeker dat hij erin zat...'

Dan wordt ze ineens overvallen door een gruwelijke twijfel. 'Harvey!'

'Ja?'

'Waar heb je die rugzak neergezet toen je hier aankwam?'

'Op jouw kamer, hoezo?'

'O nee! Tante Linda!' gilt Elettra terwijl ze de kelder uit rent.

Ze holt de gang door, springt in de lift en toetst de geheime code in waarmee de lift weer omhoog gaat. Ze gooit de metalen deuren open en stormt de kamer van Linda binnen.

'Tante!' roept ze vanuit de deuropening.

Linda zit op het puntje van de poef voor haar toilettafel en is bezig haar oorbellen uit te doen. Hoewel het tamelijk fris is, heeft ze haar raam wijdopen staan, alsof de kamer gelucht moet wor-den.

'Elettra, mijn schat!' roept ze terwijl ze haar nichtje een snelle blik toewerpt. 'Je zit helemaal onder het stof. Heb je op straat liggen rollen met de zwerfkatten?'

'Je bent echt niet grappig!' roept Elettra. 'Waar heb je de Sluier van Isis neergelegd?'

'De sluier van wie?'

Linda, met haar feestelijke make-up nog op, legt de tweede oor-bel netjes naast de eerste op de toilettafel.

Elettra gaat door: 'Hij zat in Harvey's rugzak. Op mijn kamer.

En daar zat hij vanmiddag nog in, toen wij de stad in gingen om de boom te planten!'

'Ach ja!' zegt Linda Melodia dan doodgemoedereerd. 'Bedoel je dat smerige oude laken?'

'Tante...'

'Het ligt in de kast beneden, gewassen en gestreken.'

'O nee... tante...'

'Hij ruikt nu heerlijk naar lavendelbloesem!'

Elettra laat zich ongelovig tegen de deur aan zakken.

Dit is een ramp, denkt ze. Een eeuwenoud handwerk heeft de antibacteriële behandeling van mijn tante ondergaan, en de kans is groot dat het nu helemaal geen werking meer heeft...

Maar terwijl er duizenden gedachten door haar hoofd rondtollen, meent ze ineens luidruchtig gelach op te vangen door het open raam, vanuit de put op de binnenplaats.

'Dit is een grap, hè?' vraagt ze met een sprankje hoop. 'Halen jullie een grap met me uit?'

Linda Melodia aait haar glimlachend over haar bol. 'En al was dat zo, wat dan nog?'

INHOUDSOPGAVE

Pierdomenico Baccalario

Ik ben op 6 maart 1974 geboren in Acqui Terme, een mooi, klein stadje in Piemonte. Ik ben opgegroeid te midden van de bossen, met mijn drie honden, mijn zwarte fiets en mijn vriend Andrea, die vijf kilometer bergopwaarts woonde vanaf mijn huis.

Ik ben begonnen met schrijven op het gymnasium: sommige lessen waren zo saai dat ik deed alsof ik aantekeningen maakte, maar in werkelijkheid verzon ik verhalen. Daar heb ik ook een groep vrienden leren kennen die gek waren op rollenspelen, met wie ik tientallen fantastische werelden heb verzonnen en verkend. Ik ben een nieuwsgierige, maar discrete ontdekkingsreiziger. Toen ik rechten studeerde aan de universiteit won ik een prijs, de Premio Battello a Vapore, met mijn roman La strada del guerriero, en die dag was een van de mooiste van mijn leven. En vanaf dat moment heb ik steeds nieuwe boeken gepubliceerd. Na mijn afstuderen ben ik me gaan bezighouden met musea en culturele projecten, omdat ik ook oude, stoffige voorwerpen interessante verhalen wilde laten vertellen. Ik ben gaan reizen en nieuwe horizonten verkennen: Celle Ligure, Pisa, Rome, Verona.

Ik hou ervan om nieuwe plaatsen te zien en andere manieren van leven te ontdekken, ook al trek ik me uiteindelijk altijd weer terug op dezelfde plekken.

Er is één plek in het bijzonder. Het is een boom in de Val di Susa, van waaruit je een geweldig uitzicht hebt. Als je net als ik dol op wandelen bent, zal ik je weleens uitleggen hoe je er moet komen. Maar het moet wel een geheim blijven.

Iacopo Bruno

Ik zou niet weten hoe ik jullie moet uitleggen wie ik ben, maar het is min of meer zo gegaan.

Ik heb een speciale vriend die nooit iets nodig heeft.

Al vanaf dat we klein waren was het zo dat als hij een ruimteschip nodig had...

Dan tekende hij het...

Maar hij tekende het zo goed dat het echt leek.

We stapten erin en maakten een mooie reis rond de wereld.

Een keer, toen hij een schitterende rode tweedekker tekende, zoiets als die van de Rode Baron maar dan kleiner, scheelde het weinig of we waren neergestort in een gigantische vulkaan ge die hij dus ook net getekend had.

Als hij slaap kreeg, tekende hij een bed met vier poten... En daar droomde hij dan in tot het ochtend werd. Hij had altijd een geweldig houten potlood met twee punten bij zich, dat altijd perfect geslepen was.

Nu is die vriend van mij naar China vertrokken, maar hij heeft mij zijn toverpotlood gegeven!

Egon Nose

Mademoiselle Cybel

Nik Knife